U0060734

〈이상한 변호사 우영우〉 대본집의
독자가 되어주셔서
감사합니다!

문 지 원

謝謝你成為《非常律師禹英禑》劇本書的讀者！
文智元

非常律師 禹英禑

i 小說 056

非常律師禹英禑【文智元劇本書】2

國家圖書館出版品預行編目 (CIP) 資料

非常律師禹英禑 (文智元劇本書) / 文智元 (Moon
Jiwon 文智元) 著 ; 黃醇方譯 . -- 初版 . -- 臺北市 :
愛呦文創有限公司 , 2023.11
　　冊 ;　公分 . -- (i 小說 ; 55-56)
譯自 : 문지원 대본집 : 이상한 변호사 우영우 2
ISBN 978-626-97498-0-5(第 1 冊 : 平裝). --
ISBN 978-626-97498-1-2(第 2 冊 : 平裝). --

862.57　　　　　　　　　　112008724

愛呦文創

原 書 書 名　문지원 대본집: 이상한 변호사 우영우 2
作　　　 者　문지원 (Moon Jiwon 文智元)
譯　　　 者　黃醇方
卡片繪圖設計　Zorya
責 任 編 輯　高章敏
韓文特約編輯　劉小妮
文 字 校 對　劉綺文
版　　　 權　Yuvia Hsiang
行 銷 企 劃　羅婷婷

發 行 人　高章敏
出　　版　愛呦文創有限公司
地　　址　10691台北市忠孝東路四段59號10-2樓
電　　話　(886)2-25287229
郵 電 信 箱　iyao.service@gmail.com
愛呦粉絲團　https://www.facebook.com/iyao.book

總 經 銷　聯合發行股份有限公司
電　　話　(886)2-29178022
地　　址　231新北市新店區寶橋路235巷6弄6號2樓

美 術 設 計　廖婉禎
內 頁 排 版　廖婉禎
印　　刷　沐春行銷創意有限公司
初 版 一 刷　2023年11月
定 價　460元
ISBN　978-626-97498-1-2

2

非常律師
禹英禑

文智元劇本書

김영사

目錄

因為足夠勇敢，所以才能保持可愛

—— **知名編劇講師｜東默農**

自閉症類群的角色，近年來似乎受到了編劇們的青睞。

如韓劇的《好醫生》、《雖然是精神病但沒關係》、《我是遺物整理師》等知名連續劇，臺劇《誰是被害者》裡也有亞斯設定的鑑識人員，這樣特異獨行、眼光獨具且有點童心未泯（其實是未社會化）的存在，在戲劇中就如同早熟的兒童那樣抓人目光。

但禹英禑無論如何，是最為特殊的存在。

雖然大家都會覺得是演員很出色（演員確實演技非常精彩），但禹英禑的與眾不同，編劇絕對功不可沒。無論是音韻生動的自我介紹詞、對食物的偏執和對鯨豚類的著迷，這些極度簡單卻充滿創意又意象鮮明的安排，都令人驚豔。這麼俏皮可愛的自閉症類群，真的可以嗎？但她又是這麼的「像」，卻又這麼的不一樣。

她的特殊不僅僅是因為編劇賦予了她完美的可愛特質，更因為相較於其他世界觀都相對陰暗的故事，《非常律師禹英禑》是一部充滿陽光的故事。她不只自己可愛，她身邊的人事物、遭遇的案件，也都洋溢著

暖烘烘的溫柔。明明是競爭關係卻又放不下她的同學、坦然承認她與眾不同卻優秀的上級、對她的特殊從最開始就溫柔以待的男主角……這到底是什麼童話故事啊？

　　明明是勾心鬥角的律政劇，這麼充滿愛與溫暖的世界，真的可以嗎？推展情節的節奏如此迅速，真的可以嗎？案件用這樣的角度來帶出自閉症的議題，真的可以嗎？男女主角的戀情就這樣展開，真的可以嗎？但這個童話中的世界卻又是這麼真、這麼緊扣著禹英禑的弱點，一集接著一集，不斷地對她施以重拳。

　　我除了做為觀眾樂在其中，同時也做為同行，感受到編劇的勇氣。

　　有時創作做久了，會充滿各種擔心。這樣的安排會不會太誇張？這樣的規劃會不會引來批評？這樣的角色會不會不夠真實？會不會會不會會不會……要堅持完成心中理想的作品，是個艱難的挑戰。

　　感謝編劇每一個大膽的決定，使《非常律師禹英禑》這部作品如此的與眾不同，如此耀眼。希望每一個有志於學習編劇的創作者，都能從這部劇本書中，不只學到出色的技術，更感受到背後無畏的精神，可以勇敢寫出自己獨一無二的角色與世界觀，跟禹英禑一樣，充滿熱情的分享關於你心中的鯨豚宇宙吧。

就因所有的不完美，凸顯了這齣劇的真實感與人性化

——知識型YouTuber｜瑩真律師

在大部分的人心目中，法律代表絕對的正義、絕對的公平。在法的世界裡，只有黑與白、只有對與錯，善惡分明。

這種質樸的想像，恰好反映出在對現狀無力的社會中，人類寄託於一個至高無上，足以建構永恆秩序造物者的深深期待。

可惜的是，法律恰好與人類的期待相反。

畢竟說穿了，法律就是人類建造的一套制度，而所有人類所建造的制度中，沒有一個是完美的。更糟糕的是，這個不完美的制度，最後還是得交由本身就不完美的「人」，來實際運作。

這才是法律的真實面貌。

在進行法律普及化的過程中，這一點一直是我非常頭痛的部分。也許是受到傳統忠孝節義故事的影響，臺灣人對於法律的不完美尤其無法接受，甚而直接將這些不完美歸咎為「司法不公」、「法律是為有錢人服務」所導致。

還好，禹英禑出現了。

禹英禑這角色設定很有趣。某方面來說，她是一個完美的法律人。她有著超高智商，精準的邏輯思考，對浩如煙海的法律條文有著過目不忘的能力，還能在法庭的高壓對峙下快速反應，靠著靈光一閃，往往就能舉出最相關的司法案例或最核心的法律問題，突破案件僵局。

這樣的特質，讓她深受上司信賴，也是同事工作上的得力夥伴。

諷刺的是，她最欠缺的能力，竟是律師工作最需要的「共感」能力。她無法同理當事人的情緒，也無法進行有效溝通。因為她有著自閉症類群障礙症。

這種角色設定乍看之下極不合理，然而反過來思考，我們雖沒有禹英禑的不完美，但，我們也欠缺她在法律上的完美表現，不是嗎？

既然是人，一定存在著不完美的缺陷。與其讓那些聰明絕頂，穿著光鮮亮麗，擁有極致臉部線條的人代言律師角色，禹英禑的存在竟更凸顯了這齣劇的真實感與人性化。

值得一提的是，這齣戲中的加害人與被害人，一樣不完美。

戲中並沒有典型凶神惡煞，讓人恨得咬牙切齒的反派人物來承擔起觀眾的仇恨值，也沒有傳統上被欺負到無路可退，亟待英雄拯救的弱小角色。這樣的編排，也許讓期待韓劇復仇戲碼或包青天式沉冤得雪大結局的人，可能感到些許失望。

　　正因如此，我們才能真正了解正反兩方的立場與無奈。

　　真正了解，現實上的法律，不是黑與白，不是對與錯，而是人與人、人與現實、人與制度的拉扯與妥協。

　　相對於法律條文，這觀念更難讓民眾所接受，《非常律師禹英禑》竟恰如其分地完成了這艱鉅的任務。

　　不完美的制度，當然有改進的必要；但改進的前提，必須先正視這些不完美。期許每個對司法懷有期待的人，都能透過這齣戲汲取養分，再貢獻成為司法前進的力量。

各界佳評如潮

「韓劇爆紅的最大關鍵，就在劇本的內容力。」
——旅韓YouTuber｜韓國主婦Fion

「這是一個自帶溫度與力量的故事。」
——劇評YouTuber｜Ki笑人生 KiKi

「全書編劇視角！即使沒看過電視劇，也能透過
文字宛如親臨拍片現場，看著演員們隨著劇情
發展展現精湛演技，被劇情深深吸引！」
——韓文譯者暨本書特約韓文編輯｜劉小妮

希望能和禹英禑律師一起度過開心且有趣的時光

我聽說在《非常律師禹英禑》播出期間，臺灣也有許多人收看這部電視劇，聽到這部劇在臺灣維持了很長一段時間的收視率第一，我也感到非常驚訝，甚至還有臺灣職棒選手在棒球場上以「禹英禑打招呼方式」作為勝利慶祝動作，當我看到這篇報導時，也不禁微笑了起來。我還記得我曾閱讀過一篇專欄，文章內容在討論《非常律師禹英禑》在臺灣相關媒體報導側重方向的改變，播出前期的報導多為討論劇情發展及演員本身，而播出後期甚至到電視劇完結後，報導則著重於有關現實生活中自閉症人士所面臨的情況和苦衷。在理解自閉症類群障礙症的道路上，《非常律師禹英禑》能發揮作用，哪怕只是一點點也好，都讓我非常自豪。藉由這篇作者序，我想感謝所有喜愛《非常律師禹英禑》的臺灣觀眾。

光是電視劇受到大家的喜愛，對我而言就已經非常感激了，這次透過《非常律師禹英禑》劇本書，用嶄新的方式和臺灣讀者們見面，我很開心也很幸福，謝謝愛呦文創給了我這個珍貴的機會。

13

我期待各位讀者透過劇本書認識《非常律師禹英禑》的體驗，會和觀看拍好的電視劇時，有著不同的樂趣。閱讀劇本書就像是在執導人員和演員加上解析之前，由讀者親自去感受原汁原味的劇本骨幹，想必一定能讓你對這部劇產生新的解析和豐富的想像力。

　　最後，再一次感謝你成為《非常律師禹英禑》劇本書的讀者。
　　希望你在閱讀這十六集劇本時，能和禹英禑律師一起度過開心且有趣的時光。

雖然我知道這有點奇怪，但我總會忍不住想：在平行宇宙的某個地方，也許真的存在一位名叫禹英禑的奇特律師！

於是我開始試著想像，實際存在於平行宇宙的禹英禑律師會是什麼樣子。

禹英禑律師的一天充滿著自己的原則。

從「禹英禑飯捲」開始，以「毛怪家餐酒館的海苔壽司」作結的飲食；開門後閉眼默數「一、二、三」才進門，並在鄭明錫律師語畢前離開；把散亂的物品排放整齊的習慣；「我叫禹英禑，正著唸、倒著唸都一樣。黑吃黑、多倫多、石榴石、文言文、鹽酸鹽、禹英禑」壯闊的自我介紹⋯⋯

禹英禑律師的腦海裡充滿自己喜愛的事物。

《憲法》、《民法》、《刑法》、《民事訴訟法》、《刑事訴訟法》、《行政法》、《商法》，藍鯨、大翅鯨、虎鯨、印太瓶鼻海豚、一角鯨、白鱀豚、白鯨，還有鯨魚的祖先巴基鯨、走鯨、羅德侯鯨、矛齒鯨。

以及黑吃黑、多倫多、石榴石、文言文、鹽酸鹽、禹英禑、驛三站等正著唸、倒著唸都是同個意思的單字……

我似乎是想透過這部劇，展現出禹英禑律師的世界裡，充滿著自我原則以及她所喜愛的事物。

以及我有多喜歡禹英禑律師。

喜歡到我希望觀看這部劇的各位，也都像我一樣喜歡禹英禑律師。

存在於平行宇宙中的禹英禑律師，也許對我、對各位讀者根本沒有太大的興趣，畢竟我們不是鯨魚，也不是帥氣又溫暖的李濬浩。

但也沒關係，那不就是禹英禑律師的魅力嗎？我只希望：

不管在哪個宇宙，禹英禑律師都能夠永遠幸福。

· 內文遵循文智元編劇的電視劇劇本執筆方式。

· 電視劇臺詞多為口語，考量到語氣表現，部分詞彙與《朝鮮語正寫法》標準用法稍有出入。

· 刪節號與空格分寫如有與《朝鮮語正寫法》不同之處，均是如實保留編劇賦予每句臺詞不同的呼吸量。

· 逗號、驚嘆號、句號等標點符號亦遵照編劇的想法，若出現沒有句點的臺詞，亦為編劇的考量。

· 內文為文智元編劇提供的最終版本，包含未播出的部分。

· 劇本中出現的地名、組織、人物、機關、事件等皆與現實無關。

「我叫禹英禑，正著唸、倒著唸都一樣，
黑吃黑、多倫多、石榴石、文言文、鹽酸鹽、禹英禑。」

　　有著自閉症類群障礙的禹英禑是集優缺點於一身的角色，164的高智商、正確背誦大量法律條文與判例的記憶力、不會被先入為主的觀念或情感影響的創意思考方式，這些都是禹英禑的優點。

　　同時，禹英禑在情感方面的共情能力不足，缺少社交能力，不善於表達情感。因感官敏銳而時常感到不安；因無法協調地運用身體，使禹英禑對於走路、跑步、拿筷子、綁鞋帶、通過旋轉門等動作較為陌生。

　　禹英禑極為強大，同時也極為弱小，她是高智商與低情商的綜合體，比我們大部分的人都要優秀，卻也比我們大部分的人都還要對這個世界感到生疏。

　　以一句話總結，禹英禑是個非常有趣的角色。

　　這樣的禹英禑，卻偏要成為律師。

　　「自閉」這個名字本身就是「被關在自我裡」的意思。

　　這樣的人闖進保守又嚴峻的法律界，立志「站在他人的立場，為他人辯護」。自閉症患者究竟能不能成為律師？這部劇會讓看似不可能的事，轉瞬之間變得可能，而且過程中也會讓你感受到無比的樂趣。

太守美

「泰山法律事務所」
合作律師

韓宣榮

「汪洋法律事務所」
代表律師

競爭者

大學前後董　　上司-部下

上司-部下

禹光顥

英禤的爸爸

禹英禤

「汪洋」新進律師

鄭明錫

「汪洋」資深律師

父女　　　師徒關係

朋友　　愛情

同事
法學院同學

師徒關係

金敏植

毛怪家餐酒館 老闆

老闆
員工

董格拉米

英禤朋友

李濬浩

「汪洋」訟務組員工

崔秀妍

權敏宇

「汪洋」新進律師

禹英禑

女・27歲

#「汪洋法律事務所」的新進律師

禹英禑很獨特，不知道在看哪裡的眼神、不協調的步伐和肢體動作、奇特的聲音、單一的語調、像是一本活字典般過於標準的發音……

如果是對自閉症類群障礙症有所瞭解的人，應該能一眼就猜出禹英禑是一位自閉症患者。

禹英禑很有趣，她令人出乎意料卻誠實的模樣，有時會讓旁人驚訝，甚至讓人以新的思維看待框架裡的規則。

被人拿來和其他新進律師比較，面對從沒處理過的案件總是感到慌張的她，卻能以專屬自己的方式克服極限，以嶄新的觀點解決案件。

禹英禑很勇敢，社交能力不足的人，會傾向選擇可以獨自處理的工作，以禹英禑來說，她可以從書記官一路當到法官，或是成為研究法律的大學教授，但英禑選擇成為律師。

站在他人的立場設想，為他人的利益辯護。對於有著「被關在自我裡的障礙」的英禑來說，這件事相當困難，但她還是堅持要去做。理由很簡單，因為幫助別人的時候，英禑是幸福的。不隱藏自己的弱點，而是勇於正面突破的英禑，在這個保守又嚴峻的法律界，她能成為一位優秀的律師嗎？

鄭明錫

男，43歲

#英祿的導師 #「汪洋法律事務所」的資深律師

鄭明錫這輩子都在為了不和爸爸過上同樣的人生而掙扎。明錫的爸爸不喜歡工作，是個遊手好閒之人，媽媽獨自辛苦地拉拔明錫長大，明錫為了報答媽媽的恩惠，拚命認真讀書，深怕一鬆懈，就會染上爸爸遊手好閒的劣根性。在對自我的要求和鞭策之下，明錫達成了許多成就。

考上首爾大學法律系，並於在學期間通過司法特考，在司法研修院以優異的成績結業後，以軍法務官的身分服役。退伍後馬上開始在韓國國內第二的大型律所「汪洋法律事務所」工作。如果說法律界有「骨品制度¹」，那麼明錫就是「聖骨」階級，當上律師後，明錫也沒有停止對自己的鞭策，汪洋給了他高額年薪，卻也伴隨著巨大的業務量。雖然有過許多次辛苦到想辭職的念頭，但明錫一心只想趕走自己體內那個遊手好閒的爸爸，把自己當作驅魔師，全心投入工作。

雖然明錫的身體健康每況愈下，也面臨必須和老婆離婚的局面，但他在40歲出頭就取得汪洋法律事務所代表律師韓宣榮的深厚信任，成為一位資深律師。

明錫聰明且勤奮，號稱「聰勤」上司。他具備實力、通情達理、有許多值得學習的地方，卻對部下處理事情的遲鈍手腳感到煩悶。對他來說，要指導沒有經過他訓練的新進律師，是需要無比耐心的煩悶差事。已經接手訓練兩位新進律師了，宣榮又丟給他一位自閉症律師。「代表賺盡雇用身心障礙律師的面子，卻要我善後一切……」明錫越想越無奈。但宣榮認

註釋1：骨品制度：新羅時期實行的身分階級制度，分為王族所屬的聖骨、真骨，貴族所屬的六頭品、五頭品、四頭品，推測為平民所屬的三頭品、二頭品、一頭品，以及相當於奴婢的零頭品。

為，沒有任何一位上司比明錫更能正確掌握部下的優缺點，給予因材施教的指導。「天才自閉症」這種很難指導的部下，交給明錫再適合不過了。

明錫認為職場即戰場，他抱持著「不會因為身心有障礙，而包庇部下事情做不好，反而更該好好指導！」的心態，聰勤上司鄭明錫就這麼遇見了奇特部下禹英禑。

李濬浩
男，29歲

#「汪洋法律事務所」的訟務組員工

李濬浩這輩子不管去哪裡都很受歡迎，他的魅力說明如下：致命的笑眼、想被擁入懷中的肩膀、想掛在上面的手臂、禮儀男、優雅公子教科書、大型犬長相、無限散發狗狗般的魅力……

因為聽過太多人說自己「暖心」，濬浩並沒有意識到自己真正的魅力就是受歡迎，當然也就不會去利用這一點。他不會阻止女生靠近他，卻也沒有和任何人交往過，因為他不想和自己的粉絲談戀愛。害怕被別人誤解，所以他不曾提起，其實濬浩的理想型是「值得尊敬的女生」。雖然濬浩很木訥，但他是看著爸爸真心愛著事業有成的母親而長大的，在兒子的眼裡，父母看起來非常幸福，也許是受到父母的影響，濬浩在潛意識中不斷尋找著「值得尊敬的女生」。

在媽媽身為地方大學法學專業研究所教授的影響之下，濬浩也想成為法律界的一分子，但是他並不是能夠靠讀書成為法官、檢察官、律師、教授的料。不過濬浩成為了汪洋法律事務所的訟務組員工，工作內容主要是輔助跟訴訟有關的多元業務，有時候要前往案件現場取得追加證據。在汪洋法律事務所中，濬浩的人氣依舊，無論是律師、祕書還是員工，許多女生都對濬浩示愛過。

在不為任何誘惑所動的澔浩面前，時不時出現了一位需要很多人照顧的奇特律師。無法通過旋轉門，如果沒有人幫忙就進不去也出不來；因為不大會拿筷子，如果沒有人幫忙夾小菜，這餐就只能吃白飯。但這位女生卻常常展現出令人讚嘆的奇妙記憶力和創新的發想。澔浩好像無意間尊敬起禹英禑律師了，心總是忍不住撲通撲通跳著。

韓宣榮
女，50歲

#「汪洋法律事務所」的代表律師

韓宣榮這輩子都在與太守美競爭，從她父親那一輩就註定這件事了。1975年，太守美的爸爸設立了「泰山法律事務所」，三年後的1978年，韓宣榮的爸爸創建了「汪洋法律事務所」，從那時候起，大韓民國的律所業界就形成了「高山與大海」的雙雄鼎立，雖然每次都是泰山勝過汪洋。

韓宣榮和太守美的成長過程很類似。

以大型律所創辦人的女兒出生，畢業於首爾大學法律系，通過司法特考，並在司法研修院結業後前往留學，在美國當律師後，回來接手爸爸的律所。宣榮想打破「屹立不搖的第一名泰山與萬年第二的汪洋」這種僵化的局面，她想把汪洋打造成第一名的律所。這不僅是父親的遺言，也是源於她對守美的憎恨。

宣榮在大學時期，和大企業「江川集團」會長的兒子崔規浩交往過，並非是為了策略聯姻，至少宣榮是真心愛著規浩。但是江川和泰山之間就是策略聯姻了，當時的宣榮因為感受到巨大的背叛及羞恥，痛苦到想過自我了結，雖然她也恨沒出息的前男友規浩，但是對壞女人守美更加憎恨。野心勃勃的守美最近似乎還覬覦法務部部長一職，如果她成功了，那麼泰山的力量勢必會更加強大，只要想到這件事，宣榮半夜睡著睡著都會爬起

來抽菸。

對宜榮來說，打倒泰山和守美，把汪洋打造成第一名的律所，這件事並不只是單純的事業規劃，而是宜榮的人生目標。

太守美

女，50歲

#英祿的媽媽　#泰山法律事務所的合作律師

太守美這輩子都以「擁有一切的女人」而活。財富、名譽、顯赫家世、美貌，甚至實力，太守美確實擁有一切。守美就讀首爾大學法律系的20歲出頭，她不禁開始懷疑，「即使不擁有一切也不要緊吧？沒有財富、名譽、顯赫家世，我也能好好活著吧？」就在這時，沒有財富、名譽、顯赫家世，卻充滿男人味、可靠的禹光顯出現在守美面前。守美和光顯陷入愛河，兩人生疏地談著戀愛，有了孩子。懷孕後的守美彷彿遭到一記當頭棒喝，對光顯的愛意也在瞬息之間冷卻。這時守美才終於承認，「原來我是必須擁有一切的女人，我太習慣富足的生活，我不能失去任何東西」。

守美靜靜地生下孩子，除了守美的父母和光顯，沒有其他人知道這個祕密。

護理師詢問守美要不要抱抱孩子，但守美對孩子的長相一點也不好奇。守美把孩子丟給光顯，就這麼逃跑了，與其成為「一無所有的妻子和媽媽」，守美選擇成為「法官、檢察官、律師」，當時她才23歲。

從那之後，守美就過得很忙碌，必須盡快讓因自己誤判而差點陷入泥沼的人生回到正常軌道。

守美通過司法特考，司法研修院結業後，就毫不猶豫地和父母安排的對象結婚，也就是大企業江川集團會長的兒子崔規浩。守美和規浩去了美國，生下了一個兒子，守美在美國以律師身分活動一陣子後，為了接手爸

爸的律所，回到了韓國。

最近守美在計劃「擁有更多」，她暫時放下泰山的代表律師一職，試圖一拚法務部長。此時，英禑出現在守美面前。「擁有一切的女人」的阿基里斯腱，因為她一生下那個孩子就逃跑，守美的人生再次動搖。

權敏宇

男，29歲

#英禑的同事 #「汪洋法律事務所」的新進律師

權敏宇很討人厭，就讀河那大學時，他聽過喝醉的學長這麼跟他說：「你該不會⋯⋯是因為對權力很敏感才叫權敏宇的吧？」

周遭的同學也都認同這番話而笑著。只有這位學長沒有笑，反而繼續告訴他：「人生不要活成這樣，權敏宇，你很討人厭。」

從那天起，敏宇的綽號就變成了「對權力很敏感的人」，敏宇暫時回頭檢視自己，他能理解別人覺得自己的舉動很討人厭，但他覺得為了生存，這也是無可奈何，學長自己就活得很善良嗎，憑什麼教訓人。敏宇聳聳肩，就把那天發生的事從記憶中刪除了。

敏宇想要成功，他認為有時候使出權謀詭計是必須的。找出競爭者的弱點並攻擊，是贏家的智慧；需要時加以利用，不用時過河拆橋，也是一種生存本能。敏宇認為就是因為從學生時期到現在都秉持這樣的態度生活，才能在激烈的競爭中生存下來，成為汪洋的新進律師。

英禑出現在這樣的敏宇面前，敏宇的腦袋開始快速運轉：我聽說過英禑在首爾大學以會讀書而聞名，律師考試也以接近滿分的成績造成熱議，那麼她真的是代表派來的空降部隊嗎？

敏宇出於本能地分析英禑，試著找出她的弱點，如果英禑的弱點就是自閉，那麼敏宇會毫不猶豫地攻擊這一點。

對敏宇來說，英禑是個危險的競爭者。

崔秀妍
女，27歲

#英禑的同事　#「汪洋法律事務所」的新進律師

崔秀妍就像「春日暖陽」，既開朗又溫暖，甚至正向且善良。她心甘情願地幫助身邊的人，但是她最近覺得以「春日暖陽」活著，似乎有點累了，尤其是在法學院或律所這種競爭激烈的地方，更是難上加難，秀妍開始為自己不經意幫助人的那些時間和精力感到可惜，也覺得都幫忙了才來嘆息的自己真是不爭氣。在「必須競爭的現實」與「幫助他人的本能」之間，秀妍總是感到矛盾。

秀妍和英禑是首爾大學法學專業研究所的同屆同學，在法學院時期，英禑是讓秀妍很為難的存在。在天性善良的秀妍眼裡，會先看見英禑需要幫助的地方，所以秀妍總是不經意地像個大姐一樣，照顧著英禑。但當兩人需要競爭時，英禑總是輕鬆就能贏過秀妍，秀妍心想：英禑是天才，我到底憑什麼說我要幫助天才？我拚死拚活讀書都不一定能贏過她……

當秀妍感到後悔時，眼前一定會出現因為開不了寶特瓶而手足無措的英禑，或是其他讓秀妍想照顧她的模樣，所以秀妍選擇盡量遠離英禑，採取「眼不見為淨」的策略。

但是偏偏在汪洋，以被分到同一組的同事暨競爭者，再次和英禑見面了。看到英禑在一樓大廳旋轉門前數著「一、二、三」，秀妍就忍不住為她操心了，「如果她因為旋轉門摔倒了怎麼辦……不對，我幹麼擔心她？幫她以後要是有什麼需要打分數的事，一定又是『反一禹』，反正第一名都是禹英禑。是啊，我顧好我自己就好。」

秀妍裝作不認識英禑，心一狠轉過身，內心卻百般複雜。

禹光顯
男，52歲

#英禰的爸爸 #飯捲店老闆

出生於窮困農家的禹光顯，當年他拚命苦讀考取首爾大學法律系的時候，沒有人猜到他的未來是「把經營飯捲店當副業的全職爸爸」。

大學時期，他和首爾大學法律系的學妹太守美陷入愛河，兩人生疏地談著戀愛，有了孩子。懷孕後，出生於法律世家的守美彷彿遭到一記當頭棒喝，想把光顯和這個孩子從自己的人生中抹去。光顯向守美哀求：「孩子沒有罪，不要打掉孩子，只要妳生下來，我保證會帶著孩子離開法律界，安靜過活。」

經過一番苦思，守美生下了孩子，光顯帶著孩子離開守美的身邊。

與其成為「法官、檢察官、律師」，光顯選擇成為「單親爸爸」，當時他才25歲。

光顯把孩子取名為英禰，「落英的英、象徵福氣的禰」，雖然對光顯來說，英禰是像花一樣美麗的福星，但也是很難養育的女兒。英禰小時候不會和光顯對視，喊她的名字也沒反應，5歲了還不會說話。十幾歲時因為和同儕處不來，所以英禰總是被排擠，即使現在英禰長大成人，還是不大會拿筷子、不大會綁鞋帶，常常在名為大眾交通的迷宮裡走失。

為了照顧這樣的女兒，光顯無法從事一份正常的工作。家教、作業簿教師[2]、英文書籍翻譯、保險、淨水器、汽車銷售員，穿梭在各種短期打工之中，最後租了住家樓下的店面，開了一間飯捲店，只為了便於立刻跑上家中照顧女兒。

註釋2：作業簿教師：教育出版社定期出版作業簿，每間出版社雇有作業簿教師，通常為一週一次登門拜訪訂閱作業簿之家庭，每次進行10到20分鐘的題目講解，與學生約定下一次的檢討範圍，並與家長討論學習進度，此教育模式盛行於學齡前兒童至國小高年級。

養育英禩這件事，辛苦的同時，卻也很有趣。英禩在唸國小前，就已經把家裡的書全部背起來了，其中英禩最喜歡光顯大學時期閱讀的法律書籍。英禩第一次開口說話的單字，不是「爸爸」也不是「媽媽」，而是「傷害罪」。在5歲的英禩因為一直不說話而去醫院，醫生診斷為「自閉症障礙」後回家的路上，

他們父女租的聯排住宅的屋主突然毆打光顯，英禩見狀就說：「傷害他人身體者，可處七年以下有期徒刑，十年以下褫奪公權，或一千萬韓元以下之罰金。」

從那天起，光顯就用法律用語和英禩對話。「妳再大吵大鬧，小心警察叔叔罵妳哦」這句話對英禩行不通，但如果換成「在公共場所大聲喧嘩、妨害安寧，得以輕微犯罪處刑」，英禩就會安靜下來。

一路上跌跌撞撞、卻仍疼愛有加的女兒，現在說要當律師。光顯甚是擔心，雖然英禩非常聰明，從國小到法學院畢業都是第一名，卻有著自閉症。「如果英禩無法實現夢想，感到挫折怎麼辦？」

現在守美在法律界是重量級的人物，這點也讓光顯很為難：一直以來對英禩隱藏媽媽的存在，該何時、該怎麼跟英禩說呢？

董格拉米

女，27歲

#英禩的朋友　#毛怪家餐酒館工讀生

跟董格拉米相處過的人，都會暗自覺得「她是神經病吧……」。根據國立國語院的定義，神經病亦即「擁有跳脫常理的思維和生活方式，我行我素的人」。當你看到他像是吸毒般的呆滯眼神，奇怪的態度，吟唱著Rain的《GANG》；打工時做錯事被老闆罵髒話，以「我真該死，我明天會戴保險套來上班，因為你叫我『幹』你娘」回嘴；問英禩知不知道「日就

月將」是什麼意思，卻笑著自言自語道：「星期日喝醉，星期一[3] 就即將完蛋！」

你可能也會覺得：她是神經病吧……

格拉米是英禍的朋友，是教導英禍如何社交的老師，雖然你看到格拉米的瘋狂行為，會覺得「到底是誰教誰……」，但在英禍眼裡，格拉米是人氣王中的人氣王，是社交能力滿級，如神一般的存在。

格拉米和英禍是高一同班同學，當時英禍被稱為「那個全校第一的低能兒」或「自閉兒」，忍受著同年級生的欺負。後來，格拉米幫擋過幾次之後，英禍都會跟在格拉米後頭，因為她知道，在格拉米身邊就是安全的。格拉米也覺得和英禍一起行動不錯，每天只會對她訓話的老師，在英禍面前都會變得無比親切。「神經病」和「低能兒」就這麼成為搭擋，一起並肩度過艱難的校園生活。

格拉米在毛怪家餐酒館打工，高中畢業後到現在的每一份工作都做不久，唯獨這次因為「毛怪老闆對我很好，員工餐很好吃」，意外地在這裡工作了很久。

英禍是這間餐酒館的常客，每當英禍分享在社會生活、待人處事上遇到的煩惱，格拉米和毛怪老闆就會湊在一起，告訴英禍解決辦法。如果你看到他們討論的模樣，很可能會覺得「這樣真的有辦法解決嗎……」，但還是會不自覺地為他們加油，神經病和低能兒的十年友情加油！

註釋3：星期一的韓文為월요일（月曜日）。

29

編劇精選

· 第 9 集 ·

屁噗　我將擊退學校、補習班、家長那些美其名是為了兒童未來著想的狡詐咒語，我本人，也就是兒童解放軍總司令方屁噗，將為了「即時保持快樂的兒童」高歌。小朋友們～來～玩吧～！

· 第 10 集 ·

英禑　接吻的時候⋯本來就會這樣撞到對方的牙齒嗎？

· 第 11 集 ·

英禑　做人要懂得變通啊！

· 第 12 集 ·

英禑　柳齊夙律師⋯是在汪洋見不到的律師物種啊，我希望她不會滅絕。

· 第 13 集 ·

明錫　　我以前那樣生活，到底是為了什麼？

· 第 14 集 ·

明錫　　真的嗎？我度過了有意義的時光嗎？

· 第 15 集 ·

英禍　　因為我的腦海裡全是我自己，所以總會讓身邊離我最近的人感
　　　　到孤單。可是我不清楚我是在什麼時候、什麼情況下讓他們感
　　　　到孤單，甚至也不知道該怎麼做才能讓他們不孤單。

· 第 16 集 ·

英禍　　今天早上我感受到的這份情緒名字就是…「欣慰」！

報 名 表 （法學專業研究所）

姓名	禹英禑	姓別	女
出生年月日	960918	手機	010-756-5252
E-mail	wooyoungwoo@gorae.com		
住址	서울특별시 마포구 합정동 84-2		

學歷	學校名稱	就讀期間	學 系
	首爾大學	2019.03~2022.02	法學專業研究所 主修法學
	首爾大學	2015.03~2019.02	經濟學系
	和文高中	2012.03~2015.02	社會組

法學專業研究所屆數	（ 首爾大學 ）法學專業研究所 （ 12 ）屆					
法學專業研究所	第一學期	4.3	第四學期	4.3	總和	4.3/4.3 100/100 第一名畢業
	第二學期	4.3	第五學期	4.3		
	第三學期	4.3	第六學期	4.3		

外語	種類	LEVEL、分數等	資格證照	考取年度	內容
	TOEIC	990		2022.04	律師考試合格
	TEPS	600			

希望領域	進入汪洋法律事務所後，希望能負責環境、國內訴訟、公平交易等職務。

特殊事項	我在法學院以第一名畢業，在學期間學期成績皆為第一名，律師考試也 以1550分的優秀成績合格。

附件資料	1. 自傳

嵌入（INSERT）　　　　為了強調當前畫面的特定動作或情況，插入
　　　　　　　　　　　另一畫面，可使狀態更為鮮明，有強調故事
　　　　　　　　　　　性的效果。

閃回（FLASHBACK）　　一種表現回想畫面的場景效果。經常用來說
　　　　　　　　　　　明當前事件的前因後果，或是闡述某個人物
　　　　　　　　　　　的個性。

蒙太奇（MONTAGE）　　一種剪輯手法，將一個個不同的場景，各取
　　　　　　　　　　　一小部分，連結成一段緊密且嶄新的內容。

轉場（CUT TO）　　　　一幕結束後，要進入下一幕的場景轉換效
　　　　　　　　　　　果。

旁白（N）　　　　　　獨白或對觀眾的說明，並非登場人物之間的
　　　　　　　　　　　臺詞。

「身為被告的律師，

　我想為被告的理念進行辯護。」

吹笛人

9

S#1.　PROLOGUE：漢堤小學正門口（室外／白天）

平日下午2點左右。

位於首爾市江南區的「漢堤小學」正門口。

門口充滿了放學的小學生與迎接他們的父母們，

以及補習班老師們。

路邊一輛輛黃色的補習班巴士排著隊。

其中3、4年級的小學生們搭上寫著「茂辰補習班」的大巴士。

S#2.　PROLOGUE：茂辰補習班巴士（室內／白天）

搭上巴士的12位小學生。

直到昨天都還開著這輛巴士的**司機**（60多歲／男），

現在就像躺下一樣打呼睡著，即使看似奇怪，小朋友們仍然熟練地坐在自己的位置上，做著各自的事情。

有人用智慧型手機玩遊戲，有人打開習作，有人戴上耳機聽音樂，有人拿出餅乾來吃，有人選擇睡覺⋯

此時，坐在駕駛座的20多歲男生突然站起來，對小朋友們喊道。

男生　這輛巴士本來是「開往補習班的巴士」，為了讓你們無止境地讀書，要把你們載去課業繁重的茂辰補習班，但是我這個兒童解放軍總司令已經占領這輛巴士，現在這輛巴士是「不開往補習班的巴士」，歡迎你們搭上不開往補習班的巴士。

　　以亂蓬蓬的鬍子和頭髮蓋住帥氣臉蛋，身穿老舊軍服、頭戴貝雷帽的男人。
　　他異常閃爍的眼神就像精神有些錯亂的切·格瓦拉。
　　小學生看著這個男人，臉上參雜著驚訝、害怕、好奇。
　　金閔智（10歲／女）鼓起勇氣發問。

閔智　叔叔，你是誰？

男人　我是兒童解放軍總司令，我叫方屁噗。

　　小朋友們哄堂大笑。

閔智　你真的叫做方屁噗嗎？
屁噗　我的名字真的叫方屁噗。

　　方屁噗（26歲／男）從軍服口袋裡拿出身分證遞給小朋友們。
　　小朋友們互相傳閱著身分證。
　　上面確實寫著「**方屁噗**」，大家笑個不停。

屁噗　各位搭上這輛不開往補習班的巴士，都擁有加入兒童解放軍的資格，不想加入、想去補習班的小朋友，現在請馬上下車。

　　屁噗以俐落的動作指向巴士敞開的門。

小朋友們似乎不是很想下車，猶豫不決。

李歲願（10歲／男）摸著屁噗的身分證，勇敢地提問。

歲願　兒童解放軍是什麼？

屁噗　兒童解放軍就是玩樂，兒童解放軍的任務除了玩，還是玩，玩
　　　到你們還活著都是奇蹟。盡情又盡興地玩，玩到連五臟六腑都
　　　高興到啜泣。

小朋友們看著屁噗栩栩如生地表演出「五臟六腑高興到啜
泣」，又哄堂大笑。

李英花（11歲／女）拿出手機並提問。

英花　我可以問我媽媽嗎？

屁噗　（強硬）不行！

屁噗把手放進軍服口袋裡，手指比出槍的模樣，從口袋裡伸出
手。

屁噗用手指比出的手槍指著英花。

明明知道不是真槍，英花和小朋友們還是有點害怕。

屁噗　如果不想加入兒童解放軍，現在就下車吧，不能問媽媽，你們
　　　覺得媽媽能懂我們不去補習班，而是要大玩特玩，實現兒童解
　　　放的願景嗎？

英花　不會懂…

英花悄悄地把手機放下，屁噗也收起手指手槍，虔誠地擺出立
正姿勢。

| 屁噗 | 以下宣讀《兒童解放宣言》。一、兒童應該即時盡情玩耍；二、兒童應該即時注意健康；三、兒童應該即時保持快樂。我將擊退學校、補習班、家長那些美其名是為了兒童未來著想的狡詐咒語，我本人，也就是兒童解放軍總司令方屁噗，將為了「即時保持快樂的兒童」高歌。（像是在唱歌，加上音調，大聲地）小朋友們～來～玩吧～！ |

屁噗的眼神裡充滿強烈信念，閃閃發光。
小朋友們看著那樣的屁噗，表情像是被下咒般呆滯。

TITLE：
《非常律師禹英禑》

S#3.　法院（室外／白天）

序幕事件發生的兩天後。
英禑接到明錫的電話，走上法院前的階梯。

明錫	（聲音）禹英禑律師，妳到法院了嗎？
英禑	到了，我應該趕得上拘票實質審核，但是我擔心和嫌疑人面會的時間不夠，而且我也還沒看過案件資料。
明錫	（聲音）畢竟妳才剛接到案件，這也沒辦法，濬浩已經帶著案件資料去法院了，妳快去找他拿來看吧。
英禑	是。

英禑掛斷電話，走進法院。

S#4. **法院** (室內／白天)

英禑正在通過法院出入口附近的金屬探測門。

先到的濬浩看到英禑，開心地走了過來。

濬浩開朗的微笑讓英禑稍有停頓，但是英禑馬上就裝作若無其事。

兩人一邊走向即將召開拘票實質審核的法庭，一邊對話。

濬浩　（遞過案件資料）嫌疑人是26歲男性，因「涉嫌誘拐未成年人」而遭到逮捕，他在兩天前劫走茂辰補習班的接送巴士，帶著車上的十二位小學生去附近的荒山。

英禑　（看著資料）嗯？我聽說委託汪洋這樁案件的人是茂辰補習班的院長，我的消息有錯嗎？

濬浩　沒錯，嫌疑人就是茂辰補習班院長的三兒子。總結來說，就是兒子劫走了母親經營的補習班接送巴士。

英禑　（翻著資料）他帶小學生們上山做了什麼？

濬浩　他說⋯只是在玩耍。

英禑　什麼？

濬浩　他說他把小朋友們劫走後，和他們玩了各種遊戲，將近四個小時。後來是巴士司機報警，警方出動才逮捕了嫌疑人。

英禑搖著頭，不大理解案件的情況。

濬浩從英禑臉上發現了某個東西。

濬浩　禹律師，等一下，妳的眼睫毛⋯

濬浩靠近英禑，試圖取下黏在臉上的眼睫毛。

但是弄不下來，對視的時間加長。

這一刻，英禑的腦海裡浮現了之前的記憶。

FLASHBACK：
第7集，明錫的辦公室。

英禑和濬浩之間的距離近得就像要接吻。

看向彼此的眼神和呼吸都變得熾熱。

從頭到腳，完全沒有觸摸到任何一個地方，但是英禑的心跳撲通撲通！

心跳快得就像要爆炸一樣。

「喔，原來我喜歡這個人…」

英禑因一湧而上的恍然大悟感到暈眩，閉上雙眼。

CUT TO：
現在，法院。

英禑想起那天的情感，臉色通紅。

濬浩看著這樣的英禑，臉也跟著脹紅。

在氣氛再正經八百不過的法院辦公大樓中，兩人之間的氛圍暫時變得奇妙。

濬浩終於摘下那個煩人的眼睫毛。

濬浩	眼睫毛…很難拿掉耶，我弄好久。
英禑	喔，謝謝，那我先去跟嫌疑人面會了。
濬浩	喔，好。

英禑抱著案件資料走向法庭。

濬浩看著英禑遠去的背影，內心變得複雜，嘆了一口氣。

S#5. 被告人候訊室內的接見室（室內／白天）

設在法庭旁邊的被告人候訊室內，有間辯護人接見室。

英禑心想能多看案件資料一個字是一個字，於是快速忙碌地閱讀著。

隔了一面玻璃隔板，屁噗以上銬的模樣走過來坐在對面，抬起頭。

屁噗　　妳是誰？

英禑　　我是汪洋法律事務所的律師禹英禑，正著唸、倒著唸都一樣，黑吃黑、多倫多、石榴石、文言文、鹽酸鹽、禹英禑。今天…

英禑突然心想「嫌疑人叫什麼名字？」於是看向資料。

發現姓名欄寫著「方屁噗」，心想「這是什麼啊？」雖然有點令人頭暈，但是英禑馬上恢復理智。

英禑　　今天方屁噗…由我負責為方屁噗先生辯護。

屁噗　　我不需要律師。

英禑　　如果我不接這樁案件，法院就會依權為你指定公設辯護人。你希望這樣處理嗎？

屁噗　　開庭審理時能不能不請律師？

英禑　　不能，現在時間不夠，我就直接問你了。「方屁噗」是本名嗎？

屁噗　　怎麼了嗎？

英禑　　因為你的名字有點奇怪，我擔心法官會持負面看法。

屁噗靜靜地看著英禑。

屁噗　　當我說出我的名字，小朋友們都會笑。「禹英禑」這種名字是不可能逗笑任何一位小朋友的，加上「黑吃黑、多倫多、石榴石、文言文、鹽酸鹽」的確是個不錯的嘗試，但還是不夠令人印象深

刻，至少要像「禹宙大鼻屎」或是「禹宙大屁眼」才夠好笑。

英禍　　什麼？

屁噗　　「擁有一個能逗笑小朋友、惹怒大人的名字，並且對得起那個名字」這就是我想實現的革命。

「要幫這個人辯護應該有點困難…」
英禍腦中浮現了不祥的預感，思緒越飄越遠。

S#6.　　法庭（室內／白天）

拘票實質審核。
法官席上坐著一位**法官**（50多歲／男），
屁噗坐在被告席，英禍坐在辯護人席。

法官　　嫌疑人，你叫什麼名字？

屁噗　　（理直氣壯）我叫方屁噗。

對不是小朋友的法官而言，「方屁噗」這個名字一點都不好笑。
法官反而微皺眉頭表示煩躁。
法官僵硬的表情讓英禍更加焦慮。

法官　　這是本名嗎？是你父母幫你取的名字嗎？

屁噗　　我在2年前改名叫方屁噗，現在方屁噗就是我的本名。

法官　　（嘆氣）你的職業是什麼？

屁噗　　（更加理直氣壯）兒童解放軍總司令。

比「方屁噗」聽起來更加驚悚的「兒童解放軍總司令」，聽到這樣的回答，英禍不自覺地起身大喊。

英禍	我有異議！
法官	有什麼事？我在進行嫌疑人身分訊問，有什麼異議？怎麼連辯護人都這麼古怪？
英禍	喔…我很抱歉，嫌疑人的回答讓我太震驚，我不小心就說錯話了。
法官	（挖苦）是啊，也讓我非常震驚。
英禍	法官，由於我才剛接到案件，沒有足夠的時間與嫌疑人進行面會。請問可否容許我和嫌疑人討論一下，好讓嫌疑人能給出適當的回應？
法官	那你們快點。

英禍趕緊對身旁的屁噗耳語。

英禍	（小聲地說）什麼兒童解放軍總司令，你現在在說什麼？
屁噗	（小聲地說）那就是我的職業。
英禍	（小聲地說）你這樣回答的話肯定會被羈押，必須要讓法官認定你的心智正常，並且沒有逃逸或湮滅證據的疑慮。
屁噗	（小聲地說）那就是我的職業。
英禍	（小聲地說）就算你堅持這麼回答，法官也只會寫上「無業」或是「不詳」，拜託請你聽我的吧。

屁噗的固執似乎被英禍的迫切影響了，屁噗的氣勢稍微平緩下來。

法官	我再問一次，嫌疑人，你的職業是什麼？

屁噗似乎也無可奈何，長嘆了一口氣。

屁噗	無業…

英禑看著屁噗的眼神中出現一絲希望。
但是下一秒，

屁噗	…或是不詳都請你不要寫，法官！我的職業是兒童解放軍總司令！

S#7.　汪洋法律事務所會議室（室內／白天）

茂辰補習班的院長**崔成淑**（56歲／女）坐在英禑、敏宇及明錫的對面，她同時也是屁噗的媽媽。
身穿名牌、完美妝髮的模樣讓她看起來就像個名副其實的有名補習班院長。

成淑	所以…我兒子還是會被羈押嗎？
明錫	（面有難色）是的，因為令郎的態度十分堅決，所以法院可能會有些擔憂。比如他說自己的職業是兒童解放軍總司令…（對英禑說）還有法官問他住家地址，他回答什麼？
英禑	他說他住在「小朋友的心裡」。

英禑的一句話讓成淑暗自嘆息。

明錫	院長，我明白妳很擔心兒子可能難以適應看守所的生活…非常抱歉。
成淑	別這麼說，這都要怪我兒子亂回答。
敏宇	令郎帶去山裡的那群學生們後來怎麼樣了？還有繼續待在茂辰補習班嗎？

成淑	那十二位學生全都沒來上課了,補習費我也都全額退款了,畢竟我們社區消息傳得很快,又很重視風評,所以有很多學生也都跟著離開了。
明錫	唉唷,妳一定也很難受吧,妳和那十二位學生的家長見過面了嗎?
成淑	只有在警察局見面時向他們道歉而已,那之後我也忙得焦頭爛額,我應該聯絡他們嗎?
明錫	是的,如果可以拿到被害兒童家長簽的免刑求情書,對令郎減刑會很有幫助,當然家長們很可能會要求和解金。
成淑	那部分我已經有心理準備了,那我會先準備好和解金,再請他們簽免刑求情書吧。
明錫	是,我們也會盡力為開庭做準備。
成淑	我丈夫走得早⋯我自己獨力撫養三個兒子實在不容易,但是我還是將三個兒子都送進了首爾大學,後來我也用自己的教育經驗,創立了茂辰補習班。我自己的孩子有出息,那有什麼用?要讓其他孩子也一起成功,結果⋯我反倒為了照顧別人的孩子,都沒注意到自己兒子出了問題。

成淑眼眶泛紅。
明錫、英禑和敏宇看著成淑這樣,內心也變得沉重。

成淑	鄭律師,委託費無論多少我都可以給,雖然他被關進看守所的事我們沒能擋住,但是請不要讓他去坐牢,萬事拜託了。

S#8.　毛怪家餐酒館（室內／晚上）

和平常一樣,英禑坐在開放式廚房前面的吧檯座位。
格拉米拿著海苔壽司和啤酒過來,坐在英禑旁邊。

格拉米	禹英禑海苔壽司上菜嘍。
英禑	我沒點啤酒。
格拉米	喔,啤酒是我的。

格拉米大口飲下啤酒。

在廚房工作的敏植看著那樣的格拉米,搖了搖頭。

同時,英禑像是有煩惱一樣,猶豫了一下子終於開口。

英禑	嗯…我問妳,如果已經告白,跟一個人說喜歡他,對方卻沒有任何回應…那是不是就代表之後都不會有回應了?
格拉米	(驚訝)什麼?!已經告白了?誰?!
英禑	我。
格拉米	跟李濬浩告白?
英禑	嗯。
格拉米	天啊!禹英禑,妳好樣的啊?還真的是扮豬吃老虎耶?毛怪老闆,你有聽到嗎?禹英禑都跟男生告白了,我卻還在這裡擦盤子!
敏植	妳胡說什麼?今天的盤子也是我擦的!(對英禑說)不過這位小姐,果然人不可貌相呢~妳很勇敢。
格拉米	那妳告白時確切說了什麼?妳該不會又講了一些莫名其妙的話吧?

聽格拉米這麼說,英禑試著回想記憶。

FLASHBACK:

第8集,慶海道廳休息室。

英禑對濬浩說。

英禎	那天…我的心率非常快，雖然完全沒有觸摸到你，但是心跳真的很快，這麼一來應該…是喜歡你沒錯。

英禎的告白讓潘浩心率加快。
潘浩像是下定決心般，鼓起勇氣開口。

潘浩	禹律師，我…
英禎	（看見了什麼而驚訝）該不會…逃跑了吧？
潘浩	什麼？

CUT TO：
現在，毛怪家餐酒館。

格拉米	什麼啊，是在演醫療劇嗎？我們在這裡私底下用心律開開玩笑也就算了，妳告白時講這個是要怎麼辦？
敏植	至少她的心意應該有好好傳達出去吧？「我看到你就會心跳加速！我喜歡你！」那些話就是代表這個意思啊？
格拉米	李潘浩怎麼說？（模仿潘浩的聲音）「禹律師，我…」然後呢？
英禎	然後因為朴維鎮先生逃跑，我們為了去追他，就沒辦法繼續聊下去了，從那之後到現在都沒有回應。
格拉米	從那之後到現在都沒有回應？為什麼？
英禎	嗯…我也不知道，是因為他不喜歡我嗎？
格拉米	（搖頭）不對吧？我上次看他明明就很喜歡妳啊？
英禎	李潘浩對我…還是很親切、很溫柔，看到我會面帶笑容，還會幫我拿掉臉上的眼睫毛。
格拉米	什麼！眼睫毛?!眼睫毛！眼睫毛真的要非常喜歡才做得到吧?!不是嗎？不喜歡對方哪會隨便幫忙拿掉臉上的眼睫毛？
敏植	不喜歡對方也有可能幫忙拿掉臉上的眼睫毛吧，眼睫毛一個不

小心跑進眼睛裡可是有致命危險。

英褚　要再問他一次嗎？問他是怎麼想的？

格拉米　不要！！！妳瘋了嗎？

敏植　我也覺得不用再問一次。

格拉米　還是妳也對他好一點？超級照顧他，但是什麼都不要說，讓李潗浩也搞混。

英褚　（面有難色）讓他搞混…對他好？嗯…這要怎麼做？

格拉米　嗯…（果然也面有難色，對敏植說）毛怪老闆想跟某個人交往的時候，都是怎麼做的？

敏植　我嗎？我就是…幫對方拉出椅子、開車門這種啊，一起走路的時候讓對方走在道路內側，幫對方拿東西。

雖然以上這些都是敏植做起來才合理的行為，但是英褚壓根兒沒想過還有這些方法，所以…她把這些事情都牢牢記在心裡。

S#9.　看守所接見室（室內／白天）

看守所裡設有辯護人接見室。

在眾多用玻璃牆分開的隔間中，英褚、敏宇和屁噗面對面坐在其中一間。

與被告人候訊室不同的是，看守所接見室沒有玻璃隔板。

雖然進入看守所才沒幾天，屁噗卻是肉眼可見地消瘦許多。

屁噗的臉和脖子處處可見瘀青和傷痕。

敏宇　請問…你挨打了嗎？在看守所？是跟誰吵架了嗎？

屁噗不發一語。

敏宇看著那樣的屁噗，心感煩躁，接著說下去。

49

敏宇	方屁噗先生，雖然你誘拐未成年人士是事實，但因為你並沒有加以虐待他們，所以很有可能獲得減刑，不過減刑的前提是你必須承認應反省自己的過錯。
屁噗	我不大喜歡…「未成年人」這個用字。
敏宇	什麼？

敏宇突然有點來氣，交由英禑提問，

英禑	未成…（本來要說未成年人，換個說法）請問你將被害人們帶到山上之後，都做了些什麼？
屁噗	「被害人們」這個說法好像更糟糕，他們全部都加入兒童解放軍了，稱呼他們為「兒童解放軍們」怎麼樣？
英禑	嗯…不好，那我就稱呼他們為「小朋友們」吧。你把孩子們劫上山之後都做了些什麼呢？

可能是因為「小朋友們」這個說法還可以忍受的關係吧？
屁噗的表情緩和下來。

屁噗	我們進行了兒童解放軍入伍儀式。

S#10.　山（室外／白天）- 過去

案發當天，位於首爾市江南區的一個小山丘的半山腰。
屁噗和12位小朋友們正在進行兒童解放軍入伍儀式。
屁噗用無比認真的態度朗誦《兒童解放宣言》，那副模樣讓歪七扭八地圍站在屁噗身旁的小朋友們哈哈大笑。

屁噗	大韓民國小朋友的敵人是學校、補習班以及家長，他們都不讓小

朋友玩耍，他們對快樂的小朋友以及健康的小朋友感到懼怕，他們想要的是不安的小朋友、痛苦的小朋友以及懂得服從的小朋友。他們操縱大韓民國的法律和制度，讓小朋友變得更加忙碌、更加糟糕，導致他們在成為大朋友之前，就已經與世隔絕。

歲願　　我認同！

歲願玩笑般的附和讓其他小朋友都跟著笑了。
屁噗繼續朗誦。

屁噗　　現在發表《兒童解放宣言》。一、兒童應該即時盡情玩耍。

屁噗看向小朋友們，示意他們複誦。
小朋友不知道要做什麼，靜靜地待在原地，

屁噗　　全體一起複誦。一！兒童應該即時盡情玩耍！
小朋友們　（無法異口同聲，而是此起彼落地說）一、兒童應該即時盡情玩耍。
屁噗　　（大聲地說）二！兒童應該即時注意健康！
小朋友們　二！兒童應該即時注意健康！
屁噗　　（更加大聲地說）三！兒童應該即時保持快樂！
小朋友們　三！兒童應該即時保持快樂！

一開始唸得很彆扭的小朋友，也跟著「三」的聲音，用嘹亮的聲音一起宣誓。
屁噗似乎也很滿意，向小朋友們點了點頭。

屁噗　　我將擊退學校、補習班、家長那些美其名是為了兒童未來著想的狡詐咒語，我本人，也就是兒童解放軍總司令方屁噗，將為了「即時保持快樂的兒童」高歌。（像是在唱歌，加上音調，大聲

地）小朋友們〜來〜玩吧〜！

MONTAGE：
背景音樂響起Scenery of Riding Bicycle的《A treasure》，屁噗與小朋友們盡情玩耍的畫面以蒙太奇呈現。

在一個人工遊樂器材都沒有的山林裡，小朋友們又跑又跳、前翻後滾。
小朋友們為了撿樹枝、橡實和小石子，跑遍整座山頭。
不管是石頭還是樹木，只要有點高度的地方，小朋友們都會樂此不疲地爬上爬下。
這就是「玩到連五臟六腑都高興到啜泣」的感覺嗎？
每當小朋友們在軟綿綿的落葉堆上蹦蹦跳跳的時候，總會聽見一聲聲開心的尖叫聲。

把所有人一起收集的樹枝和橡實，當作刀劍、槍枝、子彈和手榴彈，屁噗和小朋友們玩著刀戰和槍戰。
追趕跑跳、打打殺殺，所有人的臉上都堆滿了笑容。

用又寬又平的石頭來玩打碑石的遊戲。
每當一個小朋友的石頭打倒另一個小朋友的石頭，總會伴隨著「啊啊——！」、「啊啊〜」的激動與嘆息聲。
把石頭夾在胯下步履蹣跚地走著，用屁股瞄準另一個小朋友的碑石，當有人使出這個又名「大便」的招數時，小朋友們的笑聲恰似可以穿越整座山頭。
屁噗和小朋友們費力搬來的烤地瓜桶也有發揮它的功用，屁噗真心誠意地烤好每一顆地瓜並分給小朋友們吃，小朋友們早已全身都是泥土，那副模樣甚至比剛烤好的地瓜還要黑。

小朋友們用露營紙杯裝牛奶分著喝，臉上的表情無比幸福。

CUT TO：
現在，看守所內的接見室。

敏宇　　你們並沒有玩一些非常新奇的遊戲呢。

屁噗　　那種應該要有新奇遊戲的想法，都是沾染商業手法的兒童營隊和
　　　　缺發探索的校外教學搞出來的。既要讓小朋友覺得新奇，又要寓
　　　　教於樂，把小孩送去參加各種活動，但是在這麼做的那一刻，遊
　　　　戲就已經消失了。就算只是靜靜躺下看著雲朵飄來飄去，只要那
　　　　一刻小朋友的臉上有笑容並感到快樂，那就是真正的遊戲。

　　　　屁噗充滿確信的一番言論讓英禑的心有點…動搖了。
　　　　同時，英禑變得更加煩惱，猶豫了一下子接著開口。

英禑　　方屁噗先生，你對於小朋友的遊戲似乎有著屬於自己的一番哲
　　　　學，但是我不確定那番哲學對你的減刑有沒有幫助。

屁噗　　減刑是我媽希望的，不是我。我所希望的是…兒童解放。

S#11.　汪洋法律事務所員工餐廳（室內／白天）
　　　　汪洋員工餐廳今天午餐的菜單是海苔飯捲。
　　　　英禑和濬浩各自拿著裝有海苔飯捲的餐盤，一起走向用餐區，
　　　　英禑說著和方屁噗有關的各種事情，話似乎比之前多了。
　　　　不過英禑越高興，濬浩內心的感受就越發不對勁。

英禑　　方屁噗先生還有一次這麼說，他說我的名字要改叫「禹宙大鼻
　　　　屎」或是「禹宙大屁眼」才能逗笑小朋友。（微笑）如果之後有

機會幫兒童辯護，我可能要申請臨時改名。

濬浩　　妳今天聊了好多方屁噗先生的事，鯨豚類話題一個字都沒提，
　　　　真不像妳。

英禑無法感受出濬浩的這句話裡含有不開心的成分。
英禑停下來思考「我有這樣嗎？」

英禑　　嗯…因為方屁噗先生好像是比我還要奇怪的人…
濬浩　　所以呢？
英禑　　跟他在一起很開心。

英禑微笑。
濬浩雖然一方面認為英禑的笑容很美，但是一方面也莫名地…
心情不好。

濬浩　　哇，真羨慕方屁噗先生，這還是我第一次看到妳聊其他人的事
　　　　情笑得那麼開心。

濬浩不自覺地試圖掩飾自己漸漸僵硬的表情，
自顧自地走在前頭。
英禑這才突然想起自己身負「對李濬浩好」的任務。
「啊！」了一聲，英禑隨即用小碎步超越濬浩，把自己的餐盤
隨便放在某一張空桌子上，幫濬浩拉開他要坐的椅子。

英禑　　請坐這裡。
濬浩　　（慌張）什麼？為什麼…
英禑　　拿著餐盤一定很難拉開椅子吧？請坐這裡。
濬浩　　喔，好…謝謝。

英禩一手抓著椅背，一手比劃著要人坐下的模樣，比起「以要交往為前提對對方好」，更像是「今天第一天上班的店員」。
瀋浩雖然有點傻眼，還是坐在那張椅子上。
英禩坐在瀋浩對面，左右張望著尋找還有什麼東西可以為瀋浩做的。

英禩　喔！你喜歡醃蘿蔔嗎？要把我的醃蘿蔔給你嗎？
瀋浩　不用，我不吃醃蘿蔔。
英禩　好，那麼請慢用。

英禩完成「對李瀋浩好」的任務，心滿意足地開始吃飯。
瀋浩看著那樣的英禩，表情完全愣住。

S#12.　法庭（室內／白天）

第一次公訴審判。

包含**審判長**（50多歲／男），共3名法官坐在法官席，屁噗坐在被告席，他的身邊是辯護人明錫、英禩和敏宇，證人席上坐著補習班巴士司機，**檢察官**（40多歲／男）正在詰問證人。
因為這次是國民參與陪審，所以有7位陪審員坐在陪審員席。

司機　我喝完麵茶之後，整個人突然變得昏昏沉沉，等我醒來之後，就發現巴士已經停在山腳下，我嚇了一大跳，一看手機才發現已經過了四個小時。
檢察官　那麼你一醒過來就馬上報警了嗎？
司機　對，等警方來了之後，我正在說明情況時！（指著屁噗）他儼然一副吹笛人的樣子，帶著那群小朋友下山，然後他就被警察逮捕了。

檢察官	被告拿麵茶給你的時候，你知道被告是茂辰補習班院長的兒子嗎？
司機	知道，他在這之前就偶爾會來補習班，現在回想起來，不知道他是不是來打聽補習班巴士出車時間這類的資訊…
敏宇	我有異議，這只是證人的臆測。
審判長	異議成立，請不要說出臆測內容，請據實以告。

敏宇突然起身表示有異議，而後再次坐回位置上。
屁噗看著那樣的敏宇，本來想說些什麼，但是先忍了下來。

司機	喔，好的，總之補習班的人跟我說過他是院長的小兒子，所以我知道他是誰。
檢察官	也就是因為這樣，你才會無所戒備地喝下被告給你的麵茶嗎？
司機	是啊，誰會想到院長兒子居然在麵茶裡下藥呢？
英禑	我有異議，在麵茶裡下藥也屬於證人的臆測，未經證實。

這次換英禑站起來提出異議。
但是屁噗開口，

屁噗	不，沒有異議！
明錫	什麼？
敏宇	什麼？
英禑	什麼？

屁噗的一句話讓英禑、敏宇和明錫像冰塊一樣凍在原地。
審判長看著他們四人，嘆了一口氣。

審判長	被告，你說什麼？

屁噗	也許禹英禑律師有異議，但我沒有。
審判長	被告，你知道辯護人跟你是同一陣線吧？

審判長的一句話，讓檢察官盡力忍笑。

屁噗	權律師前一次提出的異議，我也覺得還好，我沒有異議。
明錫	庭上。
屁噗	（打斷明錫說話）司機說的都沒錯，我去茂辰補習班的確是為了打聽補習班接送巴士的出車時間，我也確實在麵茶裡加了安眠藥才拿給司機喝。（對司機說）造成你很大的困擾，我很抱歉，但是為了解放兒童，我別無他法。
司機	喔，好。
審判長	好吧。（對書記官說）請如實記錄被告剛才說的話。

和屁噗泰然自若的表情不同，
明錫、英禑、敏宇以及坐在旁聽席的澯浩臉上血色全無。

S#13.　車（室內／晚上）

從法院回汪洋的路上。
澯浩開車，敏宇坐在副駕駛座，
英禑和明錫坐在後座。
和成淑通完電話的明錫，掛斷電話後深深嘆氣。

敏宇	是茂辰補習班的院長嗎？
明錫	嗯，她說沒有家長肯簽免刑求情書。
英禑	有十二位小朋友…居然沒有家長願意簽嗎？
明錫	有件事還不確定，但是根據院長的說法，被害兒童的家長們似

乎還打算集體對茂辰補習班提告。

濬浩　唉唷…那就麻煩了。

不大順利的庭審過程，再加上聽聞沒有家長肯簽免刑求情書的消息…
在車裡沉悶的氣氛中，英禑陷入沉思。

英禑　還是…我去見見小朋友們怎麼樣？
明錫　什麼？
英禑　方屁噗先生所做的事，或許會讓家長氣到想提告，但是對那些小朋友們來說…也許是一段開心又有趣的回憶。如果小朋友們知道方屁噗先生可能要面臨刑責，說不定就會回去幫忙說服家長。
敏宇　隨便接近那些小朋友，被家長知道就麻煩了，他們現在肯定對小朋友的安全問題更加敏感。
英禑　那我就不要隨便接近，假裝在路上巧遇，自然地接近他們，怎麼樣？
明錫　假裝在路上巧遇，自然地接近他們…這個禹律師妳辦得到嗎？
英禑　什麼？

明錫的一句話讓濬浩不自覺地憋笑。

敏宇　（對濬浩說）你如果不忙，就跟禹律師一起去吧。
濬浩　（用鏡子看著後座）喔，可以啊。
明錫　那你們兩個去吧，不要太強硬地想要說服他們，問問他們對於這樁案件的想法就好。

S#14.　汪洋法律事務所（室外／晚上）

平日晚上9點多。
英禑和潚浩一起走出汪洋大樓。

| 潚浩 | 補習班下課時間，小朋友們的動向都差不多，我們先去補習班街吧？搭計程車去吧。 |
| 英禑 | 好。 |

英禑突然左右徘徊，和潚浩換位置，讓潚浩走在道路內側。

潚浩	妳怎麼了？
英禑	你走內側吧，假如有汽車撞向人行道，走道路內側會比較安全。
潚浩	如果是那種假設，那我走外側是不是比較好？因為我應該能躲得比妳快一點。

雖然潚浩試圖再次換位置，但是英禑完全沒有要讓位的意思。
潚浩和英禑開啟了為了走在道路外側的尷尬競爭。
最終潚浩選擇放棄競爭，走在道路內側。
但可能英禑並沒有因此感到滿意吧？
英禑快速地走向停在路邊的計程車，幫潚浩打開車門。

| 英禑 | 請上車。 |

英禑一手抓著計程車的門，一手比劃著要人上車的模樣，比起
「以要交往為前提對對方好」，當然也更像是「今天第一天上
班的飯店服務人員」。
潚浩有點難為情，但還是搭上了計程車。

濬浩　　　謝謝…

　　　　　於是，英禑再一次地完成了「對李濬浩好」的任務。
　　　　　哐！英禑關上計程車門的表情甚是滿意。

S#15.　速食店（室內／晚上）

　　　　　位於大峙洞補習班街的某間速食漢堡店。
　　　　　時間也有點晚了，在沒什麼人的速食店裡，小女孩閔智一個人
　　　　　一邊解高等數學習題，一邊吃漢堡。
　　　　　英禑和濬浩走進速食店裡。
　　　　　濬浩對照著手機裡被害兒童的照片和眼前閔智的臉。

濬浩　　　請問妳是金閔智同學嗎？妳就讀漢堤小學3年級對吧？

　　　　　閔智驚訝地以警戒的眼神看向濬浩。
　　　　　濬浩正在想著有哪些句子可以緩解閔智的緊張，
　　　　　英禑就出面說道。

英禑　　　妳認識方屁噗先生嗎？

　　　　　一聽到「方屁噗」這個名字，閔智就笑了。

閔智　　　認識。
英禑　　　我們是方屁噗先生的朋友。
閔智　　　喔～

　　　　　閔智又笑了。

澔浩	可是…妳現在才吃晚餐嗎？已經晚上9點多了耶？
閔智	今天已經算早的了，我還在茂辰補習班的時候，還沒到晚上10點都不能吃東西，因為茂辰補習班全部都是「上鎖班」。
英禑	「上鎖班」？那是什麼意思？
閔智	喔，就是到補習班下課之前，所有學生都不能出去外面，完全沒有休息時間，所以連便利商店都去不了，想要上廁所還要先舉手取得同意。
英禑	那應該不是補習班…而是監獄吧？
澔浩	我們有些關於方屁噗先生的事情想要問妳，妳現在有空嗎？

此話一出，閔智看了看手機上的時間，驚訝地瞪大眼睛，開始收拾東西。

閔智	喔？完蛋了！我遲到了，我還要去讀書咖啡廳。
澔浩	讀書咖啡廳…？現在這麼晚了耶？
閔智	我離開茂辰補習班，在找到新補習班之前，進度不能落後，媽媽叫我這段時間先去讀書咖啡廳。

聽聞閔智如酷刑般的行程，澔浩和英禑也不敢繼續挽留她。
只能呆呆地看著閔智收拾東西的模樣，

閔智	對了，方屁噗叔叔去坐牢了嗎？
英禑	他現在在看守所，還沒去監獄。
閔智	原來如此，我還一直留著這個呢。

閔智從鉛筆盒裡拿出某樣東西給英禑和澔浩看，在閔智小小的手掌上，
有一個同樣小小的橡實。

閔智　這是那時候去山上撿到的，其他東西我都丟掉了，但是這個我沒丟。

閔智背上書包，準備趕緊走出去的時候，

閔智　斑馬線對面有一間便利商店，那邊還有很多學生，應該也有當時一起去山上的同學，你們可以去問問他們。

S#16.　便利商店（室內／晚上）

英祿和瀋浩走進位於大峙洞補習班街的一間便利商店，和閔智說的很多人不同，便利商店裡冷冷清清的。

瀋浩向**便利商店老闆**（40多歲／女）詢問。

瀋浩　請問這附近的補習班學生，都要晚上10點過後才會來嗎？

老闆　什麼？喔，對啊，因為補習班大多都是晚上10點之後才下課。（確認時間）待會他們應該會一窩蜂衝進來，簡直就是一場大戰，搶晚餐大戰。

英祿　所以那些學生都要晚上10點過後才能吃晚餐嗎？

老闆　基本上是這樣，在這附近補習的學生，都是住在幾十億韓元大樓的富家子女，你們可能會以為他們吃東西很講究，但其實根本沒有，杯麵、三角飯糰、香腸，他們也是吃這些又甜又鹹又辣的即食產品。

終於到了晚上10點。

學生們從補習班大樓一窩蜂擠進便利商店。

沒有小學生、國中生、高中生之分，所有人衝進便利商店，盡力守住自己這麼晚才吃的晚餐，那副模樣的確就是字面上的

「搶晚餐大戰」。

在杯麵裡倒好水，坐在用餐區玩著手機遊戲的男國中生們；沒有座位，只好在櫃檯附近踱步，撕咬著炸雞的女高中生；把剛才還在微波爐的魚板放入口中，奔向公車站的女國中生；抱著一堆咖啡牛奶和能量飲到櫃檯的小學生們⋯

即便應付學生到有點忙不過來，

便利商店老闆還是對英禑和濬浩說。

老闆　你們知道這些小朋友買飲料的時候都在看什麼嗎？看咖啡因含量，含量越高他們越愛。這麼多種咖啡牛奶裡面，有一款咖啡因含量最高的，小學生都把那個當水喝，我看著其實心裡很難受，現在就那麼依賴咖啡因，等到高三要喝什麼才能撐過去⋯

剛才買了咖啡牛奶和能量飲的小學生們走出便利商店，他們拖著有自己身體的一半那麼大的拖式書包，那副模樣著實令人心疼。

老闆　有一些小朋友明顯比其他同齡孩子矮了一截，每天一臉倦容，那些全都是向著科學高中或菁英高中在衝刺的孩子，吃得不健康就算了，連睡眠都不足，所以他們都長不高，你們有看到那裡吧？就是那種小孩。

老闆指向站在便利商店外面的兩位小學生，英花和歲願。
英花和歲願是姊弟，不僅長得像，連服裝打扮也很像。
歲願不知道為了什麼事正在哭泣，英花站在一旁直嘆氣。
英禑發現英花的脖子上和歲願的手腕上有某個東西。
仔細地看會發現，那是用橡實做的項鍊和手鍊。

英禑　喔？橡實？

英祸和潴浩趕緊跑出便利商店。

S#17.　便利商店門口 (室外／晚上)

歲願還是難過地哭個不停。
英祸試圖和他對話。

英祸　　你為什麼在哭？

英祸拙劣的搭話起手式，
讓英花緊張了起來，對英祸保持戒心。
潴浩趕緊使出剛才在閔智身上奏效的方法。

潴浩　　你們認識方屁噗叔叔嗎？我們是方屁噗叔叔的朋友。

一聽到「方屁噗」這個名字，
英花的臉上浮現了淺淺的微笑。
歲願也停止哭泣，看向潴浩。

英花　　我認識方屁噗。

歲願　　我也認識。

英花　　(拿出自己的項鍊) 這個就是和方屁噗叔叔去山上的時候，用撿到
　　　　的橡實做的。(看向歲願的手鍊) 他做成這個手鍊。

潴浩　　哇，好厲害哦～你們真的做得好好看，對了，你為什麼在哭？

英花　　喔，因為他今天未達標。

潴浩　　未達標？那是什麼意思？

英花　　10點以前沒有完成所有任務，就是未達標。

英祸　　妳說的是什麼任務呢？

歲願	解數學習題的任務，我們從下午3點開始寫，結果只有我一個人沒有算完，我真的好累。
英禑	從下午3點到晚上10點都在算數學，這是給小學生的任務嗎？
英花	喔？我看到媽媽的車了！

英花開心地指向斑馬線對面閃著燈的進口車。
似乎是想到可以回家很開心，抓住歲願的手臂走向斑馬線。
英禑急忙地向漸漸遠去的姊弟詢問。

英禑	那個，你們希望方屁噗先生去監獄嗎？

英花和歲願回頭看。

英花	不希望！
歲願	不希望！
英禑	那麼你們…還會想跟方屁噗先生一起玩嗎？

英禑的問題讓英花停下腳步。
害怕馬路對面在車上的媽媽聽見，稍微看了一下臉色，並沒有回答英禑的問題，只是微微一笑。
此時，斑馬線上亮起了綠燈。
英花再次握起歲願的手走過斑馬線，歲願甩開英花的手跑向英禑。
歲願對著英禑的耳朵不知道說了什麼悄悄話，才再次走到姊姊身邊。
英禑看著這對姊弟的背影，表情變得複雜。

S#18. 明錫的辦公室（室內／白天）

明錫坐在辦公桌前，英禍站在對面。

用不亞於屁噗的閃耀眼神，對著明錫進行她的演講。

英禍　年僅十歲、十一歲的孩子被關在學校和補習班，每天讀書12個小時，吃不飽也睡不好。就好像被困在小水槽，每天被安排表演、被餵食冷凍魚類的海豚，生活在水族館的虎鯨，背鰭會這樣（用手比出垂向一側的背鰭）垂向一側，因為牠們本該在汪洋大海中徜徉，卻被困在狹小的空間受到虐待…

明錫　（打斷英禍說話）別再說鯨豚類的話題了，妳要說的重點是什麼？

英禍　我們主張方屁噗先生的行為，是為了解救受虐兒童而採取的緊急措施如何？

敏宇坐在離英禍一步遠的沙發上，噗哧一笑。

敏宇　送小孩上學、去補習班是在虐待嗎？那他應該要報警吧，幹麼把小孩劫走？更何況誘拐未成年人不分動機和目的，就算立意良善，罪行還是成立。

英禍　那麼…如果我們主張被告有取得小朋友們的同意呢？當時方屁噗先生將車門打開，並且兩次告知小朋友，如果不想去可以立即下車。

敏宇　只取得未成年人的同意根本不夠，還得取得家長的同意才行。

敏宇說的每一句話都是對的，英禍無話可說。

明錫　禹英禍律師，我也覺得被告的狀況非常令人同情，換個角度來想，他只是帶著小朋友們盡情玩耍，卻要因此被關，罪行的確有點重，但是越是這種時候，我們就越要振作，難道妳要一直

受被告的歪理影響，跟著說些奇怪的話嗎？

英禍找不到能用什麼話對明錫回嘴，嘆了一口氣，敏宇看著這一切，表情得意了起來。

S#19. 11樓走道（室內／白天）

英禍和敏宇從明錫的辦公室走了出來。
被剛好經過走道的秀妍那副不大尋常的模樣嚇了一跳。
秀妍臉上的妝濃到像是要去夜店狂歡的人。
敏宇不自覺地覺得那樣的秀妍滿漂亮的，
心裡一陣慌張。

敏宇	（驚訝到支支吾吾）妳是…怎樣…要去哪裡？
英禍	（和敏宇一樣）嗯…妳…要去哪裡？
秀妍	就只是…聯誼。
敏宇	聯誼？那我們家濬浩怎麼辦？
秀妍	什麼我們家濬浩…算了啦！你的直覺真的爛得跟屎一樣。

秀妍擔心英禍誤會，瞪大眼睛當面斥責敏宇。
不過英禍什麼也沒發現，呆呆站在原地。

秀妍	我接下來會活得積極一點，你如果有認識不錯的男生，記得介紹給我，我要努力爭取。
敏宇	積極…爭取嗎？
秀妍	雖然你不怎麼樣，但是身邊總會有一兩個好男人吧，你有沒有想到什麼人選？
敏宇	雖然我不怎麼樣…？

英禩　我有想到一個人選。

出乎意料的一句話，讓秀妍和敏宇驚訝地看向英禩。

英禩　他很懂得對別人好，會幫人拉椅子、開車門，一起走路的時候
　　　會讓對方走在道路內側，還會幫忙拿東西。

秀妍　（感興趣）真的嗎？

英禩　嗯，而且他很會做海苔壽司，下次我介紹你們認識。

S#20. 咖啡廳（室內／白天）

明錫、英禩、敏宇、成淑以及11位被害兒童的**媽媽們**（30～40多
歲）圍坐在咖啡廳裡的大桌子。
英花和歲願姊弟的媽媽控訴著。

英花媽媽　幸好他當時就被警方逮捕了，要是再晚一點，說不定會發生更
　　　　　可怕的事，誰知道他會不會突然變成強姦犯！

明錫　　　各位媽媽們的憤怒和擔心，我們都能充分理解，但是訴訟真的
　　　　　會耗費大量的時間和精力，而且也不能保證結果一定盡如人
　　　　　意，我建議不要這麼大費周章地提告，不如直接把訴求告訴我
　　　　　們，怎麼樣呢？崔成淑院長已經準備好真心誠意地向各位媽媽
　　　　　們致歉了。

閔智媽媽　奇怪，只有院長真心誠意地道歉有什麼用？那個叫做方屁噗的
　　　　　人到現在都還毫無悔意，你們有聽到他在警察局說的話嗎？他
　　　　　講得好像我們根本沒把小朋友的快樂放在眼裡，只是一心想把
　　　　　小孩送進好大學的無恥家長！

媽媽1　　這一點我也很氣，我是難道是樂於讓小孩受苦才讓他這麼辛苦
　　　　　的嗎？還不都是為了孩子的未來著想！在要好好養成讀書習慣

的年齡，放任他們愛怎麼玩就怎麼玩的話，孩子的人生以後能有什麼出息？

媽媽們的怒火似乎無法輕易澆熄，
成淑從座位上站起來，跪了下去。

成淑　　　我的兒子，是個心理生病的傻孩子，他應該連自己在說什麼都不知道，我們大家都身為人母，這次就請妳們用慈母的胸懷原諒我兒子，我會好好管教他，一定不會再讓這種事發生。

媽媽2　　（挖苦）奇怪，院長，妳之前不是都說自己把兒子教得很有出息～還把三個唸首爾大學的兒子當成活招牌在宣傳，現在卻說兒子是心理生病的傻孩子嗎？

成淑　　　是我太自負了，是我錯了，妳們需要道歉，我會好好地道歉；需要和解金，我也會全額支付。我兒子實在是太脆弱了，他真的受不了監獄生活，我害怕他在監獄待一陣子就做出極端的選擇，才會在這裡代替他向各位求情。

成淑放下一切自尊，低聲下氣地向在場的媽媽們求情。
成淑哀切的母愛讓在場的媽媽們安靜了下來。
英禑看著這一切，內心甚是複雜。

CUT TO：
過了一段時間，11位媽媽已經離開了咖啡廳。
敏宇確認了媽媽們簽署的11張免刑求情書後，放入信封裡。

敏宇　　　十一張都確認完畢，家長們都簽名蓋章了。

明錫　　　院長，這都多虧妳真心懇求，妳辛苦了。

成淑　　　你們也辛苦了。

成淑整個人就像是洩了氣的皮球，無力地坐在原地，明錫、英禍和敏宇起身。

明錫　　我們先回去了。

成淑　　好，我…想多坐一下再走

明錫和敏宇走到咖啡廳門口。
同時，英禍還愣愣地站在原地。
稍微猶豫了一下之後，

英禍　　崔成淑院長。

成淑　　什麼？

英禍　　剛才妳說方屁噗先生是個心理生病的傻孩子，連自己在說什麼都不知道…身為方屁噗先生的律師，我並不這麼認為。

聽不懂英禍在說什麼，成淑的表情有點愣住。
但是馬上露出一抹無力的微笑。

成淑　　那麼妳的意思是，妳認為我兒子這樣正常嗎？妳可能只跟他見過幾次面，才有辦法這麼正面看待。

英禍　　正因為我只跟他見過幾次面，卻還是有辦法正面看待他，妳身為媽媽更應該給他肯定吧？是不是應該打開心房，聽聽他想說什麼呢？

成淑的表情再次愣住。

英禍　　小朋友們光是聽到方屁噗這個名字就會開懷大笑，他們理解方屁噗先生主張兒童解放的意義，無法理解方屁噗先生的…只有

大人。

FLASHBACK：
英禑和潏浩在便利商店前面遇見英花和歲願的那一天。
英禑對著遠去的姊弟大喊道。

英禑　　那麼你們…還會想跟方屁噗先生一起玩嗎？

歲願甩開英花的手跑向英禑，在英禑耳邊說了悄悄話。

歲願　　我每天都想跟他一起玩，我想要被解放。

S#21.　**法庭**（室內／白天）

第二次公訴審判。
證人席上坐著的是**精神科醫生**（40多歲／男）。
敏宇負責詰問。

敏宇　　證人，請問你對被告的診斷結果是什麼？
醫生　　被告患有妄想症，更準確地說，他患有誇大妄想症。

雖然成淑心裡也知道，這是對兒子有利的證詞，但是聽到醫生
這麼說，還是有點不高興，坐在旁聽席直嘆氣。
此時，英禑的耳朵裡聽見虎鯨的叫聲。
英禑驚訝地環顧四周。
英禑看見一隻像是生活在水族館許久，背鰭垂向一側的虎鯨，
徐徐游進法庭裡。
正當這隻虎鯨游到英禑面前，和英禑對視時，虎鯨消失了。

敏宇　　我方詰問完畢。

敏宇完成證人詰問，回到位置上。
英禍卻突然站起來。

英禍　　我…想對證人進行追加詰問。

「追加詰問？」敏宇和明錫臉上寫滿了問號。
英禍走到證人面前。

英禍　　十二位小朋友原本上的茂辰補習班，是以上鎖班的教學方式而
　　　　聞名。證人，請問你知道什麼是上鎖班嗎？
醫生　　上鎖班？我不知道。
英禍　　所謂的上鎖班，就是將學生們整天關起來，讓他們唸書，在茂
　　　　辰補習班的學生，到補習班晚上10點下課之前，都不能出去。
　　　　完全沒有給學生適當的休息時間和吃飯時間，連廁所都要舉手
　　　　獲准才可以去，一天去上廁所兩次以上的小朋友，還會被視為
　　　　尚未做好唸書的準備，被補習班要求回家。

英禍說的這番話涵蓋了兒童們所面臨的殘酷現實，
讓陪審員們議論紛紛。
庭審中始終低著頭的屁噗也終於抬起頭。
屁噗的臉上有著前所未有的朝氣。
眼神裡散發異常閃亮的光芒。
相反地，明錫察覺了英禍的意圖，敏宇也感到不安。

英禍　　茂辰補習班為了處罰沒寫作業的學生，事先向家長收取體罰同
　　　　意書的做法也相當有名，而廣大家長對於茂辰補習班，卻仍是

趨之若鶩。證人，請問在知道這些事實後，你還是認為被告對現實的解讀和理念有扭曲到需要被視為妄想症病患嗎？

醫生不知道該如何是好，支支吾吾。
明錫慌張地對英禑耳語。

| 明錫 | （小聲地說）禹英禑律師！妳在做什麼！ |
| 屁噗 | （小聲地說）請讓她問完，算我拜託你了。 |

面對屁噗的請求，明錫只好放棄「阻擋英禑」這件事。
同時，成淑久違地看見屁噗的表情，驚訝到不自覺地說出，

| 成淑 | （像是在自言自語般）請…看看我兒子的表情。 |
| 旁聽人 | 什麼？ |

坐在成淑旁邊座位的某個**旁聽人**（30多歲／男）愣住反問，視線跟著成淑看向屁噗的臉孔。
彷彿找回了人生的希望，
屁噗用再開朗不過的表情看著英禑。

| 成淑 | （小聲地說）他到底…是想說什麼才會露出那種表情呢？ |

英禑繼續說下去。

| 英禑 | 年僅十歲、十一歲的孩子被關在學校和補習班，每天讀書12個小時，吃不飽也睡不好，甚至還不能盡情玩耍。即使如此，你仍認為大韓民國兒童的敵人不是學校、補習班，以及家長們嗎？ |

醫生依舊沒有回應。
審判長看不下去這越來越奇怪的發展，出面表示。

審判長　辯護人，這位證人是你們申請的，妳為什麼要試圖問出對被告不利的證詞呢？

英禑　我不是要問出對被告不利的證詞…

審判長　（打斷英禑說話）妳究竟想要證明什麼？妳想要證人說出被告對現實的解讀和理念沒有任何問題，並不是妄想症病患嗎？

英禑　是的，沒錯。

審判長　這樣的證詞可能會對被告不利，妳知道嗎？

英禑　庭上，被告是因為具備反對現有社會體制的理念，進而籌劃改革並加以實踐，才會導致犯罪，換句話說，被告屬於「良心犯」，被告並非道德上有所爭議的「失德罪犯」，被告如果被診斷為妄想症病患，也許會對被告減刑有幫助，但是那反而是侮辱了被告對於兒童解放的理念，身為被告的律師，我想為被告的理念進行辯護。

審判長　本次開庭是為了追究被告的罪責，並非為了傳播被告的理念。
無論妳的看法如何，我身為審判長，依舊有我想問以及我該問的問題。（對屁噗說）被告！你對自己的罪行是否有悔意？

法庭裡所有人的視線都看向屁噗。
成淑希望兒子能回答出有利於減刑的回答，
心裡非常焦急。

明錫　庭上，可否請你提醒被告，他有權拒絕回…

屁噗　（打斷明錫說話）不，我沒有悔意。

審判長　那麼你之後還是會犯下相同的罪行嗎？

屁噗　對。

74

理直氣壯的回答中，沒有一絲一毫的猶豫，審判長的表情既冷淡又僵硬。

成淑心中的希望消失了，嘆了一口氣。

明錫、敏宇和英祺的表情也變得黯淡。

S#22.　法院走道（室內／晚上）

法院裡男生洗手間前的走道。

明錫從洗手間出來，走向在外面等待的敏宇。

兩人一邊走在走道上，一邊對話。

敏宇　　鄭律師，你要繼續放任禹律師不管嗎？

明錫　　嗯？

敏宇　　她事前未經商議的突發行為，搞砸了這場官司，不是嗎？

明錫　　（回想起這件事就心煩意亂地嘆氣）我當然會請她多注意，我會再跟她聊聊…

敏宇　　（打斷明錫說話）這次也只是請她以後多注意嗎？不懲處嗎？

明錫感覺敏宇話中有話，停下腳步看著他。

敏宇　　這不是什麼小失誤，她可是犯下了能翻轉判決結果的大錯…

明錫　　（打斷敏宇說話）我們之前也談過類似的事吧？當時禹律師無故缺勤，你也認為應該要給予懲處。權敏宇律師，你好像很喜歡懲處耶？所以才會在匿名留言板寫下那種文章嗎？

明錫用意味深長的眼神看向敏宇，隨後離去。

「現在是在指責我嗎？」獨留在原地的敏宇臉上寫滿了不悅。

明錫往前走了幾步路之後，回頭看道，

| 明錫 | 一起工作的時候，如果因為意見不合產生問題，應該要互相談一談，去解決問題才對吧。每件事都要爭出個對錯，賞罰分明…對我而言，工作不該是這樣。 |

明錫說完想講的話，再次大步離去。
敏宇看著這一切，毅然決然的眼神裡似乎下定了某種決心。

S#23. 看守所接見室 (室內／白天)

英禑、明錫和屁噗面對面坐著。

明錫	關於辯護方針，我們律師之間意見分歧，很抱歉沒能在開庭前達成共識。
英禑	很抱歉。
屁噗	我很開心，反而應該是我向妳道謝，只是我媽應該很生氣吧…
明錫	所幸你媽媽表示可以理解。
屁噗	真的嗎？
明錫	是。

意料之外的一句話，讓屁噗非常驚訝。

明錫	雖然我們收到的免刑求情書對減刑有幫助，但是你表示沒有沒有悔意，這是會導致刑罰加重的因素，法官也不大可能幫你審酌減刑，搞不好…連獲判緩刑都有點困難。
屁噗	沒關係，我無所謂，但我有件事要請律師們幫忙。
明錫	幫忙嗎？
屁噗	我進行最後陳述那天，請你們幫忙把兒童解放軍帶到法庭上。
英禑	什麼？

屁噗	我是想讓他們的心中留下盡情玩耍的回憶才會這麼做的，我怕他們到最後只會記得「原來盡情玩耍的代價是被關」。身為兒童解放軍總司令，即使要受處罰，我也想讓他們看到我坦蕩蕩、抬頭挺胸的樣子，讓他們知道我從來不以自己的言行舉止為恥。

屁噗的眼神裡又閃耀著奇怪的光芒。
英禑和明錫聽到這個頗有難度的請求，嘆了一口氣。

MONTAGE：
以蒙太奇展現英禑、敏宇和明錫輪番拜訪媽媽們，試圖說服她們讓小朋友參加庭審。

S#24. 閔智家的客廳（室內／白天）

閔智住的大樓客廳。
閔智媽媽、英禑與明錫面對面坐著。

明錫	突然提到這個可能有點莫名其妙…不過我滿會唸書的。
閔智媽媽	什麼？
明錫	我畢業於首爾大學…嗯，而且在畢業前就通過司法特考。
閔智媽媽	喔，好…

明錫看向英禑，示意「現在該妳了」，但是英禑沒有讀懂這個眼神，愣在原地，

明錫	禹英禑律師是畢業於哪間大學呢？
英禑	什麼？喔！我也是畢業於首爾大學。

明錫　　還有呢？

　　　　「還有？我還要說什麼？」
　　　　英禑苦惱了一下，

英禑　　（看向明錫，用眼神確認這樣對嗎）還有⋯我也畢業於首爾大學法學
　　　　院⋯？
明錫　　（正確答案）是啊！我們兩個都是第一名畢業。

　　　　明錫自豪地補充說明。
　　　　閔智媽媽的臉上浮現出「所以呢？」的表情。

S#25. 咖啡廳（室內／白天）

　　　　英禑、敏宇和英花、歲願姊弟的媽媽面對面坐著。
　　　　和閔智的媽媽一樣，這對姊弟的媽媽也露出了「所以呢？」的
　　　　表情。

敏宇　　現在回想起來，及早懷抱成為律師的夢想，似乎就是我拿到好
　　　　成績的祕訣。（使臉色）禹英禑律師，妳不覺得嗎？
英禑　　（看臉色）喔，對，我也是這麼覺得。
姊弟媽媽　真的嗎？

　　　　這對姊弟的媽媽這才對律師們說的話感興趣。

　　　　CUT TO：
　　　　閔智家的客廳。

明錫	如果下次開庭，讓金閔智同學到法庭上旁聽，我認為對於提升她的成績以及激發唸書動機，一定有很大的幫助，畢竟能這麼近距離觀察法官、檢察官和律師工作的樣子，是非常難得的經驗，不是嗎？
英禑	沒錯，這次到法庭旁聽之後，金閔智同學肯定就會自然而然地想去唸首爾大學了。
明錫	至於小朋友的安全問題，媽媽大可放心，我們幾位律師會親自帶隊，把小朋友們帶到法庭。
閔智媽媽	天啊，真的可以嗎？真是的，我本來以為我女兒比較適合走理科～要是她突然跟我說想唸法學院該怎麼辦？

閔智的媽媽光是想像這番情景就樂得不斷發出笑聲。
明錫和英禑也跟著一起笑。

S#26. 汪洋法律事務所11樓走道（室內／白天）

濬浩抱著裝滿資料的紙箱走在走道上。
英禑正好從辦公室出來，濬浩開心地停下腳步。

| 濬浩 | 喔，禹律師！茂辰補習班院長說可以把巴士借給我們，帶小朋友們去法庭時，開那輛巴士去就可以了。 |
| 英禑 | 好。 |

英禑看著濬浩雙手抱著的紙箱，回想起暫時遺忘的「對李濬浩好」任務。

| 英禑 | 我來拿吧。 |
| 濬浩 | 什麼？ |

英祐不由分說地拿走瀋浩的紙箱。
即使紙箱沉重地讓她走路搖搖晃晃，但還是自顧自地前進。

英祐　　（吃力）要…搬去哪裡？

瀋浩用無言的表情看著英祐的背影。
深深嘆氣後，跑向英祐，再次拿回紙箱。

瀋浩　　禹律師，為什麼要這樣對我？
英祐　　什麼？
瀋浩　　妳最近…對我太好了吧。先是幫我拉椅子，又讓我走內側，還
　　　　幫我開車門，現在又幫我搬東西…妳為什麼要這樣？我對妳做
　　　　錯什麼事了嗎？
英祐　　你沒有做錯事，我只是…

瀋浩等待著英祐的下一句話。
英祐不知道怎麼回答才好，支支吾吾。
最後終於開口，

英祐　　因為喜歡你，所以才對你好。

又再一次變成了英祐告白的情況。
瀋浩這次還是無法回答。

S#27.　**茂辰補習班巴士**（室內／白天）
放學時間。
在漢堤小學正門口，坐上巴士的12位兒童解放軍們。

明錫、英祼和敏宇坐在前排，各自看著自己的電腦，忙碌地工作，晚一步搭上巴士的濬浩數著小朋友們的人頭，

濬浩　　那麼現在要出發嘍。

濬浩說完就走向駕駛座。
歲願用調皮的表情對濬浩提問。

歲願　　叔叔，你叫什麼名字？你的名字也像方屁噗那樣嗎？
濬浩　　不，我叫…

此時，英祼心想「就是現在！」便突然站起來，擋住濬浩的回答。

英祼　　他叫「李屁眼」。

小朋友們發出尖銳的笑聲。

閔智　　真的嗎？你真的叫李屁眼嗎？
英祼　　沒錯，因為我們都是方屁噗的朋友，他叫李屁眼，我叫「禹宙大鼻屎」。

小朋友們的笑聲擴散在整輛巴士裡，
濬浩也微微一笑。
同時，明錫和敏宇交換著「我們該怎麼辦？」的眼神，果然不出所料，

英花　　那你們兩個呢？你們叫什麼名字？

明錫　　我們？我們就只是…

明錫看著小朋友們。
清一色都是準備好大笑特笑的調皮表情。
一旁的英禑和澔浩都投以「不要讓小朋友失望！」的眼神。
就在明錫為了名字煩惱的時候，敏宇先出招了。

敏宇　　（用恰似幼兒園老師的語氣）我叫「權便便」。

現在明錫退無可退。
明錫眼一閉、牙一咬，

明錫　　我是…「鄭噗噗」。

小朋友們開心地笑著。
所有人都發出快樂的笑聲，
巴士出發了。

S#28.　法庭（室內／白天）

第三次公訴審判，進行最後陳述的日子。
12位兒童並列坐在旁聽席的景象相當罕見。小朋友們因為庭審
過程太長而稍微露出倦容。

審判長　　被告，你最後還有什麼話想說嗎？

聽到審判長這麼說，屁噗從座位上站了起來。
小朋友們的視線全都看向屁噗。

屁噗	首先…我有幾句話想對養育小朋友的大人們說，兒童的玩樂不能等，等到以後就太遲了，考上大學再玩、找到工作再玩、結婚之後再玩，那些都太遲了。打碑石、騎馬背、占地遊戲、跳橡皮筋繩，這些以後再玩就來不及了。想要在充斥著不安的人生中，找到通往快樂的唯一道路，到時候就為時已晚。

屁噗平靜的聲音讓整個法庭都安靜了下來。
坐在旁聽席的成淑，發出了無比的嘆息。
屁噗回頭看向小朋友們，突然擺出稍息、立正的姿勢。

屁噗	（和目前為止不同，大聲且清楚說道）現在發表《兒童解放宣言》！ 一！兒童應該即時盡情玩耍！

聽到屁噗這麼說，歲願用微小卻清晰的聲音複誦。

歲願	一、兒童應該即時盡情玩耍。
屁噗	二！兒童應該即時注意健康！

這次加上了英花和閔智的聲音。

小朋友們	二！兒童應該即時注意健康！

意料之外的複誦，讓法庭一下子變得鬧哄哄的。
陪審員們似乎很好奇這些小朋友的身分，也指著旁聽席竊竊私語。

審判長	全體肅靜！除了被告以外，任何人都不得發言。

審判長的喝斥讓小朋友們顫抖了一下。
英禍起立。

英禍　　庭上，那些小朋友都是本案的被害人，只要有庭上的允許，被
　　　　害人在開庭時皆有權利得以陳述意見，可否請庭上將小朋友們
　　　　複誦《兒童解放宣言》的行為，視為被害人的意見陳述？

　　　　就在審判長對於初次聽聞的陌生請求感到猶豫之際，
　　　　屁噗再次從《兒童解放宣言》第一條開始大聲喊出。

屁噗　　一！兒童應該即時盡情玩耍！
小朋友們　一！兒童應該即時盡情玩耍！
屁噗　　二！兒童應該即時注意健康！
小朋友們　二！兒童應該即時注意健康！
屁噗　　三！兒童應該即時保持快樂！
小朋友們　三！兒童應該即時保持快樂！
屁噗　　我將擊退學校、補習班、家長那些美其名是為了兒童未來著想
　　　　的狡詐咒語，我本人，也就是兒童解放軍總司令方屁噗，將為
　　　　了「即時保持快樂的兒童」高歌。
　　　　（像是在唱歌，加上音調，大聲地）小朋友們～來～玩吧～！

　　　　「小朋友們～來～玩吧～！」在法庭裡響徹雲霄，兒童解放軍
　　　　總司令對兒童們敬禮，眼角噙著淚水。
　　　　此時，英禍的耳邊又再次聽見虎鯨的聲音。
　　　　英禍轉頭看向聲音的源頭。
　　　　她看見一隻背鰭垂向一側的虎鯨緩緩地游出法庭外。

S#29. 濬浩／敏宇家的客廳 (室內／白天)

一個煦煦陽光灑進客廳的週末午後。

濬浩和敏宇面對面坐在餐桌上，拆著剛才外送叫的炸醬麵和糖醋肉外包裝。

不同於表情呆滯的濬浩，敏宇快速地動著雙手。

敏宇	你的炸醬麵要撒辣椒粉嗎？
濬浩	嗯。
敏宇	糖醋肉醬汁要先淋滿嗎？
濬浩	嗯。
敏宇	你是誰？
濬浩	嗯？

濬浩不知道敏宇在說什麼，看向敏宇。

敏宇	你喜歡的人，既然不是崔秀妍，那是誰？
濬浩	對你來說是誰有那麼重要嗎？
敏宇	我身為哥哥，要知道是誰才有辦法幫忙啊，我一看就知道你最近感情不順，像一隻生病的雞一樣成天嘆氣。

聽到敏宇這麼說，濬浩像一隻生病的雞一樣，再次嘆氣。

敏宇雖然提出問題，但似乎也沒有那麼在意，再次把注意力放回炸醬麵上。

濬浩慢慢吐露自己的煩惱。

濬浩	我無法想像…下一步會是如何。
敏宇	什麼下一步？
濬浩	喜歡之後的…下一步，這件事好像非比尋常，似乎必須做好什

麼了不起的覺悟，我也會害怕平白無故開始一段感情，反而⋯讓彼此痛苦。

敏宇　你是要找百年好合的姻緣嗎？幹麼想得那麼嚴肅？交往後覺得不適合再分手不就好了。

濬浩　如果對象是這個人⋯我就不能抱持著只想試試看的心態開始。

敏宇　（嘆哧）所以你現在的心態其實就是只想試試看吧？

濬浩　（暴怒）才不是！我才不是那種心態！

敏宇　那就去啊！答案都呼之欲出了。

濬浩　去？

敏宇　去！

濬浩的眼神漸漸變得炯炯有神，突然起身就往門外衝出去。
留在原地的敏宇感到詫異，嘴裡念念有詞。

敏宇　你真的要去啊？我說的「去」只是一種建議跟對方進一步發展的隱喻耶⋯？

S#30.　汪洋法律事務所1樓大廳（室內／白天）

即使是週末，英禑還是來汪洋上班，正要提早回家。
本來打算像平常一樣走推拉門，突然，
英禑今天想要挑戰旋轉門。
英禑站在大廳正中間，靜靜地盯著旋轉門。

英禑　一、二、三，一、二、三。

英禑深呼吸，像是下定決心一般，朝著旋轉門加速前進。

S#31.　汪洋法律事務所 (室外／白天)

英禑成功做到走進旋轉門。

但是一直錯過出去的時機，只能不斷在門裡旋轉。

此時，某個人抓住了旋轉門。

是從家裡氣喘吁吁地衝來汪洋的濬浩。

英禑成功離開這棟大樓。

英禑　　喔，謝謝。

濬浩　　我…有話要說。

英禑等待著濬浩的「有話要說」。

英禑就在眼前，濬浩突然說不出話來。

不過他鼓起勇氣，說出他一直都很想講出口的那句話。

濬浩　　我喜歡妳，因為太喜歡妳，喜歡到我心裡…就像生病了一樣。

S#32.　EPILOGUE：禹英禑飯捲 (室內／晚上)

那天晚上。

光顯在飯捲店的桌子上處理著堆積如山的菠菜。

他聽見有人進來的聲音，看向門邊…十分驚訝。

那個超出意料之外的「有人」，正是守美。

守美　　我可以進去吧？

和自己說的話相反，守美站在門邊靜靜地掃視飯捲店內部。

光顯看著這一切，臉色嚴肅而僵硬。

S#33.　EPILOGUE：禹英禑飯捲門口（室外／晚上）

同時，停在飯捲店對面的車子裡，有某個人在偷偷拍攝守美的模樣。

正是第8集中出現過的《正義日報》記者。

守美一走進禹英禑飯捲，

記者趕緊確認剛才拍的那些照片。

記者　　（看著照片自言自語）這麼晚了，在身邊沒有隨扈的情況下，隻身來訪飯捲店…（突然）讓我想想，這間店叫做禹英禑飯捲…是汪洋那位律師？

記者似乎啟動了與生俱來的特殊預感，

眼神裡散發出銳利的光芒。

〈完〉

「和我談戀愛…很困難。」

「是，看來是那樣沒錯。」

「即使如此，你還是想繼續嗎？」

第10集

之後再
牽手

S#1.　PROLOGUE：地鐵（室內／白天）- 過去

一個月前。

英禣直挺挺地坐在行駛中的地鐵座椅。

似乎是假日，英禣身穿輕鬆的服裝，戴著頭戴式耳機，聽著大翅鯨的歌聲。

此時，**楊程日**（23歲／男）急急忙忙地跑到英禣面前，身後有兩位男性**警察**（30多歲／40多歲）追趕著。

正當程日忙著回頭查看情況，腳步慢了下來時，

30多歲的**警察1**衝上來壓制住程日。

警察1往程日的手上銬，而後40多歲的**警察2**氣喘吁吁地趕過來。

眼前的突發狀況讓英禣嚇得不輕。

英禣的右手用力壓著左手手臂，雖然努力讓自己保持鎮定，全身卻仍然僵硬。

程日　你們到底想怎樣！我又沒幹麼！

警察2　你沒幹麼的話，為什麼要逃跑？你知道你自己有犯罪，才逃跑的吧！

警察1用力地抓住已上銬的程日，要他站好。

仔細看會發現程日的身材又瘦又高，還有一張可愛的臉蛋。

程日　　你們有令狀嗎？我問你們，有沒有令狀?!

警察2　唉唷，你還知道要看令狀啊！我看你是看太多警匪劇了吧？

警察1　（把程日拉走）別再說廢話了，先跟我們走，有什麼話到警察局再說。

英禍　　如果沒有拘票，就是非法逮捕。

英禍依舊維持著僵硬的身體、按壓著手背，

以不知道在看哪裡的模糊視線，語氣平淡地介入這件事。

程日和警察們停下動作，看向英禍。

警察2　什麼非法逮捕？妳這麼說就太嚴重了。這是緊急逮捕，也就是警方緊急追捕逃逸的嫌疑人，這種情況不需要令狀，妳懂不懂？

英禍　　即使是緊急逮捕，同樣適用《刑事訴訟法》第200條之5的規定。「檢察官或司法警察於逮捕嫌疑人時，應告知其嫌疑與逮捕原因，以及嫌疑人得聘請律師，並應予以辯解之機會。」這也稱為「米蘭達警告」，你不知道嗎？

程日　　（更加站得住腳）所以我現在是遭到非法逮捕嘍？（故意大聲地說到所有人都聽到）警察！非法逮捕！市民！！！

程日心想「就是現在！」甩開警察一的手，大聲吶喊。

地鐵裡的人們看著程日和警察們，竊竊私語。

警察2　奇怪，誰說不告知了？我們現在正準備告知啊！米蘭達警告！

英禍　　米蘭達警告必須在行使逮捕之強制力之前告知，你們不能像剛

93

才那樣直接上銬。

警察2　（勃然大怒）這位小姐！妳為什麼一直妨害警察執行公務！難道妳是律師嗎?!

英禑　是。

警察2　「是」？

英禑　我是汪洋法律事務所的律師禹英禑，正著唸、倒著唸都一樣，黑吃黑、多倫多、石榴石、文言文、鹽酸鹽、禹英禑。

英禑的自我介紹讓警察們和程日愣在原地。
警察2很快地回過神來，收拾目前的情況。

警察2　（對警察1說）喂，解開手銬。

聽到警察2夾雜著煩躁情緒的指示，警察1趕緊解開程日手上的手銬。

警察2　（似乎是故意讀給英禑聽）楊程日先生！警方即刻起將緊急逮捕你，你有權聘請律師，拒絕不利於己之陳述，也能聲請提審逮捕程序之合法性。（對英禑說）這樣可以了吧？

英禑　不行，你並沒有告知楊程日先生是因涉犯何種罪嫌而遭逮捕。

警察2像是被擠出最後一絲的耐心般，瞪著英禑，

警察2　「對身心障礙人士犯下準強制性交罪。」

英禑　（驚訝）什麼？

警察2　那個人渣性侵了一位患有智能障礙的女生，可以了嗎？

「我現在選擇伸出援手幫助的人，偏偏對身心障礙人士犯下準強制性交罪？」

雖然英禑並非患有智能障礙，但是她也是一位「患有障礙的」女性。英禑心裡浮現不悅的錯愕感，表情變得僵硬。

TITLE：

《非常律師禹英禑》

S#2.　**看守所接見室**（室內／白天）

一個月後的現在。

在看守所內的律師接見室。

英禑和秀妍坐在其中一間以玻璃牆隔開的狹小隔間裡。

過沒多久，程日就被**監所管理員**（40多歲／男）拉進接見室裡，程日一發現是英禑，表情就變得開朗，高興地向英禑揮手。

秀妍對於厚臉皮地裝熟的程日嗤之以鼻，相反地，英禑無法感知程日發出的過度友好信號，依舊面無表情。

程日　　哇——妳真的來了啊！太感謝妳了！我拜託我爸媽一定要幫我請到汪洋的黑吃黑、多倫多律師，對他們死纏爛打求了好久。結果打聽之下才發現妳根本是個大名人！還上過報！「大韓民國第一位自閉症律師！黑吃黑、多倫多！」

英禑　　我的名字叫禹英禑。

程日　　唉唷～我知道啦，但是我莫名地想要叫妳黑吃黑、多倫多律師耶？可以嗎？

程日發射出電影《史瑞克2》中鞋貓劍客般的眼神，但是英禑這次還是感受不到程日的撒嬌，依舊保持著平淡的語氣，

英禑	不可以，請叫我禹英禑律師。
程日	（悶悶不樂）好⋯姐姐。

程日就像在姐姐面前耍賴不成的么弟，癟著嘴鬧彆扭。
秀妍看不下去程日這副德性，以既嚴肅又謹慎且認真的態度說道。

秀妍	楊程日先生，你以對身心障礙人士犯下準強制性交罪被起訴，你知道這是刑罰多重的罪行嗎？普通強制性交罪的法定刑，是3年以上的有期徒刑，但是對身心障礙人士犯下強制性交罪的刑度，是無期徒刑或7年以上的有期徒刑。現在可沒時間閒聊黑吃黑、多倫多，你好像還沒搞清楚問題的嚴重性。
程日	我沒有做那種壞事！我的確是跟「只楊傻」共度了「火夜」，但是那怎麼會是強制性交？強制性交應該是對她又打又罵，強行對她⋯做那種事，不是嗎？
秀妍	只楊傻？
英禑	火夜？
程日	是啊，那是我對彗英姐的暱稱，只楊傻，「只知道楊程日的傻瓜」。火夜是⋯妳們懂吧？（害羞）「火熱的夜晚」。
秀妍	就算是暱稱，你也不能叫她傻瓜啊，怎麼能這樣說智能障礙人士？
程日	她也叫我傻瓜啊，「只彗傻，只知道彗英姐的傻瓜」。
英禑	嗯⋯如果要講求音韻對仗，你應該要是「只申傻」吧？因為被害人的名字是申彗英，或是申彗英小姐的暱稱應該要改成「只程傻」⋯
秀妍	（打斷英禑說話，既嚴肅又謹慎且認真地說）禹英禑律師，現在這是重點嗎？
英禑	（稍微思考了一下）不是。

程日	彗英姐和我…是彼此相愛的關係，什麼加害人、被害人…事情真的不是那樣。
英禑	我們知道你並沒有使用暴力或脅迫手段，來使申彗英小姐與你發生性關係，因為申彗英小姐接受警方調查時也是這麼說的。但是就算沒有強制行為，仍會構成性犯罪，最典型的情況就是準強制性交，而且這樁案件根據《性侵犯罪處罰等相關特例法》…
程日	(打斷英禑說話)喔！《性侵特例法》！這個我知道，檢察官每次都會提到。
英禑	(接續剛才被打斷的話)第6條第4項規定，「利用他人的身體或精神障礙，有不知或不能抗拒之情狀而為性交者，應處以刑罰」。
秀妍	意思就是檢方認為你「利用」了申彗英小姐的精神障礙，跟她發生了性關係。
程日	天啊，我是要利用她什麼，我說過了，我不是那種人！
秀妍	你用申彗英小姐的名義申辦信用卡，讓申彗英小姐獨自支付高達數百萬韓元的約會費用，你們認識不到半年，在這麼短的時間內，申彗英小姐買給你的衣服、鞋子、手錶，金額加總超過一千五百萬韓元，這樣還不算是利用嗎？你現在沒被追加詐欺罪嫌，已經是不幸中的大幸了！
程日	那個是因為我太年輕，工作還沒穩定下來…(似乎很鬱悶)唉唷，彗英姐家境不錯啊，有錢的姐姐在約會的時候為年輕男友買單，那也算是犯罪嗎？
秀妍	你又不是身心障礙人士，當初為何要加入「共融」？「這是屬於智能障礙、發展遲緩以及自閉症人士的社團」。社群簡介明明就寫得一清二楚耶？
程日	我是出於善意加入的，那種社團裡本來就需要愛心志工，不是嗎？我在參與共融社團的活動時，認識了彗英姐…(回想起當時的情形，似乎很害羞)我們對彼此一見鍾情，墜入愛河。我怎麼知道事情會這樣發展？我怎麼會知道，吸走我靈魂的真命天女偏偏

是在那裡認識的！

程日像是墜入愛河的羅密歐，激動地辯解著。
但是英禑和秀妍的反應卻不如預期，程日既鬱悶又委屈，

程日　　奇怪，為什麼大家都不肯相信我說的？因為彗英姐是身心障礙
　　　　人士嗎？非身心障礙人士真心愛上智能障礙人士，真的讓人那
　　　　麼難以置信嗎？

英禑　　嗯…

秀妍　　有人那麼說嗎？我們是…

程日　　（打斷秀妍說話）身心障礙人士都很善良且單純，他們有充分資格
　　　　被愛，黑吃黑、多倫多律師一定也明白，對吧，姐姐？

程日用懇切的眼神看著英禑，想要尋求英禑的同意。
秀妍看著這副景象，哭笑不得。
同時，英禑不知道在想什麼，表情變得複雜。

S#3.　明錫的辦公室（室內／白天）

英禑和秀妍並肩站在明錫坐著的辦公桌前。
明錫閱讀著程日的案件資料。

明錫　　（像是在自言自語）哇…妳是從哪裡把這麼令人頭痛的案件帶回來
　　　　的？

英禑　　我是從地鐵2號線…帶回來的。

明錫　　我不用看也知道當時是什麼情況，妳一定是在那邊說著「非法
　　　　逮捕、令狀主義…」賣弄知識吧？所以大家都說在外面暴露律
　　　　師身分絕對沒好事。

英禑	是，我以後會多注意盡量不在外面暴露律師身分。
明錫	性犯罪大多是在兩人獨處時發生，對吧？所以通常被害人的陳述就是唯一證據，在那樣的情況下，如果要為被告辯護，我們該做些什麼？我們必須從降低被害人證詞可信度的角度切入，可是本案的被害人是智能障礙人士，這麼一來她的陳述就很有可能模稜兩可或是前後不一。但是我們明知情況如此，卻還是得抓著被害人陳述可信度這點攻擊，我們身為律師…通常不會想要這麼做。
秀妍	不如趁現在還有時間…拒絕這樁案件如何？如果他們委託規模比汪洋小的律所，就能先省下委託費，楊程日先生的父母應該也更希望如此。
明錫	我認為這個建議還不錯，禹律師覺得如何？

明錫和秀妍瞥向英禑。
英禑陷入了沉思。

英禑	我…想為楊程日先生辯護。
秀妍	為什麼？依照鄭明錫律師所說，如果要為楊程日辯護，最後還是得攻擊被害人，有什麼原因讓妳非得接下這樁案件嗎？
英禑	因為楊程日先生的主張有可能是真的。
秀妍	妳相信…那些不可理喻的話？
英禑	我想…相信。他說他和申彗英小姐是真心相愛的關係，我希望那是事實。

雖然英禑還沒整理好想法，內心還有點混亂，但是她的眼神裡充滿了真誠。
明錫嘆了一口氣，暫時陷入煩惱，

明錫	既然妳這麼想要相信被告，那妳就接受委任，著手案件吧。
英禑	是。
明錫	崔秀妍律師，妳也一起吧。
秀妍	什麼？
明錫	如果一心只想相信被告，很容易對案件感情用事，麻煩妳從旁協助，別讓禹律師犯下那種失誤，吁吁，讓她冷靜下來。
秀妍	吁吁…？
明錫	嗯。（舉起雙手，做出把東西往下壓的手勢）吁——吁。

第6集明錫指派給英禑的「吁吁任務」，這次的重責大任則是落在了秀妍身上。
面對這個情況，難以推託的秀妍安靜地嘆了一口氣。

S#4. **毛怪家餐酒館**（室內／晚上）

英禑一如往常地坐在放有海苔壽司的吧檯座位。
格拉米坐在英禑旁邊，
敏植站在她們面前的開放式廚房。
英禑說了什麼呢？
格拉米和敏植以驚訝的表情看著英禑。

格拉米	居然！太扯了！妳再仔細描述一下，那個當下的空氣、陽光、雲朵、風速、氣溫以及濕度，一字不漏地全部說給我聽！
英禑	嗯，總之就是…

英禑想起了聽見濬浩的告白那時候。

FLASHBACK：

第9集，在汪洋法律事務所大樓門口。
英禑和濬浩面對面站在旋轉門前。

濬浩　　　我…有話要說。

英禑等待著濬浩的「有話要說」。
英禑就在眼前，濬浩突然說不出話來。
不過他鼓起勇氣，說出他一直都很想講出口的那句話。

濬浩　　　我喜歡妳，因為太喜歡妳，喜歡到我心裡…就像生病了一樣。

CUT TO：
現在，毛怪家餐酒館。
因為濬浩的告白過於肉麻，格拉米和敏植一邊像麥飯石魷魚般
蜷縮著身體，一邊發出「呃啊！嘎啊！」表示對這段故事感到
津津有味的尖叫聲。

格拉米　　（一搭）哇——可惡，他居然說喜歡到像生病了一樣。幫他叫醫
　　　　　生！叫救護車！
敏植　　　（一唱）請問是119嗎？什麼？不是普通的119…而是愛情的119
　　　　　嗎？

格拉米和敏植因為英禑的故事哈哈大笑著。
但是英禑很嚴肅。

英禑　　　問題是下一步，喜歡之後的…下一步，現在我要做什麼，該怎
　　　　　麼做？
格拉米　　妳聽到他說喜歡妳之後，當下是怎麼回答的？

英禍　　嗯…

英禍再次回想起當時的情況

FLASHBACK：

S#5.　汪洋法律事務所（室外／白天）

英禍和瀋浩面對面站在旋轉門前。

雖然是緊接在先前告白之後的情節，但是尚未在第9集播出。

聽到瀋浩說的話，英禍愣在原地。

英禍無所適從，突然閉上眼睛，用右手按壓著左手手背。

瀋浩看見英禍這麼做，擔心英禍目前的精神狀態，這時，英禍
睜開了眼睛。

英禍　　黑…黑吃黑、多倫多、石榴石、文言文、鹽酸鹽…驛三站。驛
　　　　三站！

英禍看見瀋浩背後的驛三站，朝著那裡…逃之夭夭。

瀋浩　　禹律師？

雖然瀋浩試著叫住英禍，

但是英禍頭也不回地，以最快的速度朝著驛三站揚長而去。

CUT TO：

現在，毛怪家餐酒館。

敏植	所以妳接受了告白…然後逃跑了？
格拉米	妳這傢伙？這是吃霸王餐！愛情的霸王餐！
英褯	嗯…因為我當時腦中一片空白…只想逃離那個場合，我做出了無禮的舉動，對吧？
敏植	與其說是無禮的舉動…
格拉米	更像是奇怪的舉動。
英褯	嗯…
格拉米	算了，在情況變得更複雜之前，快點收拾善後。
英褯	要怎麼收拾善後？
格拉米	妳得跟李潗浩交往啊。
敏植	什麼？怎麼可以聽到一句喜歡就馬上交往？妳得先跟他約會，慢慢瞭解彼此。
英褯	那該怎麼做？
敏植	約會嗎？那也沒什麼大不了的，一起吃飯、一起喝茶、一起看電影、一起去唱歌…就是這些啊，仔細找找的話，能做的事滿多的。
格拉米	喔～這麼一看，這位毛怪老闆懂得還真多呢？你明明就沒有女朋友。

聽到格拉米嘻笑著捉弄敏植，
英褯想起她遺忘的某件事。

FLASHBACK：
第9集，汪洋法律事務所11樓走道。
英褯和敏宇撞見濃妝豔抹的秀妍。

秀妍	我接下來會活得積極一點，你如果有認識不錯的男生，記得介紹給我，我要努力爭取。

103

敏宇	積極…爭取嗎？
英禱	我有想到一個人選。

出乎意料的一句話，讓秀妍和敏宇驚訝地看向英禱。

英禱	他很懂得對別人好，會幫人拉椅子、開車門，一起走路的時候會讓對方走在道路內側，還會幫忙拿東西。
秀妍	（感興趣）真的嗎？
英禱	嗯，而且他很會做海苔壽司，下次我介紹你們認識。

CUT TO：

再次回到現在，毛怪家餐酒館。

英禱	我可以幫你介紹女朋友嗎？
敏植	什麼？
格拉米	什麼？那我呢？喂，也幫我介紹啊！
英禱	（無視格拉米說話）她最近下定決心要積極爭取好男人的心，是如同春日暖陽般的仙女。
格拉米	積極爭取…好男人的心…如同春日暖陽般的仙女？
敏植	天啊，真是一位優秀的人！
格拉米	喂！我呢？妳說啊？我呢！
英禱	妳…
敏植	妳什麼時候要幫我介紹啊？我得先減肥！

敏植對於這次的聯誼非常期待，眼神裡閃閃發光。

S#6. 法庭 （室內／白天）

第一次公訴審判。

包含**審判長**（60多歲／男）在內的3位法官坐在法官席，程日坐在被告席，身旁是辯護人明錫、英祺和秀妍，陪審員席則是7位男女陪審員。

澔浩、被害人**申彗英**（27歲／女）、**彗英媽媽**（50多歲）以及彗英加入的身心障礙人士社團「共融」的會員們也穿著紫色的活動背心，坐在旁聽席。

剛結束開庭陳述的**檢察官**（40多歲／女）走回自己的位置。

審判長　辯護人，請進行開庭陳述。

旁聽席上的共融會員們冷酷地盯著程日和律師們，似乎不覺得他們能講出個什麼所以然。

程日察覺在這個法庭裡，幾乎大部分的人都已經選擇站在「彗英那邊」。

秀妍正準備起立進行開庭陳述，程日趕緊攔住秀妍，

程日　可以讓黑吃黑、多倫多律師進行開庭陳述嗎？

英祺　什麼？

程日　這裡的人…都在瞪著我們，如果他們知道妳是律師，應該就不會那樣了吧。

英祺　什麼？

與愣住的英祺不同，
明錫馬上就瞭解程日在想什麼。

明錫　嗯，被告說的也有道理，就由禹律師發表開庭陳述吧，讓這場庭審的對造看起來不像「身心障礙人士對一般人」。

審判長　　（看著被告和律師們）你們不發表陳述嗎？

明錫　　　對不起，我們馬上開始。（小聲地對英禑說）妳還記得第一次出庭時說過的話吧？妳說妳患有自閉症，請大家包涵的，就用那個當作開場白吧。

英禑像是被推了一把，縮著身體站了起來。

英禑　　　我患有自閉症類群…（原本想強調，但是說得太大聲）「障礙」症！

在毫無準備的情況下，英禑去蕪存菁，只用力地喊出了「障礙！」兩字。
明錫和程日觀察著法庭裡人們的反應。
法官們和陪審員們是有點傻眼，但是氣氛不會太僵，不過對於必須說出這句話的英禑而言，心情…不是很好。
濬浩坐在旁聽席心疼地看著那樣的英禑，檢察官察覺了英禑這麼做的意圖，瘤嘴咋舌。

英禑　　　（就像是必須完成不想寫的作業，小聲且快速地說）所以我說話可能會結巴，動作也不流暢，請各位包涵。嗯…（再次調整回原本的語調）被告否認本案所有公訴事實，被告楊程日先生與被害人申彗英小姐是彼此相愛的情侶關係，是在合意的情況下發生性關係的。

英禑話音一落，共融社團的會員們就開始揶揄。
「說謊！」、「淨說些廢話！」、「我看是你們喜歡合意吧！」等尖銳的言語。
英禑第一次經歷這種狀況，慌張地支支吾吾。

審判長　　各位請保持肅靜，你們不懂法庭禮儀嗎？

在審判長的制止下，法庭才好不容易恢復安靜。

英禍努力保持鎮定，在深呼吸過後，再次接續開庭陳述。

英禍　　　楊程日先生和申彗英小姐使用了一款名為「甜蜜蜜」，為情侶
　　　　　開發的應用程式。去年3月13日，兩人透過甜蜜蜜應用程式的聊
　　　　　天功能，進行了以下對話。

　　　　　英禍說話的同時，
　　　　　秀妍把資料顯示在法庭裡設置的投影幕上。
　　　　　是程日和彗英使用的情侶應用程式，甜蜜蜜的聊天視窗。
　　　　　可以看見帳號「只彗傻」與帳號「只楊傻」之間的對話。

英禍　　　只彗傻是被告的暱稱，意指只知道申彗英的傻瓜；只楊傻是被
　　　　　害人的暱稱，意指只知道楊程日的傻瓜。雖然姓氏和名字沒有
　　　　　對仗工整，這點稍嫌可惜，總之，請各位注意看他們兩人的對
　　　　　話。

　　　　　跟著英禍的指引，
　　　　　法庭內的人們看向投影幕。

　　　　　〈聊天室內容〉

只彗傻　　（打字）只楊傻睡得好嗎？我們去投K，然後今晚吃雞？

只楊傻　　（打字）我剛醒。

只彗傻　　（打字）ㄏㄏㄏ睡得還真飽～～～是因為昨天的火夜嗎？

只楊傻　　（打字）唉唷～不知不知道啦，羞羞臉羞羞臉。

只彗傻　　（打字）今天也要火夜嗎？

只楊傻　　（打字）啊啊啊！我今天要跟媽媽去報名咖啡補習班。

只彗傻　　（打字）什麼時候結速？豪想趕快見只楊傻～

看見充滿縮寫語和大舌頭發音的肉麻對話，彗英媽媽深深嘆了一口氣，審判長則是直搖頭。

審判長　「我們去投K，然後今晚吃雞？」

英禍　「投K」是「投幣式KTV」，「今晚吃雞」是「今晚要吃炸雞嗎？」的簡稱。「火夜」是「火熱的夜晚」的簡稱，代表發生性關係。

審判長　「秋秋臉」呢？

英禍　（看著聊天室畫面，尋找著「秋秋臉」）嗯，請問是指「唉唷～不知不知道啦」後面的那句「羞羞臉羞羞臉」嗎？

審判長　喔，是「羞羞臉羞羞臉」嗎？

英禍　對，我想那是「害羞」一詞的變體呈現，像是「什麼時候結速？」、「豪想趕快見面」也都是類似的變體…

審判長　（打斷英禍說話）我也知道那幾句的意思，不用特別說明。

因為英禍用無比平淡和生硬的語氣唸出這些大舌頭詞語，明錫和秀妍突然開始進行「忍笑大挑戰」。
和辛苦忍笑的兩人不同，程日露出開朗的表情，像是在觀賞一件無關自己的事。

英禍　檢方依據申彗英小姐的陳述書，主張這些聊天訊息的前一天，也就是3月12日，楊程日先生性侵了申彗英小姐。但是他們的對話從「睡得好嗎？」開始到「豪想趕快見面～」結束，這真的是性侵加害人和被害人之間的對話嗎？這理當被視為熱戀中的情侶互表愛意的對話吧？

幾位陪審員們似乎認同英禍的說詞，紛紛點頭表示同意。
彗英媽媽看不下去，突然起身喊道。

108

彗英媽媽	妳得留意字裡行間的細節，字裡行間！互相取暱稱、成天想來想去，難道就是愛嗎？那個像牛郎一樣的混蛋勾引我家彗英，帶她去唱歌、吃炸雞（似乎是難以啟齒，稍微猶豫了一下）甚至去汽車旅館！他只想滿足自己的私欲！
審判長	奇怪，今天到底是怎麼回事？如果再有人未經同意擅自發言，本庭就會要求離開法庭。
檢察官	庭上，那位是本案被害人申彗英小姐的母親，雖然她不該未經庭上同意就發言…

雖然檢察官趕緊起身，試圖撫平審判長的情緒，但是彗英媽媽現在可沒有心情安慰任何人，繼續說出無法憋在心裡的那些話。

彗英媽媽	那個混蛋誘騙我們彗英的手段，就在那些聊天內容裡！什麼「互表愛意的對話」？（對英禑說）妳身為律師，連那種事都無法分辨嗎？
審判長	被害人母親，請妳保持安靜！

共融社團的某位會員好不容易才讓火冒三丈的彗英媽媽坐下，但是彗英媽媽即使坐回位置上，卻還是瞪著英禑。
面對各種困惑的情況，英禑的呼吸加速。
同時，坐在母親身邊的彗英似乎也被眼前的情況嚇到，不斷地搖頭並用力地以右手刮著左手手背。

S#7.　咖啡廳（室內／白天）

敏宇和第8集出現過的《正義日報》記者面對面坐著。
是那位和汪洋法律事務所維持友好關係，為汪洋寫過很多好報

導的記者，同時也是知道英禑就是守美的女兒，偷拍英禑照片
的記者。

敏宇	禹英禑律師嗎？
記者	對，你上次不是有說嗎？說你知道有關禹英禑律師的事。
敏宇	喔…那沒什麼啦。
記者	所以是什麼？你的表情看起來不像沒什麼耶？
敏宇	就是…有人在汪洋公司內部的匿名留言板上發文，聲稱因為代表是禹律師父親的學妹，所以才幫禹律師在汪洋安插一個位置，就是這樣。
記者	（稍微失望）嗯…就這樣嗎？
敏宇	什麼？
記者	禹律師和太守美那邊沒有什麼消息嗎？
敏宇	太守美？
記者	（試探敏宇是否真不知情）聽說禹英禑律師是太守美律師的女兒耶？

「禹英禑律師是太守美律師的女兒？」
敏宇驚訝地瞪大眼睛。
腦海裡隨即浮現各種想法，敏宇的思緒變得複雜。

S#8.　**汪洋法律事務所**（室外／晚上）

因為時間已晚，閒靜的夜裡幾乎沒有人在路上走動。
剛下班的濬浩通過旋轉門，走出汪洋大樓。
英禑為了等濬浩下班，已經獨自站在大樓門前好一陣子。
一看到濬浩，雖然稍有猶豫，但是馬上鼓起勇氣說話。

英禑	你還…喜歡我嗎？

濬浩回頭。

朝著英禑走近，

濬浩　　是，我喜歡妳。妳上次就那樣走掉，我很失落。

英禑　　喔…當時是因為…對不起。

濬浩微笑看著英禑因為抱歉而不知所措的模樣。

英禑　　如果你現在還喜歡我…我們不要馬上交往，先約會慢慢瞭解彼
　　　　此怎麼樣？

濬浩　　（微笑）真是個好主意。

英禑打開身上的公事包，拿出一份資料遞給濬浩。在「約會時
要做的事」的斗大標題之下，有幾件不尋常的事吸引濬浩的注
意。

「為聲援解放海豚的2人抗議活動」、「海苔飯捲美食巡禮」、
「邊慢跑邊撿垃圾」、「一起找出正著唸、反著唸都一樣的詞
語」、「探索生物的多樣性」…

英禑　　我調查了約會時要做的事，列了一份清單。

濬浩　　（翻閱著資料）哇，很多耶！

英禑　　是。

濬浩　　上面沒有列出「送對方回家」嗎？

英禑　　嗯…沒有。

濬浩　　那我可以新增上去嗎？今天我送妳到家門口。

英禑　　喔…新增…好

濬浩　　（看著資料）上面也沒有列出「送對方回家的路上牽手」耶？

英禑　　沒有，就算有列出來，牽手對我來說也不容易，我爸也很常想

要跟我牽手，但我最多只能忍耐57秒。

濬浩　　真的嗎？如果跟妳牽手超過57秒，會發生什麼事？

英禑　　我會想把手放開，不放開就會無法忍受。

濬浩　　原來如此…

濬浩點頭表示理解，尷尬地笑著。
英禑欲言又止地煩惱了一下，

英禑　　最多只有57秒，你還是想跟我牽手嗎？

濬浩　　喔？妳確定可以嗎？

英禑拿出手機，打開計時器應用程式，設定時間為57秒。
在按下倒數計時的「開始」按鈕之前，英禑對濬浩伸出了手。
濬浩稍微環顧四周後，牽起了英禑的手。
英禑按下開始按鈕，1秒、2秒、3秒、4秒、5秒…
像是在忍耐著不喜歡的事，英禑緊閉著雙眼，最終還是放開了
濬浩的手。

英禑　　我受不了了。

濬浩　　（稍微失落）喔…好。

英禑　　對不起。

濬浩　　那今天就先完成「送對方回家」吧，之後再「牽手」。

英禑　　之後再牽手。

濬浩努力隱藏失落的心情，走向驛三站。
英禑以不自然的步伐跟在濬浩身後。

S#9. 法庭（室內／白天）

第二次公訴審判。

檢察官正在對證人席上的精神科**醫生**（40多歲／女）進行詰問。

檢察官　具體而言，被害人的智能障礙是什麼程度？

醫生　　申彗英小姐的IQ為65，屬於「輕度智能障礙人士」，透過教育學
　　　　習，還是可以適應社會及職場生活。
　　　　她的心智年齡約13歲，所以可以視為相當於小學6年級的程度。

檢察官面對著法官們和陪審員們，拿起彗英的陳述書，遞給醫
生。

檢察官　這是在警方調查過程中，被害人作成的陳述書。證人，妳應該
　　　　也看過了吧？身為精神科醫生，妳如何判斷這份陳述書？

醫生　　整體而言，我認為這份陳述書具有可性度，內容具體描述了性
　　　　侵行為發生當下的情況，被害人在表達想法或情緒上也具有一
　　　　致性。

檢察官　被害人的想法或情緒？可以請妳舉例說明嗎？

醫生　　（看著陳述書）當開始發生性行為時，「我的心情變差了」、「我
　　　　很害怕」、「好像會被媽媽罵，所以我不喜歡」等，這些都是
　　　　相對清楚的表達。

檢察官　那麼被害人為什麼無法反抗被告的行為？

醫生　　我不需要推測原因，答案就在陳述書中。（看著陳述書）「我說了
　　　　不喜歡，他生氣了」、「他看起來快哭了」、「他說那樣不是
　　　　真愛…」智能障礙人士對於偽裝成愛情，或是利用了親密關係
　　　　的加害行為特別脆弱，被害人害怕一旦拒絕了非自願的性關
　　　　係，將會就此失去兩人之間的情侶關係，被害人也很有可能根
　　　　本不知道拒絕的方法。

檢察官	是，我方詰問完畢。
審判長	辯護人，請進行反詰問。

聽到審判長這麼說，秀妍起身走向證人席。

秀妍	證人，請問妳看過申彗英小姐和被告的聊天紀錄嗎？
醫生	沒有。
秀妍	根據檢方的主張，申彗英小姐在3月12日遭到被告性侵，當天申彗英小姐透過聊天訊息，對被告說了這樣的話，可以請妳唸出畫底線的部分嗎？

秀妍將程日和彗英在甜蜜蜜應用程式裡的聊天紀錄影本遞給醫生。

醫生	（語氣平淡）「我愛你」、「豪想你，我一直在等尼跟我聯絡」、「我們永遠在一起八」。
秀妍	向這些充滿愛意的言辭，不僅出現在3月12日的對話中，直到被告被拘捕，再也無法聊天為止，兩人的聊天室充滿了申彗英小姐對被告的愛意表現。證人，關於這些聊天紀錄，妳有什麼看法嗎？
醫生	我認為…這是十分令人心痛的事。
秀妍	什麼？
醫生	我們每個人都想要愛人，也都渴望被愛，智能障礙人士當然也是如此，或者可以說，他們甚至更加渴望。因為他們這輩子，幾乎很難從別人身上得到想要的愛情與注意，從申彗英小姐如此迫切的愛意表現就能看出來了，不是嗎？

醫生以滿是心疼的溫暖眼神，看向旁聽席上的彗英。

面對醫生裝作感同身受的態度，秀妍瞬間不知道該說什麼，
彗英媽媽面對女兒，心裡滿是複雜的情緒，化為一聲嘆氣。

醫生　問題是對智能障礙人士來說，他們經常會將不懷好意的親近，
誤以為是發生在自己身上的純粹愛情，因為他們對於正當關係
與不當關係的辨別能力也很弱。由此看來，很難認定申彗英小
姐具有健全的「性自主決定權」。

秀妍　證人，妳剛才說申彗英小姐的陳述書具有一致性且內容具體，
但是現在卻說申彗英小姐無法辨別正常關係與不當關係，她有
能力作成具有可信度的陳述書，卻沒有性自主決定權⋯妳的診
斷是否過於模糊？申彗英小姐到底屬於怎樣的狀態呢？

醫生　我指的是⋯關於保護自己的能力。原以為是一段相愛的關係，
結果卻是詐騙、欺瞞與暴力，這是每個人都可能經歷的事，不
過大多數的人們即使經歷了那種事，仍然有能力保護自己，並
且努力避免再犯同樣的錯誤。然而，申彗英小姐患有障礙，那
麼情況就不同了，即使她有能力對當時的情況作出可信的陳
述，但是面對被告惡意的親近，自我保護的能力卻很薄弱，我
認為我的診斷並不矛盾。

法庭裡的氣氛可以看出，在場的人似乎都被醫生的回答說服，
明錫、英禍和程日，更不用說秀妍，四人的表情都變得黯淡。

S#10.　**法院走道**（室內／白天）

法院裡女生洗手間前面的走道。
英禍離開洗手間，在附近踱步的彗英走向英禍，雖說是靠近，
但是彗英一句話也說不出來，呆呆地站在那裡。

英禑	妳有話要說嗎？
彗英	是的，可是…
彗英媽媽	（大聲地說）彗英！申彗英！

彗英媽媽遠遠地就發現彗英，匆匆忙忙地跑了過來，彗英明明
還沒被媽媽抓住，卻露出彷彿已經被責罵過的表情，全身顫
抖。
彗英不知道該走向媽媽，還是該對英禑說話，猶豫了一下子，

彗英	我去「咖補」的時候，只有我一個人。
英禑	什麼？咖補？

彗英跑向媽媽。
像是在訓斥小孩般，彗英媽媽打著彗英的屁股，把彗英拉走。
英禑和如同暗號般的那句話被留在原地，秀妍走了過來。

秀妍	剛才檢察官跟我說，楊程日那個人之前也做過相同的事。
英禑	什麼？
秀妍	看來他曾經加入過和共融類似的社團，和另外一位智能障礙人士交往，也接受了警方的調查。
英禑	真的嗎…？可是楊程日先生沒有任何犯罪紀錄啊？
秀妍	當時他並沒有涉嫌性侵，而是用女方的信用卡刷了大筆約會費用，才會鬧出問題。因為楊程日有還錢，也有和被害人和解，警方才會終止調查，沒有將案件移送檢方。
英禑	（受到衝擊）那是…什麼時候的事？
秀妍	也不是多久以前，檢察官說是去年的事。說什麼「吸走我靈魂的真命天女」…果然都是瞎掰的。
英禑	嗯…我必須和楊程日先生見個面。

英禑露出僵硬的表情，大步向前走。

秀妍一邊喊著「喂！喂！」一邊跟上英禑。

S#11.　看守所接見室（室內／白天）

看守所內的律師接見室。

英禑、秀妍和程日面對面坐著。

英禑　　那是事實嗎？

程日　　是這樣的，姐姐…

秀妍　　被告，請不要一直稱呼禹英禑律師「姐姐、姐姐」。聽起來很
　　　　不舒服。

程日　　真是的，禹律師…

英禑　　你不是說過，你和申彗英小姐是真心相愛的關係嗎？你說你一
　　　　見鍾情，你自己也不知道會愛得那麼深，不是嗎？

程日　　沒錯！那些都是真的！

秀妍　　你不是假借志工服務之名，遊走在各個智能障礙團體之間，專
　　　　挑容易受騙的人下手嗎？去年的案件真的只是第一次嗎？申彗
　　　　英小姐到底是第幾位被害人？

程日　　什麼第幾位被害人！妳怎麼能這樣說我?!我不是那種人！

英禑　　如果你和申彗英小姐並不是真心相愛的關係，那我也沒有理由
　　　　繼續為你辯護了，我要辭去委任。

程日　　什麼？禹律師！（看著秀妍）崔律師！！！

秀妍　　我和禹英禑律師的立場一致。

程日　　我和彗英姐！是真心相愛沒錯！真愛不一定得是初戀啊，請妳
　　　　們相信我說的話，拜託…

程日像是在乞求般苦苦哀求著，眼角噙著淚水。

117

英禑和秀妍看到這樣的程日，內心沉重。

S#12. 德壽宮石牆路（室外／晚上）

「透過約會漸漸瞭解彼此」的一環，

這次英禑和濬浩一起走在德壽宮石牆路上。

濬浩 楊程日先生的案件，妳真的要辭去委任嗎？

英禑 是，我打算明天和鄭明錫談過之後，就提出終止委任書。

濬浩 唉唷，原來如此…

英禑 情侶一起走過德壽宮石牆路就會分手，你有聽過這種說法嗎？

濬浩 （驚訝）沒有耶？有那種說法嗎？

英禑 有，以前的大法院和首爾家事法院就在德壽宮石牆路的北方，辦理離婚的人都得走過德壽宮石牆路，所以才會有那種說法。

聽到英禑那麼說，濬浩愣在原地。

英禑搞不清楚現在的情況，跟著站在原地。

濬浩 那麼我們是不是不該繼續走這條路？

英禑 （驚訝）什麼？你相信那種說法嗎？那根本沒有任何科學根據，而且首爾家事法院早在1995年就遷移至瑞草洞，並且在2012年又跟首爾行政法院一起遷移至良才洞…

佳英 濬浩哥！

第3集出現過的佳英和濬浩的**2位大學同學**（20多歲／男）偶然發現濬浩，開心地走了過來。

三個人剛從咖啡廳離開，手上都拿著外帶的咖啡。

看見佳英和大學同學們，濬浩的內心莫名不安了起來。

佳英	沒想到我們又巧遇了?!真是太神奇了～
同學1	就是說啊，李濬浩！好久不見。
同學2	我才在好奇你過得怎麼樣。
濬浩	是啊，你們過得好嗎？

佳英看著英禑站在濬浩身旁發呆，回想起第3集當時的記憶，

佳英	喔…！這位是上次那個…

濬浩莫名地似乎知道佳英下一句話要說什麼，正打算阻止佳英
說話，但是佳英快了一步。

佳英	分享愛？
濬浩	我都說過不是那樣了！
佳英	喔，不是嗎？那麼…

濬浩想對佳英和同學們說些什麼，卻不自覺地停頓了一下。
最終，濬浩下定決心開口。

濬浩	我現在正在約會。
佳英	（稍微驚訝）什麼？
英禑	（心想佳英是真的不知道，字正腔圓地說）我們正在約會。「走過德壽宮石牆路」的約會。
濬浩	她是我的同事，禹英禑律師，大家打個招呼吧。
英禑	你們好，我叫禹英禑，正著唸、倒著唸都一樣，黑吃黑、多倫多、石榴石、文言文、鹽酸鹽、禹英禑。
同學1	喔…
同學2	是…

佳英	妳好？

佳英和同學們尷尬地向英禑打招呼。
英禑突然專注地看著三個人手上拿著，就像在排排站的咖啡杯。
英禑留意到每個杯套上都寫有「咖啡師」的字樣，
突然恍然大悟。

INSERT：
一隻鯨魚躍上湛藍的海平面。

CUT TO：
現在，德壽宮石牆路。
和瀋浩對話的佳英與同學們旁邊，
英禑獨自陷入了沉思，出神地站在原地。

同學1	喂，找時間去喝一杯吧。
佳英	是啊！我都快忘記你長怎樣了！
瀋浩	喔，好啊。
英禑	（像是在自言自語）「只楊傻」是只知道楊程日的傻瓜，「只彗傻」是只知道申彗英的傻瓜，「火夜」是火熱的夜晚，「《性侵特例法》」是《性侵犯罪處罰等相關特例法》，「投K」是「投幣式KTV」、「今晚吃雞」是今晚要吃炸雞嗎…

英禑的眼神閃閃發光，嘴裡振振有詞。
瀋浩、佳英和同學們詫異地看著那樣的英禑。

瀋浩	禹律師？

英禑　那麼「咖補」呢？（像是要公布正確答案，停頓了一下）是咖啡師補
習班！

佳英　什麼？

英禑　根據他們兩人的聊天紀錄，申彗英小姐從幾個月前就開始去咖
啡廳補習班上課，她想讓我知道她去補習的時候，媽媽不在身
旁。嗯…（回想著程日和彗英的聊天室）咖啡廳補習班位於鐘路3
街，課程是每週一、三、五晚上9點結束。

英禑拿起手機確認時間，大步地走向鐘路3街，

英禑　我們必須現在過去，這樣才能見到申彗英小姐。

澹浩　什麼…？禹律師…？

澹浩臉上寫滿了失魂落魄，大概向佳英及同學們打過招呼後，
便追上英禑的腳步。

S#13.　咖啡師補習班 (室外／晚上)

位於鐘路3街的咖啡師補習班門口。
一到晚上9點，下課的彗英就從補習班走出來。

英禑　申彗英小姐！

彗英驚訝地看著等待著自己的英禑和澹浩。
即使是獨自一人的情況，彗英還是左顧右盼著，彷彿媽媽就在
附近一般，英禑和澹浩走向彗英。

英禑　申彗英小姐，妳想對我說什麼？

彗英	我⋯我愛他。
濬浩	什麼？
彗英	請別讓他被關進監獄。
英禑	妳是指楊程日先生嗎？
彗英	是的。
英禑	妳不希望楊程日先生被關進監獄嗎？
彗英	是的。
英禑	可是妳向警方陳述，楊程日先生對妳性侵了，不是嗎？
彗英	他沒有對我性侵。
英禑	他沒有對妳性侵嗎？

兩人在鐘路3街大馬路上，大聲地喊著「性侵」這個單字。
只有濬浩感受到路人投射過來的視線，獨自變得尷尬，乾咳了幾聲。

彗英	是我媽叫我那麼說的，我媽討厭男人，她討厭像牛郎一樣的混蛋。
英禑	（暫時思考了一下）楊程日先生⋯似乎的確是像牛郎一樣的混蛋。
彗英	（像是早就知道一般）是的。
英禑	什麼？妳早就知道了嗎？知道楊程日先生是像牛郎一樣的混蛋嗎？
彗英	是的。
英禑	（慌張）即使如此⋯妳還是愛他嗎？
彗英	是的，那樣不行嗎？
英禑	（被意料之外的回應嚇到）不，沒什麼不行的。
彗英	請不要讓只彗傻被關進監獄，拜託妳了。

彗英迫切的雙眼對英禑懇求。

英禑不知該如何是好，內心煩惱著。
馬上露出了毅然決然的表情。

英禑　那麼下次庭審時，妳能用剛才所說的話作證嗎？
彗英　像牛郎一樣的混蛋嗎？
英禑　什麼？
彗英　是嗎？

彗英和英禑相互回以愣住的表情。
澆浩介入了兩人的對話。

澆浩　妳剛才說…妳不希望楊程日先生被關進監獄，不是嗎？
彗英　是的。
澆浩　我們希望妳在法庭上說出那句話，由妳親口對法官們說。

理解澆浩所言，彗英支支吾吾地猶豫著。

彗英　喔…可是萬一…我媽不同意呢？
英禑　就算妳媽不同意，妳還是可以作證，因為妳已經是27歲的成年
　　　人，可以為自己做主。

彗英似乎對此沒有自信，靜靜地站在原地。

英禑　如妳所知，楊程日先生是個像牛郎一樣的混蛋，是個壞男人。
彗英　是的。
英禑　但是身心障礙人士…也有跟壞男人相愛的自由啊，不是嗎？

出乎意料的一句話，讓澆浩瞥向英禑。

123

英禑　妳經歷的究竟是愛情還是性侵，妳必須自己判斷才行。請不要交由媽媽或是合議庭來替妳做決定。

究竟英禑是否成功說服彗英？
彗英呆滯的表情無從得知。

S#14. 馬路（室外／晚上）

秀妍走在路上，正在和**朋友1**（20多歲／女）講電話。
雖然臉上沒有頂著如第9集般的濃妝豔抹，但是仍然比平常都更加用心裝扮。

秀妍　奇怪，為什麼大家都對我的年薪、存款和積蓄那麼有興趣？有個男人和我初次見面就叫我告訴他我的出生年月日時分，說要拿去合八字，也有人問了我爸的職業，結果相親過程中狂問我爸的事，哈哈…我只是想跟一個還不錯的男人談場戀愛，有那麼難嗎？

朋友1　（聲音）那些人應該都是想要找結婚對象吧？妳別去相親了，去夜店玩吧。

秀妍　唉，去什麼夜店，夜店不都是…一夜情…之類的嗎？

朋友1　（聲音）喂，一夜情之類的又怎麼樣？反正人死後身體都會腐爛，省著不用只會發出屎臭味。

秀妍　算了，我到了，先這樣。

秀妍抵達某間義式料理餐廳門口。
掛斷電話後，秀妍輕輕地深呼吸，而後走進餐廳裡。

S#15. 義式料理餐廳 (室內／晚上)

服務生（20多歲／男）將秀妍帶位至預約的座位。
提早到的敏植穿得一身得體，以無比緊張的表情迎接秀妍。
秀妍坐在敏植的面前。

敏植	初次見面，我叫金敏植物園。
秀妍	什麼。喔⋯你好，我叫崔秀妍。
敏植	妳說妳家在這附近對吧？我盡量預約了距離最近的餐廳。
秀妍	喔，我家在盆唐，我在這附近上班。
敏植	這樣啊？看來妳住在口味很甜的地方啊。
秀妍	什麼？
敏植	（裝可愛）盆──糖──
秀妍	喔⋯盆糖。喔⋯（轉移話題）那個，我們要不要先點餐？

秀妍拿起菜單，想要阻止敏植繼續講冷笑話。
敏植也打開自己面前的菜單。

敏植	這裡竟然有加了柳橙的沙拉耶？真是無心插柳柳橙汁，那我就來一份左拉右扯的戈貢佐拉起司披薩，甜點來個香蕉蛋糕怎麼樣？吃了香蕉，妳會和我四目相交嗎？
秀妍	天啊⋯聽說你是廚師，難怪你說了很多食材的笑話。
敏植	我有嗎？真是的，這算是職業病嗎？我自己都沒發現！（充滿撒嬌的語氣）吃了麵筋不能受驚喔！吃了大滷麵不能淚流滿面喔！哈哈哈！

此時，敏植放在桌上的手機發出震動。

秀妍	請接電話吧？

125

敏植	沒關係，我之後再回撥就好。
秀妍	不，請你立刻接電話。
敏植	方便嗎？

敏植接起電話，是格拉米打來的。

敏植	喂？
格拉米	（聲音）毛怪老闆，白切肉！我想吃白切肉，要怎麼做？
敏植	什麼白切肉啊，我很忙，先掛了。
格拉米	（聲音）除了月桂葉⋯還要放什麼？辣椒醬嗎？
敏植	誰會在白切肉裡面放辣椒醬！（對秀妍說）喔，對不起，是我們店裡的員工⋯

此時秀妍心想「要逃離這場相親就趁現在！」
急忙拿起根本沒有來電的手機，

秀妍	（作勢講電話）什麼！家裡失火了?!等著，我回去滅火。
	（假裝掛電話）對不起，我家失火了，我必須先離開，今天麻煩你撥空前來，真是抱歉。

秀妍對敏錫深深一鞠躬後，急急忙忙地跑了出去。
敏植留在原地。
依舊能聽見手機裡格拉米的聲音。

格拉米	（聲音）喔，還是包飯醬？毛怪老闆！你有在聽我說話嗎？
敏植	（再次拿起手機，對格拉米說）我⋯剛才好像被甩了。
格拉米	（聲音）什麼！那麼快嗎?!為什麼！你到底做了什麼好事，怎麼一見面就被甩？

敏植　　　不知道，又不是在賽車場相親…我怎麼馬上就被甩掉了？

S#16.　義式料理餐廳門口（室外／晚上）

　　　　秀妍逃出餐廳後，再次打給剛才通過電話的朋友1，臉上寫滿了
　　　　悲壯。

朋友1　　（聲音）喂？

秀妍　　　喂！出來！我們去夜店！

朋友1　　（聲音）什麼？

秀妍　　　妳不是說反正人死後身體都會腐爛嗎？在身體發出屎臭味之前
　　　　趕快出來！我們去舞池跳個痛快！

S#17.　夜店（室內／晚上）

　　　　弘大街頭或梨泰院一定會有的夜店。

　　　　在隨著DJ的音樂跳舞的人們之中，秀妍和剛才通電話的朋友1，
　　　　以及另一位**朋友2**（20多歲／女）聚在一起，三個人都是微醺的狀
　　　　態。

朋友2　　所以妳到底想要怎樣的男人？

朋友1　　是啊，說來聽聽吧，「還不錯的男人」到底是什麼樣的男人？

秀妍　　　奇怪～我又沒有要求什麼很誇張的條件，只要個子夠高，肩膀
　　　　看起來稍微有練過，有著溫柔的微笑…

朋友2　　他嗎？

　　　　秀妍看向朋友2手指著的「他」。

　　　　個子夠高，肩膀看起來稍微有練過的**李鍾權**（20多歲／男）。

全身散發著「小混混版本的潗浩」的氛圍，鍾權看著秀妍。

朋友1　對啊！他從剛才就一直在偷看妳耶？

秀妍　　我？看我嗎？

鍾權走向秀妍。
多虧朋友們一邊「天啊！天啊！天啊」大聲驚呼，一邊讓出位
置，鍾權和秀妍很快就面對面站在一起。

鍾權　　今天音樂還不錯吧？

秀妍　　喔⋯音樂，對啊。

鍾權朝著秀妍微笑，看上去甚是溫柔。

S#18.　法庭（室內／白天）

第三次公訴審判。
程日對律師們耳語。

程日　　謝謝你們沒有丟下我⋯繼續為我辯護。

明錫　　（不知道程日在說什麼）什麼？

英祜　　（嚴肅）我們會繼續辯護並不是因為你，而是為了申彗英小姐才
　　　　留下來。

秀妍　　（謹慎）你要道謝的話，就去找申彗英小姐說吧。

秀妍擺出認真模樣對程日說話，口中卻散發出酒味。
英祜看向秀妍。
秀妍是和在夜店遇見的鍾權度過了火夜嗎？

身上穿著和昨天相親時同樣的衣服，秀妍的眼周也因為宿醉而凹陷。

英禑	妳身上有酒味，衣服也跟昨天同一件…
秀妍	安靜一點。
英禑	昨天的相親…
秀妍	不大好。
審判長	被告方，你們聲請傳喚被害人申彗英小姐為證人呢。
明錫	是，申彗英向我方律師表達了想要出庭作證的意願。

坐在旁聽席的彗英想到要上去作證，緊張得全身發抖，
坐在彗英身旁的母親根本不希望彗英出庭作證，深深嘆著氣。

檢察官	庭上，請考量到性侵案件的特性，被害人在身為加害人的被告面前，很難保持平常心。為了讓被害人能夠安心作證，我方請求被告離席。
審判長	本庭也這麼認為，被告，詰問證人期間，請你暫時離開法庭。

程日即使被**法警**（30多歲／男）拖出法庭也想和彗英對視，一路上都回頭看著旁聽席。
但是彗英低著頭，沒能看見程日迫切的眼神。

審判長	申彗英小姐，請到前面來。

彗英走向證人席宣誓。
法庭裡所有人的視線都集中在彗英身上。
彗英的外表非常平凡，光看外表很可能不會知道她是一位智能障礙人士。

129

彗英	本人將秉持良心，當據實陳述，決無匿、飾、增、減，如有虛偽不實之陳述，願受偽證罪之處罰，謹此具結。
審判長	辯護人，請詰問證人。

英禔走向證人席，對彗英進行詰問。

英禔	證人，妳希望楊程日先生因為對妳性侵的罪行而受罰嗎？
彗英	是的。
英禔	（驚訝）什麼？妳希望楊程日先生被關進監獄嗎？
彗英	（驚訝）喔！不，我不想。
英禔	為什麼不想？
彗英	因為我愛他。

聽見彗英害羞的回答，彗英媽媽深嘆一口氣。

英禔	證人，妳的意思是妳愛楊程日先生嗎？
彗英	是的，只楊傻和只彗傻是相愛的關係。
英禔	那麼在3月12日，妳和被告之間發生的性關係，是發生在你們彼此相愛，雙方合意的情況下嗎？
彗英	是的。
英禔	意思是妳沒有遭受到性侵嗎？
彗英	是的。
英禔	那麼妳接受警方調查時，為什麼向警方陳述，妳遭受楊程日先生性侵呢？

彗英輕輕瞥向坐在旁聽席的媽媽，

彗英	我不知道。

英禑	請問是妳媽媽叫妳這麼陳述的嗎？
檢察官	我有異議，這是誘導詰問。
審判長	嗯…（思考過後）駁回異議。辯護人，請繼續詰問。
英禑	請問是妳媽媽要求妳陳述自己受到性侵的嗎？
彗英	我只是…希望只彗傻不要被關進監獄。

那也不是英禑能夠決定的事，彗英卻看著英禑苦苦哀求。

英禑沒有聽到彗英回答是媽媽指使陳述的，雖然感到可惜，卻仍然先退開位置。

英禑	我方詰問完畢。
審判長	檢察官，請進行反詰問。

檢察官毅然決然地走向彗英。

檢察官	申彗英小姐，妳說妳愛楊程日，對吧？
彗英	是的。
檢察官	愛是什麼？可以請妳定義嗎？
彗英	（慌張）什麼？定義嗎…？愛…

彗英慌張得語無倫次，秀妍拖著滿是酒味的身軀站了起來。

秀妍	我有異議。愛情是什麼？那麼抽象又籠統的問題，任誰都難以回答。
檢察官	（在聽審判長的回答之前）是，那請讓我問得更具體一點。申彗英小姐，妳知道性關係是什麼嗎？
彗英	是的。
檢察官	妳知道性侵害是什麼嗎？

彗英	是的。
檢察官	妳知道這兩者之間的差異嗎？性關係和性侵害有什麼差別？
彗英	喔…嗯…性、成人…成年人…

雖然彗英很想好好回答，但是檢察官所提出的問題對彗英來說過於困難，彗英不想被發現她沒有聽懂，最終選擇閉上眼睛。
明明知道檢察官為何那樣，彗英媽媽還是很心疼女兒坐在證人席的模樣。

檢察官	申彗英小姐，這次我換個問題，可以請妳張開眼睛嗎？

聽見檢察官變得溫柔的聲音，似乎有達到安撫作用，彗英輕輕地睜開眼睛。

檢察官	在3月12日當天，妳和楊程日先生在汽車旅館分開後，妳就直接回家了，對嗎？
彗英	是的。
檢察官	當時妳一到家就走進自己的房間，用妳的右手用力地抓撓左手手背，並且把自己抓傷，我說的沒錯嗎？
彗英	是的。
檢察官	這是當天申彗英小姐手背的照片。

法庭裡的投影幕上顯示了案發當天彗英手背的照片，不知道是抓得多用力，左手手腕和手背充滿著又長又紅的傷口。
看到這張照片，幾位陪審員們面露驚訝，表情變得嚴肅。

檢察官	妳為什麼要那麼做？
彗英	（支支吾吾）喔，那是因為…喔，嗯，是因為…

檢察官	是因為被告單方面的性行為讓妳承受了極大的壓力嗎？
明錫	我有異議。
檢察官	（無視明錫，態度轉為強硬）直到妳媽媽發現送妳到醫院，妳都無法停止自殘行為，這難道不是顯示，被告的性侵行為造成妳精神上嚴重的後遺症嗎？
明錫	（更加強硬）我有異議！抓撓手背只是被害人的個人習慣，把傷口歸因於和被告發生性關係，這僅止於檢方的推測，檢察官現在究竟是在詰問證人，還是強迫大家接受她的推測呢？

明錫心想不能讓事情再這樣發展下去，用力地拍桌。
突然的聲響讓坐在旁邊的英禑，
以及坐在證人席的彗英都嚇了一跳。
英禑不自覺地用自己的右手按壓著左手手背。
彗英也無法再忍受更多的緊張與不安，
在審判長總結目前情況之前，痛苦地大喊。

彗英	媽媽…我不要作證了，媽媽…媽媽！！！

彗英痛哭並起身跑向坐在旁聽席的媽媽身旁，彗英媽媽抱著她並說著「沒關係、沒關係」。彗英媽媽眼角泛淚。
明錫、秀妍和英禑看著這一切，內心非常沉重。

S#19.　法庭門前走道（室內／白天）

庭審結束後，在法庭門口。
英禑走出法庭，看見彗英媽媽站在走道上。
彗英媽媽火冒三丈地走了過來，看似就要給英禑一巴掌。

彗英媽媽　妳說妳有自閉嗎？

英禑　　　什麼？

彗英媽媽　妳有自閉又怎樣，妳以為妳瞭解世上所有身障人士的感受嗎？
　　　　　「跟壞男人相愛的自由」這種鬼話妳也說得出口？

較晚離開法庭的秀妍，趕緊擋在英禑前面，阻止著彗英媽媽。

秀妍　　　彗英媽媽，請冷靜，有什麼問題可以…

彗英媽媽　（打斷秀妍說話，勃然大怒）妳給我聽好，在這個險惡的世界裡，我
　　　　　必須守護好彗英，看她單純好欺負，就毫不猶豫地撲上去，那
　　　　　些想把我女兒的身體、金錢跟感情全都吃乾抹淨的壞蛋們！我
　　　　　無論如何都要保護好我的女兒，不讓她被那些人傷害，妳根本
　　　　　不懂身為母親的心情，還說什麼？身障人士也有愛的權利？妳
　　　　　憑什麼在我面前談自閉跟障礙？我女兒的障礙跟妳的障礙一樣
　　　　　嗎？我拜託妳！不要自以為很有同理心，看起來很噁心，妳聽
　　　　　懂了嗎?!

英禑　　　看起來很噁心！妳聽懂了嗎！

彗英媽媽的大聲喝斥，讓英禑不自覺地出現了複述行為。
彗英媽媽瞪著英禑，
秀妍也慌張地觀察著英禑。
英禑用自己的右手大力按壓著左手手背，左右晃動著身體。
英禑使勁地深呼吸，想盡辦法讓自己鎮定的模樣令人心疼。

S#20.　酒館（室內／晚上）

販賣生啤酒的休閒酒館。
濬浩、佳英以及濬浩的3位大學同學喝著酒。

似乎已經喝了一段時間，大家都喝醉了。

同學3	唉唷，李濬浩！我只是想見見你的交往對象耶？為什麼不叫她過來？這裡只有我還沒見過！
濬浩	唉，下次啦！下次我再叫她來！
同學1	不過你…真的不要緊嗎？就算她是律師…你還是好好想想吧。
濬浩	想什麼？
同學1	奇怪～跟我們講就算了，你敢跟你爸媽說嗎？說你在跟那種人交往？
濬浩	那種人是哪種人？你話說得有點奇怪耶。
同學1	不是嘛～老實說這有點…有點…
同學3	有點怎樣？到底是怎樣？告訴我啊？
同學2	（似乎是叫同學3別再說了）喔，反正就是有點那樣。
同學3	有點那樣是怎樣?!
佳英	你也知道，濬浩哥本來就很善良，是因為他個性善良啦。
濬浩	唉…我要先走了，我實在不知道你們到底在說什麼。

濬浩搖晃著從座位上起身，同學1拉著他坐下。

同學1	我也談過那種戀愛，我經歷過所以知道，那…不是愛情。
濬浩	什麼？
同學1	和一個你想幫助的可憐女人交往，那不是愛情，而是…憐憫。

濬浩睜大眼睛瞪著同學1。
感受到濬浩的眼神不大尋常，佳英和同學們插話。

| 佳英 | （對同學1說）哥，別說了。 |
| 同學2 | 是啊，這傢伙喝醉了嗎？ |

同學3　（獨自搞不清楚狀況）想幫助的可憐女人？

　　　　那一刻，濬浩衝向同學1，抓住同學1的領口。
　　　　哐啷啷！濬浩和同學1雙雙摔到地上，
　　　　佳英和同學們上前阻止兩人，喝酒的場合瞬間變得一團亂。

S#21.　**日式料理餐廳**（室內／晚上）

高級日式料理餐廳的包廂。
敏宇和汪洋的另一位資深律師**金律師**（50多歲／男）一起喝酒。

金律師　總之啊，你和最近的年輕人不大一樣，很棒！很多新進律師都
　　　　會先對前輩說「請我吃飯～」真的到處都是這樣的人！
敏宇　　和金律師一起共事，總是有很多值得我學習的地方，以後還請
　　　　你多多指教。
金律師　唉唷～我哪有什麼好教的！都是自己邊工作邊領悟的啦！

　　　　就算嘴上推託，金律師還是開心地笑開懷。
　　　　敏宇觀察著金律師的臉色，心想「就是現在」。

敏宇　　對了，金律師，你跟泰山的太守美律師是大學同學吧？
金律師　太守美？嗯，她跟我是同學沒錯，怎麼了？
敏宇　　我聽說了一個莫名其妙的荒唐傳聞。
金律師　荒唐傳聞？
敏宇　　聽說太守美有個不為人知的孩子…
金律師　喔，那個啊？（微笑）
敏宇　　你也知道那件事嗎？
金律師　那只是空穴來風的傳聞啦～大學時期太守美曾經突然說要出國

留學然後申請休學，當然她家世顯赫，她隨時說要去哪個國家留學都不奇怪，但是那實在太不合常理了，畢竟她還沒畢業，也還沒通過司法特考，卻突然決定要出國留學。

敏宇　　喔，是啊。

金律師　所以大家就傳出各種閒話～就形成了那種傳聞，人們想像力就是這麼豐富，呵呵。

敏宇　　請問…你還記得太守美律師是在哪一年休學的嗎？

金律師　嗯，讓我想想，我當時入伍前是二十四歲…是1996年嗎？

敏宇　　1996年…那就是26年前囉？

金律師　唉唷，1996年已經是26年前了啊？時間過得還真快，如果太守美當時真的有生…小孩現在也已經27歲了耶？

敏宇　　是啊，今年入職的新進女律師大多也都是那個年齡。

敏宇想起了「今年入職的新進女律師」當中的英禑。

FLASHBACK：

第8集，昭德洞。

敏宇在住宅區左顧右盼地尋找著英禑，意外捕捉到的場景。

英禑和守美並肩站在昭德洞山坡上的櫸樹下。

這麼回想起來，兩人的面貌似乎非常相似。

S#22.　法庭（室內／白天）

判決宣告。

與通常只有做出判決的人，以及受到判決的當事人在場的判決宣告不同，這天在場的除了法官們、陪審員們以及程日之外，彗英、彗英媽媽以及共融社團的會員們都坐滿旁聽席。

辯護人之中只有英禑獨自坐在程日旁邊，

因為上次打架，濬浩臉上貼著OK繃，坐在旁聽席。
審判長打開陪審員們的評決書。

審判長　本庭先宣讀陪審團的評議結果，針對公訴事實，7位陪審員中以
3位認為有罪、4位認為無罪，評議為…無罪。

程日的表情因為安心而放鬆。
同時，共融社團的會員們議論紛紛，陪審員們顯得難為情。

審判長　請各位保持肅靜！（等待法庭安靜下來後）本合議庭對於陪審團的
意見表示尊重，現在本庭將宣告判決。主文，本庭判處被告2年
有期徒刑，並命被告接受40小時的性暴力治療講習，被告個人
相關資料將於情報通信網公告周知5年。本庭命被告禁止於身心
障礙人士相關部門及福利機構就業。

每個人對於判決都有各自的反應，法庭裡一陣騷動。
同時，程日一臉蒼白。

程日　　姐姐…？這是什麼意思…我要去坐牢了嗎？
英禍　　是的。

審判長接續宣讀判決文，
突然聽見「嗚嗚！嗚嗚！」的失落哭聲。
英禍轉頭看向聲音的源頭。
彗英得知程日要被關進監獄，坐在旁聽席傷心地哭著，坐在一
旁的媽媽心疼地安慰著那樣的彗英。
英禍看著這一幕，內心無比複雜。

S#23. 瀋浩／敏宇家門前走道 (室內／晚上)

瀋浩和敏宇一起住的住辦大樓內走道。
英禑和瀋浩正在進行「送對方回家」約會，兩人出電梯後，走在天花板上設有一整排感應燈的走道上。

瀋浩 　我和權敏宇律師住在走道盡頭的607號。

英禑 　這樣啊。

瀋浩 　敏宇說今天會晚點回來…（猶豫了一下）妳要進來坐坐嗎？

英禑 　不，我今天很累，想早點回家休息。

瀋浩 　喔，好…那一起走吧，我送妳回家。

　　　像是要馬上行動一樣，瀋浩停下腳步，
　　　掉頭轉往電梯的方向。
　　　英禑也跟著停下腳步，

英禑 　嗯…那樣的話，我送你回家就沒有意義了，不是嗎？路線安排也很沒效率。

瀋浩 　約會本來就是這樣啊，既沒意義又沒效率，像傻瓜一樣。

　　　瀋浩對英禑微笑。
　　　英禑看著那樣的瀋浩，心中百感交集。

英禑 　對身心障礙人士來說…光有喜歡的心意好像是不夠的，就算我認為那是愛情，只要別人說不是，那就不會被視為愛情了。

瀋浩 　妳是在說今天宣告判決的案件嗎？

英禑 　我不知道我說的是那椿案件，還是我自己的事。

瀋浩 　就算別人說不是，只要我認定是愛情，那就是愛情。

英禑 　（嘆氣）和我談戀愛…很困難。

澹浩	是，看來是那樣沒錯。
英禍	即使如此，你還是想繼續嗎？

英禍甚至沒有好好看著對方，
就突然丟出這個問題。
澹浩煩惱著該如何回答，
隨後決定要遵從自己當下的心意。

澹浩	是。

因為兩人從剛才開始就站在同個位置不動，感應燈因此關閉，
走道暗了下來。
澹浩靜靜地看著英禍，為了想接吻而靠近對方，當澹浩的臉靠
近，英禍就驚訝地邊顫抖邊往後縮著臉。
英禍的動靜讓感應燈亮了起來。
「是因為英禍不想接吻嗎？」這次換澹浩稍微後退了幾步。
澹浩看著英禍的臉，準確來說，是看著她因為不安而晃動的雙
眼。
英禍也看著澹浩的臉，準確來說，是看著他雙眼以下的鼻子和
嘴巴。
接著，英禍似乎下定決心，以睜著眼睛的姿態緩緩地靠近澹浩。
澹浩看著英禍走近，正開始接吻時，感應燈又暗了下來。
結束了短暫的親吻，英禍高舉著手，感應燈亮起。

英禍	接吻的時候⋯本來就會這樣撞到對方的牙齒嗎？
澹浩	（微笑）不會吧。
英禍	那我應該怎麼做⋯
澹浩	妳再稍微張開嘴巴一點，還有妳的眼睛稍微閉上的話，也會好

很多。

聽到濬浩這麼說，英禑閉上了剛剛接吻時瞪大的雙眼，也稍微將嘴巴張開了一點。
兩人再次接吻。
同時，感應燈暗了下來，走道再次變暗。
兩人微微搖晃的剪影十分美麗。

S#24. EPILOGUE：禹英禑飯捲（室內／晚上）- 過去

幾週前，出現在第9集後記的後續情況。
光顯在飯捲店的桌子上處理著堆積如山的菠菜。
他聽見有人進來的聲音，看向門邊…十分驚訝。
那個超乎意料之外的「有人」，正是守美。

守美 我可以進去吧？

和自己說的話相反，守美站在門邊靜靜地掃視飯捲店內部。
面對守美像是在檢查生活情況的視線，正在處理菠菜的光顯莫名覺得自己很落魄。

光顯 妳怎麼敢來這裡，要是被英禑看到怎麼辦？

守美坐在光顯對面的椅子上，從包包裡拿出某樣東西。
那是泰山法律事務所美國波士頓辦公室的文宣。

守美 泰山在美國波士頓設有國外辦公室，你和英禑一起去吧。
光顯 （無言）英禑在汪洋上班，她不是泰山所屬律師，妳憑什麼安排

她要去哪裡？

守美　　學長，這是你和韓宣榮計劃好的嗎？

突如其來的提問讓光顯猶豫了。

守美　　你們兩個計劃好，打算讓我嚐嚐苦頭，所以才讓英禑去汪洋上
　　　　班嗎？
光顯　　這個世界並非只圍繞著妳運轉，我和她能計劃什麼？是英禑能
　　　　力出眾，才會被汪洋錄取。
守美　　是啊，英禑的確能力出眾。

聽見守美這麼說，光顯的心情五味雜陳。

守美　　就是因為她能力出眾，我才會提出這個建議，這是她成長為國
　　　　際律師的大好機會，幫我說服英禑吧，你們去美國後，為了讓
　　　　她專心於當地業務，我會提供一切後援。
光顯　　不是因為妳擔心英禑妨礙妳當上法務部長，所以才要把她支開
　　　　到遙遠的地方嗎？
守美　　英禑有主治醫生或是心理諮商師嗎？
光顯　　什麼？
守美　　她患有自閉症，你有請專家專責照顧英禑嗎？
光顯　　我讓英禑做了每一項必要的治療，就算沒有專家專責照顧，她
　　　　現在也過得很好。
守美　　是這樣嗎？你確定不是因為你無法提供她充分的照顧嗎？

守美稍微環視了飯捲店，眼神裡似乎說著「看看你慘澹的現實
吧」。
這傷害了光顯的自尊。

守美	現在還不算太晚，給英禍最完善的環境吧，無論是關於自閉的認識還是治療，美國總是比韓國更先進，不是嗎？你知道光是一個波士頓就有多少個自閉症人士的團體嗎？也有很多能為英禍治療的自閉症專科醫生和心理諮商師，在這裡…英禍怎麼樣都只有一個人，你能一輩子照顧英禍，為她的人生負責嗎？
光顯	（勃然大怒）英禍是我的女兒！妳憑什麼干涉我怎麼做？妳一直以來都無影無蹤，自私地過著妳的生活，現在卻講這些話？妳還真是厚臉皮。
守美	厚臉皮的是你吧，你忘記我們的約定了嗎？你不是說只要我生下英禍，你這輩子就會消失在我的眼前嗎！現在違背約定，理直氣壯地出現在我面前，你是什麼意思？你想要利用英禍對我報仇嗎？還是為了錢？你是想跟我要錢才這麼做的嗎？

火冒三丈的光顯突然起立，掀了桌子。
哐噹噹！伴隨著吵雜的聲音，菠菜和文宣都滾到了地上。

光顯	出去！妳給我出去！

守美起身瞪著光顯。
光顯也不畏懼守美的目光。
兩人強烈地交換著眼神，當中裝載了複雜的情感。
最後，守美先走出了飯捲店。
光顯獨自留在原地，氣喘吁吁地再次踹向已經翻倒的桌子。
散落在地上的泰山波士頓辦公室文宣上，飄著幾片菠菜。

〈完〉

143

「讓我來吧，

　　我來當妳的專屬擁抱椅。」

鹽先生、
胡椒小姐及
醬油律師

S#1.　PROLOGUE：賭場（室內／晚上）- 過去

一個月前。

位於首爾市內的某間非法撲克賭場。

申逸秀（45歲／男）和同齡男士**尹載元、朴誠南**坐在一張圓桌前。

三個人手中拿著的並非卡牌，而是印有樂透的熱感應紙。

賭場裡的TV正在播出樂透開獎畫面，三個人全神貫注地看著電視。

電視裡男生　第四個幸運數字是幾號呢？（停頓）28號！

逸秀　　　讚──啦！

誠南　　　不會吧～

逸秀和誠南悲喜交加。

同時，載元滿臉脹紅地眨著眼睛。

電視裡女生　接著要抽出的是第五個數字。（停頓）是14號呢。

逸秀　　　喔喔！我有中，有中！14號！

誠南　　　我怎麼會一個也沒中？一個都沒有！

這次載元也是不發一語地吞著口水。

看到載元不尋常的表情，誠南悄悄地走到載元身旁，一起盯著載元的樂透紙。

電視裡男生	第六個幸運數字！（停頓）是2號！
逸秀	天啊，可惡⋯才中5千韓元。

似乎是感到可惜，逸秀把自己的樂透紙放在圓桌上。

逸秀看著載元和誠南僵硬得像是靜止畫面般的模樣，也跟著緊張起來。

逸秀	什麼啊？怎樣？
誠南	該——死，太扯——了啦！
載元	頭獎！頭獎！我中了頭獎！！！
逸秀	什麼?!

逸秀突然站起來，搶走載元的樂透紙，比對著電視裡的號碼。

確認載元真的中了頭獎，逸秀的欣喜若狂肉眼可見。

逸秀、載元與誠南互相擁抱，高興地跳起來歡呼。

TITLE：

《非常律師禹英禑》

S#2. 汪洋法律事務所1樓大廳（室內／白天）

一個月後的現在。

英禑坐在大廳的長椅上，觀察著來上班的汪洋員工們。

她發現了通過旋轉門走進大樓裡的濬浩，不自覺地回想起和濬

浩接吻的那一刻。

FLASHBACK：
第10集，潘浩／敏宇家門前走道。
感應燈亮起，

英禍　接吻的時候…本來就會這樣撞到對方的牙齒嗎？

潘浩　（微笑）不會吧。

英禍　那我應該怎麼做…

潘浩　妳再稍微張開嘴巴一點，還有妳的眼睛稍微閉上的話，也會好
　　　很多。

　　　聽到潘浩這麼說，英禍閉上雙眼，張開嘴巴。
　　　兩人再次接吻。
　　　同時，感應燈暗了下來，走道再次變暗。
　　　兩人的剪影微微搖晃。

CUT TO：
現在，汪洋1樓大廳。
潘浩沒有看見英禍，大步走向電梯。
不過英禍沒有走向潘浩，
也沒有叫住他，只是靜靜地看著。
潘浩突然回頭，發現了英禍，帶著驚訝的情緒走了過來。
英禍這才從長椅上站了起來。

潘浩　禹律師？妳怎麼在這裡？

英禍　因為我想見到你。

潘浩　什麼？

英禑	我想見你，所以在這裡等你。
濬浩	（微笑）哇，真的嗎？那妳應該叫住我啊，我差點沒看到妳就走掉了。
英禑	嗯…我是為了見到你才在這裡等你的…而我已經見到你了。
濬浩	喔，這樣就夠了嗎？
英禑	從我辦公室的窗戶看出去就能看見你的座位，已經超過你平常的上班時間12分鐘了，你都還沒出現，所以我很好奇你怎麼了。

此時，英禑的手機發出震動，是明錫打來的電話。

英禑	（接起電話）喂，你好。
明錫	（聲音）禹英禑律師，請妳現在到17樓的會議室，我們要跟新案件的委託人開會。
英禑	是，我知道了。（掛斷電話後猶豫著該不該說）我…
濬浩	要去忙了嗎？
英禑	對。
濬浩	那我們中午見嗎？
英禑	好。

英禑回頭走向電梯。
濬浩看著英禑的背影，露出淺淺的微笑。

S#3.　　電梯（室內／白天）
英禑搭乘電梯。
已經在電梯裡的宣榮認出英禑，悄悄地提出了問題。

宣榮	禹英禑律師，都還可以嗎？
英禑	什麼？
宣榮	我問妳做不做得來。
英禑	請問是…問我做不做得來什麼呢？
宣榮	什麼？就是，想知道妳有沒有煩惱。
英禑	嗯…我有煩惱，但是不方便說，因為是我私人的問題。

「私人的問題？難道是跟太守美有關的事嗎？」宣榮臉色變得凝重。

宣榮心想一定要套出英禑的答案，於是擺出非常擔憂的表情說道，

宣榮	什麼私人的問題？是什麼問題這麼嚴重？汪洋所屬律師的煩惱就是汪洋大家的煩惱，也是我身為代表的煩惱，告訴我吧。

在宣榮的說服下，英禑最終還是開口了。

英禑	接吻的時候如果不想要撞到彼此的牙齒，就必須張開嘴巴，但是在接吻的狀態下，我很難呼吸，我想知道有沒有可以同時接吻並呼吸的方法，那就是我的煩惱。
宣榮	喔…原來如此，原來那是妳的煩惱…

此時，電梯抵達17樓並開門，英禑走出電梯。

同一時間，逸秀也走出旁邊的電梯，背著**成恩知**（43歲／女）經過宣榮搭乘的電梯。

看著成年男人背著成年女人的陌生景象，宣榮以微妙的表情自言自語著。

宣榮　　公司⋯有點奇怪。

S#4.　汪洋法律事務所17樓走道（室內／白天）

逸秀雖然背著恩知，但是完全看不出疲累，大步走在走道上。

逸秀手上拿著一雙老舊的鞋子，應該是恩知的女用皮鞋。

英禑跟在逸秀和恩知後方。

S#5.　汪洋法律事務所17樓會議室門口（室內／白天）

逸秀在會議室門口停下，恩知似乎是要逸秀放她下來，輕輕地
扭動著。

恩知　　放我下來吧。

逸秀　　地板很冰，乖乖等我把妳放到椅子上。

恩知　　唉唷，真是有夠丟臉的。

雖然嘴上說著丟臉，但是恩知也的確沒有再繼續扭動。

逸秀敲了敲會議室的門。

英禑同樣要進這間會議室，卻站在距離這兩人一步之遠。

S#6.　汪洋法律事務所17樓會議室（室內／白天）

聽見敲門聲，獨自坐在會議桌前的明錫看向門口。

明錫　　是，請進。

門被打開，逸秀背著恩知走進會議室。

眼前的景象讓明錫有點詫異。
然後才看到英禑呆呆地站在即將關上的門外，

明錫　禹英禑律師也趕快進來。

雖然明錫已經叫英禑進來了，但是英禑還是要完成「叩叩，休息一拍，叩」的敲門習慣，打開門、閉上眼、在心裡默數完「一、二、三」才願意進門。

逸秀　喔，原來走在我們後面的人也是律師。
英禑　你們好，我叫禹英禑，正著唸、倒著唸都一樣，黑吃黑、多倫多、石榴石、文言文、鹽酸鹽、禹英禑。

英禑的自我介紹讓逸秀和恩知露出訝異的表情。
明錫見狀趕緊問起別的事，藉此轉移話題，

明錫　妳身體不舒服嗎？需要幫妳問問有沒有輪椅嗎？
逸秀　不用，不用啦！這是我太太，她的皮鞋鞋跟在半路上斷了。
恩知　（難為情）唉唷，早就叫你放我下來了…
逸秀　我說過了，地板很冰。

逸秀小心翼翼地把恩知放在椅子上，把手上的皮鞋整齊地放在恩知腳下。

逸秀　這個人啊，她今天因為要來見律師，特地穿皮鞋出門，但是這雙鞋也不知道多久沒穿了，鞋跟竟然斷在半路上，我這個不合格的丈夫…連買一雙皮鞋給老婆都做不到，只會讓她過苦日子。

恩知	唉唷，那是因為我平常根本不會穿到皮鞋啦。

逸秀以滿懷抱歉的眼神看向恩知。
看見夫妻之間溫馨的模樣，明錫露出了微笑。

明錫	你為妻子著想的模樣真是帥氣，兩人就像一對鴛鴦。
英禣	（似乎有話想說）那個…
逸秀	唉唷，你過獎了，我賺不了多少錢，至少要身體力行對她好一點。
英禣	（最後還是不吐不快）不過實際上鴛鴦夫妻間的感情並不好，雖然在繁殖期間，雄鴛鴦會守在雌鴛鴦旁邊一起築巢，但是當繁殖期一結束，雄鴛鴦就會離開去尋找其他雌鴛鴦，最終雌鴛鴦還是得獨自扶養幼鳥。

英禣的一番話讓氣氛突然降至冰點。
明錫努力裝作若無其事地提問。

明錫	請問你們是為了什麼事而來呢？
逸秀	不久前，我和兩個熟人，我們三個人一起集資買了樂透，約定好只要有人中獎，就要把彩金公平地分成三等分，結果…我們之中真的有個人中了頭獎！
明錫	哇，好厲害！
英禣	哇，好厲害。
逸秀	是啊，是很厲害沒錯…但人就是見利忘義的動物，那個中了頭獎的傢伙突然搞失蹤，於是我跑去他家找他，結果他竟然否認自己做過約定，真的很不要臉！他還說一毛錢都不會分給我們！
明錫	你們是口頭上說好要平分彩金的嗎？沒有以書面方式立約或是

錄音嗎？

逸秀 沒有，我們只有口頭上約定而已。

明錫 這樣的話就很難證明你們真的有過約定，你們三位是怎麼認識的呢？

逸秀 喔，那個…

似乎是很難以啟齒，逸秀猶豫著該不該說，恩知代為回答。

恩知 他們是和我丈夫…一起賭博的人。

明錫 賭博？

英禑 賭博？

逸秀 我經常去賭場，那張樂透也是用賭資購買的。

明錫 你說的是非法賭場，對吧？

逸秀 對…那會有什麼問題嗎？

明錫的表情變得黯淡。
逸秀和恩知的表情寫滿了緊張，等待著明錫的回答。

明錫 可能會有問題，而且你們是用賭博資金購買樂透，更是問題所在。你也知道賭博是違反社會的非法行為，合議庭有可能會將你們的約定本身視為無效。

逸秀 什麼？哪有法律這樣的？賭博跟約定應該要另當別論啊！

英禑 《民法》第103條，法律行為有背於善良風俗或其他社會秩序者無效。根據此法，可以不必償還賭債，因為賭博本身就是有背於社會秩序的非法行為，所以法律並不會保護償還賭債的約定。

逸秀 （著急）那筆頭獎彩金，超過62億韓元，扣完稅金還有42億韓元，如果平分為三等分，我就足足會分到14億韓元，我會把另

154

一位沒拿到錢的朋友也帶來汪洋，你們一起受理的話，這就是一場價值超過28億韓元的官司，雖然我現在沒辦法馬上給錢，但是只要勝訴，那叫什麼？勝訴酬金？我會給你們非常豐厚的勝訴酬金！

明錫　　比起委託費的多寡…就像我剛才說的，在我們看來，這樁案件於法理上可能難以成立。

逸秀　　那麼只要我們說那張樂透不是用賭資買的就行了吧！

明錫　　什麼？

英禑　　什麼？

逸秀　　只要我和另一位朋友口徑一致…

英禑　　（打斷逸秀說話）你的意思是你要說謊嗎？在法庭上說謊嗎？那可不行。

英禑的堅持讓逸秀啞口無言，露出鬱悶的表情。
恩知看不下去，出聲說話。

恩知　　我老公會沉迷賭博也不是自願的，他本來真的是個老實人，但是我們結婚後，他開了一間網咖，卻被合夥人騙走了所有財產，他就是為了挽回當時失去的錢財，才會去碰賭博。你們剛才有看到他背我進來吧？他這個人啊，雖然是個賭徒，但是對我來說是個很棒的丈夫，對孩子來說也是個溫柔的好爸爸。

明錫　　是，感覺是那樣沒錯，但是我剛才也說過…

恩知　　（打斷明錫說話）鄭明錫律師，我們也算有點關係嘛，你是我三阿姨的…朋友的熟人的兒子

明錫　　喔，對，我有聽說妳是我母親的…熟人的朋友的外甥女。

恩知　　我啊，真的很需要那14億韓元，我跟我老公結婚15年了，孩子分別已經13歲和11歲，但是我們一直到現在都沒有一間像樣的房子，只能到處流浪，靠我經營海苔飯捲店勉強養家糊口。對我

155

這個命苦的人來說，這是千載難逢的大好機會，拜託…請幫幫我們一家人吧。

恩知苦苦哀求，眼眶裡滿是淚水。
似乎是因此心軟，明錫靜靜地嘆了一口氣。
英祺呆呆地看著那樣的明錫。

S#7.　毛怪家餐酒館（室內／晚上）

英祺和格拉米一如往常地並肩坐在吧檯座位。
敏植將海苔壽司遞給英祺，似乎有話想說，卻欲言又止，

敏植	那個…秀妍最近還好吧？
英祺	什麼？
格拉米	唉唷，幹麼關心因為不喜歡你就逃跑的女人？太傷自尊了吧。
英祺	崔秀妍…逃跑了嗎？
格拉米	妳沒有聽仙女說相親的事嗎？
英祺	她說不大順利。
格拉米	就那樣嗎？唉唷，她真是大人有大量，根本就是真正的仙女，她居然沒有揭穿毛怪老闆的怪異行徑。
英祺	怪異行徑？
格拉米	他一見面就說「我是金敏植物園」，我真的會被搞瘋，你是被大叔魂附體嗎？狂講一堆大叔愛講的冷笑話。
敏植	我平常真的不會那樣，應該是那天太緊張了。
英祺	大叔愛講的冷笑話？
格拉米	毛怪老闆，你自己說說你那天講了什麼。
敏植	（痛苦）無心插柳柳橙汁…左拉右扯的戈貢佐拉…吃了香蕉妳會和我四目相交嗎…

格拉米	唉唷，你無可救藥了！

不過英禑細細品味著敏植每一個冷笑話…非常感嘆。

英禑	這些都是運用文字諧音的玩笑話嗎？我覺得…很有趣。
格拉米	傻眼，妳是認真的嗎？
敏植	真的嗎？
格拉米	喔，那麼問題應該是那些笑話只跟食物有關，對吧？仙女是律師。所以你面對律師，應該要講律師專用的笑話才對。
英禑	律師專用的笑話？
格拉米	海苔飯捲跟芝麻油打招呼，結果海苔飯捲就被警察抓走了，妳知道為什麼嗎？
英禑	不知道。
格拉米	因為芝麻油是「被嗨人」。
英禑	被嗨…？（頓悟）喔，「被害人」！

慢半拍才聽懂笑話的英禑，露出讚嘆的表情。
格拉米也因為自己講的笑話，捧腹大笑了好一陣子。
敏植覺得自己也不能輸。

敏植	小姐，我跟妳說，在包海苔飯捲的時候，要小心不要讓飯捲炸開，不然會變成「炸欺飯」被抓走。
英禑	炸…欺飯…？（頓悟）我懂了！

英禑再次讚嘆。
格拉米和敏植也笑得合不攏嘴。

S#8.　秀妍的辦公室（室內／晚上）

似乎是身體發冷，秀妍正在加班，用毯子把自己的身體纏繞包住。鍾權打電話來，

「啊——啊！」秀妍清嗓後，接起電話。

秀妍　　嗯～鍾權。

鍾權　　（聲音）妳可以出來一下嗎？

秀妍　　什麼？

鍾權　　（聲音）我在妳公司門口，出來一下，讓我看看妳吧。

秀妍　　喔…

聽見鍾權這麼說，秀妍驚訝地趕緊甩開毯子。

拿起辦公桌上的萬用保濕棒擦在嘴唇、臉頰與脖子等部位，整理儀容。

S#9.　汪洋法律事務所（室外／晚上）

秀妍走出汪洋公司大樓。

鍾權衣著整潔，雙手放在背後，對秀妍微笑。

秀妍　　你怎麼突然來了？背後又藏了什麼？

鍾權　　我左右手各拿了一個東西，妳想先看哪一邊？

秀妍　　（微笑）嗯…左手好了。

聽到秀妍這麼說，鍾權把左手握著的保溫瓶伸到秀妍面前。

鍾權　　這是「有益健康雞尾酒」。

秀妍　　有益健康雞尾酒？

鍾權	因為妳說好像快感冒了，本來我只是想泡個蜂蜜水…結果加了很多有益健康的食材，應該要叫做檸檬柚子萊姆薄荷桂皮薑黃蜂蜜水才對。
秀妍	檸檬柚子萊姆薄荷桂皮薑黃蜂蜜水？（微笑）味道怎麼樣？
鍾權	味道…真的不怎麼樣。

鍾權和秀妍一起笑著。

秀妍	就算不好喝，我也會喝光光。那你右手拿的是什麼？
鍾權	右手拿的是…

鍾權突然把右手拿著的瑪莉黃金花束伸到秀妍面前。
收到花束的秀妍，表情瞬間變得開朗。

鍾權	我不知道正確的花名，它叫做瑪莉黃金，也被稱為萬壽菊或是金盞花…我只是因為喜歡它的花語而買的。
秀妍	它的花語是什麼？
鍾權	必將到來的幸福。

鍾權再次微笑。
秀妍聞著花束的香氣，臉上洋溢著幸福的微笑。

S#10. 賭場 (室內／白天)

因為還沒到營業時間，賭場裡冷冷清清。
逸秀帶著英禍走進賭場裡。
似乎因為這裡是第一次來的陌生空間，英禍戒備地環視周圍。
正在準備營業的**崔多慧**（30多歲／女）看向逸秀和英禍。

多慧	怎麼那麼早來？都還沒營業耶？（看著英禑）這位是誰？
逸秀	她是律師，我不是有個樂透官司嘛，「菸灰缸」在嗎？幫我叫他一下。
多慧	天啊，原來是律師姐姐～要幫妳泡杯咖啡嗎？
英禑	喔，不用了，沒關係。

多慧露出微笑，走進賭場裡的辦公室叫菸灰缸出來。

英禑	要作證的人就是她嗎？
逸秀	不是、不是，她是「咖啡吧」，要作證的人是「菸灰缸」。
英禑	咖啡吧…菸灰缸？
逸秀	在這裡賣咖啡的人就叫咖啡吧，負責跑腿打雜的就是菸灰缸，菸灰缸來了。（高舉著手）這裡！

菸灰缸**韓炳吉**（20多歲／男）從辦公室走出來，面對朝自己揮手的逸秀，炳吉扭扭捏捏地走了過去。
逸秀、英禑和炳吉圍坐在圓桌前。

逸秀	你還記得你幫我們買樂透的那天吧？我、朴誠南和尹載元三個人湊了一些賭資，叫你去幫忙買一些樂透。
炳吉	我記得，那天你們中了頭獎嘛。
逸秀	對啊，你有聽到我們當時約定要怎麼分彩金嗎？
炳吉	有，我聽到你們說「三個人之中只要有人中獎，彩金一定要均分」。

聽到炳吉這麼說，逸秀的表情變得開朗。

英禑	均分？

炳吉	對，他們有三個人，所以是三等分。
英祿	你可以在法庭上以剛才說過的內容作證嗎？
炳吉	什麼？在法庭上…作證嗎？
逸秀	嗯嗯，沒什麼大不了，你只要把剛才說過的話，原封不動地再講一次就好。
炳吉	我沒有幫別人作證過…這裡的工作也很忙…
逸秀	喂，這件事攸關數億韓元，這裡工作忙不忙哪能跟彩金比？拜託你幫個忙，只要你願意出庭作證，我就會給你一大筆錢，讓你可以不用繼續在這裡工作，好不好？
英祿	那個…你不能給他一大筆錢，提供超過一般認定的旅費或日薪之津貼做為作證代價的約定，屬於違反社會的法律行為，會被視為無效。
逸秀	奇怪，禹律師，妳不是跟我一起來說服他的嗎？而且我要給他我的錢，為什麼不能？我又沒有叫他說謊，只是要他實話實說而已耶？
英祿	不行，《民法》第103條，你這麼快就忘記了嗎？
逸秀	（鬱悶）唉唷，禹律師妳真是的！做人要懂得變通啊！
炳吉	我該回去工作了…
逸秀	（抓住炳吉）等等，等等，拜託你出庭作證，我給你一筆馬上就能辭掉工作的錢…就算給不了那麼多，我也會好好地回報你，好不好？在不牴觸《民法》的範圍內，好嗎？不會太超過。

因為不懂得「變通」的律師在場，逸秀沒辦法用言語表示他會
給炳吉一大筆錢，但是逸秀不斷地用眼神示意，
告訴炳吉一定不會虧待他。
即使英祿沒有讀懂那個眼神代表的意義，
但是她的表情依舊充滿堅定。

S#11.　濬浩的辦公室（室內／白天）

濬浩坐在辦公桌工作，
濬浩的上司坐在附近，不斷地傳遞眼神給濬浩。

濬浩　　有什麼事嗎？

上司不予回答，反而用下巴輕輕指著英禑辦公室的方向。
濬浩隨著上司的動作轉頭，看見英禑透過辦公室的窗戶，直視著自己。
從百葉窗撐開的縫隙可以看見，英禑的眼神裡毫無情緒。

上司　　（小聲地說）她從剛才就一直在看你，好恐怖…

濬浩察覺到這就是英禑單純的想法，「因為想見濬浩所以看著濬浩」。
濬浩露出微笑，從座位上起身走向英禑。

S#12.　英禑的辦公室（室內／白天）

同時，英禑真的抱持「因為想見濬浩所以看著濬浩」的想法。
一看到濬浩走近，英禑不知該如何是好，顯得無所適從。

濬浩靠近到英禑辦公室窗前的時候，路過附近的汪洋**律師**（40多歲／男）正好和濬浩搭話。
濬浩開始和那位律師進行業務上的對話。
瞥見英禑依然站在窗後，濬浩自然而然地伸出手，把手掌放在英禑撐開百葉窗的縫隙。

英禑靜靜地看著澯浩放在窗戶上的手掌。

接著就把自己小小的手，放在澯浩大大的手掌上。

兩人的手掌隔著窗戶相疊的模樣非常美麗。

S#13. 法庭（室內／白天）

第一次言詞辯論期日。

包含**審判長**（50多歲／女），法官席上坐著3名法官，被告方是載元和載元的律師**安尚鎮**（40多歲／男），原告方則是逸秀、誠南以及兩人的律師明錫、禹英禑，尚鎮起身進行辯論。

尚鎮　　原告們主張被告與原告之間存在關於樂透彩金分配之約定，但是被告否定該約定的存在，即便真的有那種約定，那也只是針對樂透中獎的渺小機率而隨口開的玩笑，並非有效的法律行為。被告和原告們不僅沒有簽立書面契約，也並未指定要分配哪種獎次的樂透彩金，被告中頭獎時，原告之一的申逸秀先生也中了5獎，那麼在這兩者之中，應該要平分的是哪個張彩券的彩金呢？針對這樣的狀況，他們有具體規定嗎？

逸秀　　什麼？你現在的意思是，我們沒分那5千韓元有問題嗎？那我們就來平分啊，平分就好了嘛！（從口袋裡找錢包）這裡有5千韓元，平分成三等分是多少？

誠南　　（突然開始心算）喔，一千五百⋯

英禑　　什麼？不，準確來說應該是一千六百六十六點六六六⋯

誠南　　（打斷英禑說話）不管除下來是多少都來分！就在法官面前平分！

審判長　（嘆氣）原告們，你們現在在做什麼？請自重。

聽到審判長這麼說，明錫對逸秀和誠南比出要他們冷靜下來的手勢。

163

並排站著，連錢包都掏出來的逸秀和誠南，再次坐回位置上。

審判長　被告代理人，還有什麼要補充的嗎？

尚鎮　是，庭上。如同我剛才所說，原告們主張的約定並沒有簽訂書面契約，也欠缺法律行為內容的具體規定，因此約定應為無效。

明錫　（起立）口頭締結的約定也是約定，具有法律約束力。被告和原告們約定不管是誰中獎，都要公平地將彩金平分為三等分。如此一來，應該要視為他們已經決定好分配該期中獎的所有彩券，不管是頭獎還是5獎，這項協議顯然沒必要特別指定獎次。

審判長　我明白兩造的主張，但是現在的問題是，他們是否真的有共同分配的約定吧？原告代理人，針對這一點你有聲請傳喚證人，對吧？

明錫　是，庭上。案發當時收下被告和原告們的錢，去買樂透彩券的…

此時，瀋浩急急忙忙地走進法庭。
瀋浩看見明錫正在進行辯論，於是走向英禑小聲地說。

明錫　韓炳吉先生…

英禑　（聽了瀋浩的話後，著急地說）不能作證了。

明錫驚訝地看向英禑和瀋浩。

明錫　（小聲地說）不能作證了？

瀋浩　（小聲地說）我聯絡不上韓炳吉先生，因為他是非法滯留的朝鮮族，他似乎在擔心出庭作證會被驅逐出境，所以躲起來了。

明錫和英禑先前並不知道這件事。

逸秀和誠南的表情變得黯淡。

審判長　原告代理人？

明錫　抱歉，原先聲請傳喚的證人韓炳吉先生…表示因故無法前來，我們可能要考慮傳喚其他證人，請問我們可以重新聲請另一位證人嗎？

聽到明錫這麼說，審判長發出一聲混雜著煩躁情緒的嘆息。

相反地，載元和尚鎮的表情逐漸開朗。

S#14. **法庭門前走道**（室內／白天）

庭審結束後的法庭門口。

明錫、英禑、濬浩、逸秀與誠南聚在一起對話。

明錫　請問還有其他可能聽見你們三位約定的人嗎？

逸秀和誠南試著回想，但是露出想不起來的眼神。

誠南　沒有的話…弄一個人來不就好了嗎？我們可以付錢了事。

英禑　什麼？你的意思是要收買假證人，讓他們作偽證嗎？不可以！

誠南　奇怪，不這麼做就沒辦法，那我們要怎麼辦？做人要懂得變通啊！

逸秀知道英禑嚴格看待，故意作勢攔住誠南，

逸秀　那天賭場裡那麼多人，怎麼可能沒有人聽到我們說話？我們一

定會找到其他證人，請不用擔心。

明錫　喔，好。

逸秀向律師們和澔浩打過招呼後，就帶著誠南離開。
留在原地的明錫對英禑說。

明錫　禑律師，妳再多蒐集一些對我們有利的資料，雖然今天的庭審
　　　沒有提到，但是本案的爭點就是用賭博資金購買的樂透彩金分
　　　配約定，在法律上究竟是否有效，妳往違反社會秩序法律行
　　　為、不法所得和不法行為等方面多找找。

英禑　是，我知道了。

S#15.　英禑的辦公室（室內／晚上）

英禑坐在辦公桌面對著電腦，工作到很晚。

似乎是在搜尋著明錫所說的資料，辦公桌上堆滿了各種書籍和
文件。

英禑突然停下手邊工作發呆，打了一通視訊電話給澔浩。

S#16.　澔浩的房間（室內／晚上）

澔浩靠著床邊坐下，昏昏欲睡。

聽見震動的聲音，澔浩拿起手機一看，發現是英禑打來的視訊
電話，非常驚訝。

澔浩趕緊胡亂擦掉眼屎，隨便整理頭髮後，接起視訊電話。

雖然澔浩將畫面調整到讓英禑能清楚看見自己的角度和距離，
但是英禑的臉只出現在畫面的邊邊角角，沒有完整露出來。

澔浩　　喂？

CUT TO：

英禑的辦公室。

英禑透過手機畫面看著澔浩的臉。

沒有料到澔浩看不到自己完整的臉，

英禑　　喂？

澔浩　　（通話）禹律師，我看不到妳的臉。

英禑　　我看得清楚你的臉。

澔浩　　（通話）喔，對啊，也讓我看看妳的臉吧，稍微轉一下妳的手機。

英禑　　喔。

英禑這才將手機轉個方向，讓自己的臉出現在畫面裡。

CUT TO：

澔浩的房間。

這才透過畫面看見英禑的臉，澔浩開心地微笑著。

澔浩　　妳還在辦公室吧？加班一定很累。

英禑　　（通話）對啊，那麼我要掛電話了。

澔浩　　什麼？那妳為什麼要打電話給我？

英禑　　（通話）因為我想見你，我是為了見到你才打電話給你的⋯而我已經見到你了⋯

澔浩　　（接續英禑的話）這樣就夠了？因為妳已經達成目的了？

英禑　　（通話）對。

和不久前在汪洋法律事務所1樓大廳的情況一模一樣。

濬浩忍住呼之欲出的笑容，認真地告訴英禑。

濬浩　　可是妳也要考慮到我接電話的心情啊，以後請妳先確認一下，我是不是也想掛電話。

英禑　　（通話）喔…抱歉。你想掛電話嗎？

濬浩　　（微笑）不想。

CUT TO：

英禑的辦公室。

英禑　　喔。

濬浩　　（通話）再聊一下吧。

英禑　　好。

濬浩　　（通話）妳沒有事想跟我聊聊嗎？除了工作或鯨魚之外的事…像是單純的閒聊？

英禑陷入煩惱，苦思之後說出的話是，

英禑　　海苔飯捲跟芝麻油打招呼，結果海苔飯捲就被警察抓走了，你知道為什麼嗎？

濬浩　　（通話）因為芝麻油是被嗨人？

英禑對於一次就猜中正確答案的濬浩由衷讚嘆。

以驚訝的表情說道，

英禑　　正確答案。那麼，在包海苔飯捲的時候，要小心不要讓飯捲炸開，不然的話…

濬浩	（通話）我知道！不然會變成炸欺飯。
英禑	哇…
濬浩	（通話）（微笑）也許因為是妳說的，連這種冷笑話都變得有趣了。
英禑	對，很有趣。
濬浩	（通話）妳該繼續工作了對吧？那我們掛電話吧？
英禑	對，那個，可是…

英禑猶豫著該不該說。
畫面另一端的濬浩靜靜地等待著那樣的英禑。

英禑	你明明不是鯨魚，卻像鯨魚一樣不斷地浮現在我的腦海裡，這是我第一次一直想見到一個人…感覺太奇怪了。

CUT TO：

濬浩的房間。
英禑用醫生在解釋症狀的口吻，平淡地說出自己的內心想法。
濬浩看著那樣的英禑，眼眶莫名地變得濕潤。

S#17. 法庭 （室內／白天）

第二次言詞辯論期日。
律師們之間的激烈攻防戰。

尚鎮	被告仍然否認本案約定之存在，而且即便約定存在，那也是以屬於犯罪行為的賭博資金購買樂透彩券的分配約定，這樣的約定受《民法》第103條規範，為違反社會秩序的法律行為，因此約定無效。

明錫	賭博和約定是兩回事，不能單以購買樂透彩券的錢是賭博資金為由，就把分彩金的約定也視為違反善良風俗及其他社會秩序的無效行為。
英禑	舉例來說，在為了藏匿祕密資金而將之託付他人的案件中，雖然該筆祕密資金是因違反社會行為而非法籌措的財產，但不能將委託他人金錢的行為，也視為違反社會秩序的法律行為，大法院曾有這樣的判決。
尚鎮	也有許多判例能夠支持被告的主張，在金融機構貸款給娛樂場所從業人員的案件中，就有該貸款契約被視同違反《民法》第103條的反社會秩序的法律行為，因此被判無效的案例。原告代理人們在這樣的情況下，也要主張從事娛樂業和貸款契約是兩回事嗎？
英禑	與其說那樁案件違反《民法》第103條，不如說是因為違反《性交易仲介等行為處罰相關法》第10條才被視為無效，比較恰當吧？因為該條文明定「賣淫行為者所持有的債券，無論其契約之形式或名目，都視為無效」。並不能將那種情況，與本案的共同分配約定相提並論。

面對過於針鋒相對的氛圍，審判長介入說話。

審判長	我明白兩造的主張，其實「善良風俗及其他社會秩序」的說法本身就很抽象，因此必須根據具體案件來判斷本案是否符合《民法》第103條。那麼一來，我們更應該先知道這個約定本身是否存在，原告代理人，你今天聲請的證人確定會出席嗎？
明錫	是，庭上。證人崔多慧小姐已經到庭了。
審判長	那麼證人，請到前面來。

坐在旁聽席的咖啡吧多慧起身走向證人席。

逸秀和誠南向多慧傳遞加油的眼神。
相反地，載元的表情寫滿了不安。

多慧　本人將秉持良心，當據實陳述，決無匿、飾、增、減，如有虛
　　　　偽不實之陳述，願受偽證罪之處罰，謹此具結。
審判長　原告代理人，請詰問證人。

明錫走向多慧。

明錫　證人，妳在被告與原告們所在的賭場賣咖啡，對吧？
多慧　對。
明錫　妳和在同一個賭場打雜的韓炳吉先生很熟嗎？
多慧　也說不上很熟，我們只是同事關係，我泡好咖啡，炳吉幫我送
　　　　過去給客人，僅此而已。
明錫　案發當天，韓炳吉先生受被告與原告們之託，將一部分的賭資
　　　　換成現金，並幫他們買了樂透彩券。證人，妳知道這件事嗎？
多慧　是，我看到炳吉出去，就問他「你要去哪裡？」
明錫　那麼韓炳吉先生是怎麼回答妳的？
多慧　他說他要去幫3號桌跑腿買樂透。
明錫　3號桌指的是被告和原告們所坐的位置嗎？
多慧　是，我又回問「沒事幹麼買彩券？」然後炳吉笑著回答「他們
　　　　說三個人之中只要有人中獎，彩金一定要均分。」
載元　說什麼鬼話！妳根本沒問，菸灰缸就主動說了那些話？

載元滿臉脹紅地大吼。
審判長驚訝地看向載元。

審判長　被告，請不要在詰問時插話。

171

載元	庭上，她就是在說謊！那女人和申逸秀本來就關係匪淺，他們根本就是串通好的！
逸秀	什麼?!關係匪淺？你這傢伙在胡說八道什麼？
誠南	對啊！你有證據嗎？我問你能不能證明他們兩個關係匪淺！
審判長	請各位保持肅靜。證人，被告說的是事實嗎？妳是否因為自己與原告的關係而作偽證？
多慧	什麼？我沒有！我和申逸秀並沒有特殊關係，我只是如實地把炳吉說過的話，照樣說出來而已。
審判長	好，原告代理人，請繼續詰問證人。

載元頂著一臉不滿又想插話，坐在旁邊的尚鎮阻止載元。

多慧不自覺地瞥向逸秀。

逸秀微微地比出了只有多慧能看到的手指愛心。

原本應該除了逸秀和多慧之外沒有人看見的畫面，英禍獨自目擊了這一切。

英禍忙著思考手指愛心所代表的意義，表情變得複雜。

S#18. 敏宇的辦公室（室內／晚上）

敏宇坐在辦公桌前盯著電腦。

電腦畫面上顯示著泰山法律事務所的網頁。

是標示守美的照片和經歷等資料的律師介紹頁面。

敏宇	（自言自語）像太守美這樣的精英居然唸了6年的大學？而《正義日報》的記者嗅到了不對勁的味道…

敏宇這次點開了汪洋法律事務所網頁中，標示著英禍的照片和經歷的頁面，並放在守美頁面的旁邊。

照片裡的英祸和守美越看越相似。

敏宇　　（自言自語）哇…這該怎麼辦呢？

S#19.　禹英祸飯捲 （室內／晚上）

因為已經是非營業時間，飯捲店裡除了光顯沒有其他人。

光顯正在看著第10集中守美給的泰山法律事務所美國波士頓辦公室的文宣。

看見英祸下班後走進來，光顯嚇得瞪大眼睛，把文宣藏起來。

英祸　　我回來了。

光顯　　喔，喔！妳回來啦？

英祸要回去2樓的家，正準備走出飯捲店門外時，光顯叫住了英祸。

光顯　　英祸，那個啊，妳對爸爸沒有什麼要求嗎？像是希望爸爸為妳做什麼事？

英祸　　希望爸爸為妳做的事？

光顯　　舉例來說，希望我幫忙找一位專門為妳治療的自閉症專科醫生或心理諮商師…

似乎是在思考是否需要，英祸暫時變得安靜。

光顯內心焦急地等待著女兒的回答。

英祸　　有時候…我覺得有那種醫生或心理諮商師也不錯。

光顯　　是嗎？

光顯是期待英裪說出「不需要」的回答嗎？
光顯的表情變得黯淡。

英裪　　當我難以理解別人的想法和感受時，或是連我自己的想法都不
　　　　大清楚時⋯又或者是工作中突然傳來巨大聲響讓我感到不安
　　　　時⋯我曾想過要聽聽專家的建議或是其他自閉症人士的經驗，
　　　　來告訴我那些時候應該如何應對才好。

光顯　　這些事⋯妳怎麼從來沒有跟我說過？是擔心我沒錢負擔嗎？

似乎是從來沒有想過這方面的事，英裪的表情呆滯。

英裪　　那個⋯我不知道
光顯　　（嘆氣）好⋯趕快上去休息吧。

英裪走出飯捲店。
光顯看著女兒的背影，內心混亂。

S#20.　法庭（室內／白天）

判決宣告期日。
在兩造律師們都未出席的狀態下，逸秀與誠南、載元各自坐在
原告席與被告席，等待著審判長的判決。
恩知就坐在逸秀正後方的旁聽席。

審判長　本庭將宣告判決。主文，被告應向原告們各支付14億342萬韓
　　　　元，訴訟費用由被告負擔。

聽到審判長這麼說，逸秀和誠南發出驚呼，激動地站起來互相

擁抱。

審判長繼續宣讀判決文，並用眼神示意逸秀和誠南安靜。

逸秀和誠南好不容易才冷靜下來，回到座位上。

相反地，獨自坐在被告席的載元，露出了像是失去了全世界的委屈表情。

審判長　原告們與被告皆為中獎彩券之分配對象，與中獎獎次無關，因此不能視為沒有具體的分配對象，即使購買彩券的錢來自於賭博資金，也無法連帶認定本案彩金分配之約定無效。

逸秀轉頭看向坐在旁聽席的妻子恩知。

有別於笑開懷的逸秀，

也許是心想辛苦撐過的歲月終於有了回報，

恩知流下了感激的眼淚。

逸秀看到這一幕，突然哽咽，浮現心疼的心情。

緊緊握著妻子的手，小聲地說，

逸秀　辛苦了，這些年來為了養活我和孩子們，真的辛苦妳了。

聽到逸秀這番話，恩知隱忍已久的眼淚瞬間爆發。

逸秀看到妻子的模樣，眼角也噙著淚水。

S#21.　英禍的辦公室（室內／白天）

伴隨著敲門聲，

很快就恢復氣色的逸秀走了進來。

坐在辦公桌前工作的英禍看向逸秀。

逸秀	禹律師！非常感謝！託妳的福，我們勝訴了！
英裯	是，恭喜你。
逸秀	這是我的一點心意，妳可以用百貨公司禮券買套新衣服。

逸秀把裝有百貨公司禮券的厚重信封遞給英裯。
英裯似乎很難為情，猶豫著該不該收下，

英裯	但是…你已經向汪洋支付了勝訴酬金，並不用另外給我謝禮。
逸秀	妳不是說賭博跟約定是兩回事嗎！（微笑）勝訴酬金歸勝訴酬金，這個只是…我送妳的禮物，這真的沒什麼啦。
英裯	不可以，我不能收。
逸秀	唉唷～好吧，我知道了！我們不知變通的禹律師！那麼這個請妳務必收下，這是我太太做的。

逸秀把某個包覆在包巾裡的東西遞至英裯面前。
英裯解開包巾。
裡面裝著的是恩知做的海苔飯捲便當。

| 逸秀 | 我沒說過我太太開飯捲店嗎？保證好吃。 |
| 英裯 | 好，謝謝你的海苔飯捲。 |

逸秀似乎還有話沒說話，欲言又止。
逸秀小心翼翼地開口。

逸秀	話說，禹律師，我可以請教妳一件事嗎？
英裯	可以。
逸秀	要是中樂透後離婚的話，那筆彩金也必須要平分嗎？

雖然意料之外的提問讓英禑有點疑惑，但還是馬上回答。

英禑　　這會根據具體情況而有所不同，不過根據目前為止的判例，大
　　　　多數都不用平分。財產分配可以針對夫妻共同增值的財產進行
　　　　請求，但是樂透彩金完全是中獎人的幸運所致，因此不會成為
　　　　財產分配的對象。

逸秀　　意思就是可以不用平分，對吧？

英禑　　對，你怎麼這麼問？

逸秀　　喔，因為有人請我幫忙問一下，那我先走了！

逸秀跟英禑道別後，匆忙地走出辦公室。
英禑看著那樣的逸秀，表情變得凝重。

S#22.　汪洋法律事務所員工餐廳（室內／白天）

秀妍完全陷入與鍾權的聊天中，連吃飯都心不在焉。
在充滿甜言蜜語的聊天室裡，鍾權傳來了一張用手指比出愛心
的照片。
秀妍看到照片，以「天啊～真討厭～」的感受害羞地笑著，英
禑拿著恩知的海苔飯捲便當，濬浩拿著員工餐廳的餐盤一起走
了過來。

英禑　　崔秀妍，妳離過婚吧？

秀妍　　（瞪大眼睛）什麼？離什麼婚～我連婚都還沒結呢！

英禑　　妳接過離婚案件嘛。

秀妍　　喔？對啊。

英禑　　假設有某位男性向某位律師諮詢離婚時財產分配的事情，那麼

那位男性有離婚的念頭嗎？

秀妍 單靠諮詢無法判斷，有其他徵兆嗎？

英禓 那個…手指愛心。那位男性對妻子以外的其他女生比了手指愛心，這代表他們關係匪淺嗎？

秀妍 妳是在說樂透案件的委託人嗎？那個背著妻子過來的人？

英禓 我無法回答妳這個問題，因為我要遵守律師的保密義務。

秀妍 那不然…

秀妍環視四周，尋找著是否有能夠幫助英禓解釋情況的東西，最終秀妍的視線停留在放在員工餐廳桌上的鹽巴罐、胡椒罐和醬油瓶。

秀妍 就用鹽先生和胡椒小姐來代稱吧。

英禓 什麼？

秀妍 鹽先生問妳，不對，鹽先生向醬油律師詢問了離婚時財產分配的事情，對吧？

英禓 鹽先生問醬油律師…？

英禓愣在原地，聽不懂秀妍在說什麼，濬浩把桌上的鹽巴罐、胡椒罐和醬油瓶拿到英禓面前解釋。

濬浩 妳因為律師的保密義務不方便談論這件事，所以她要我們設定虛擬的人物。（把鹽巴罐、胡椒罐和醬油瓶擺成一個三角形）像是鹽先生、胡椒小姐和醬油律師，以此類推。

英禓 喔…虛擬人物。（對秀妍說）對，鹽先生問我了。不對，我聽說他問了，問那個…醬油律師。

秀妍 應該是有關樂透彩金的問題吧？

英禓 （難以回答）嗯…妳這樣問的話，我無法回答。

秀妍	那我換個問法，是屬於婚姻關係中以自身名義獲得的特有財產問題吧？
英禑	沒錯，準確來說，他是問我特有財產在離婚時會不會成為財產分配請求之對象。不對…他問了醬油律師。
秀妍	而胡椒小姐並不知情？
英禑	嗯。
秀妍	鹽先生沒有向胡椒小姐約定什麼事嗎？例如他要是中獎的話，不對，要是獲得特有財產的話，就會分給胡椒小姐之類的有條件贈與之意思表示，如果有證據的話就更好了。
英禑	那我不大清楚，要去問胡椒小姐才知道。
秀妍	我對離婚案件的經驗也不多，但是關鍵終究還是在確保證據，如果沒有證據，就只能打心理戰，端看法官覺得夫妻之間誰比較可憐。
英禑	不過…醬油律師無法對胡椒小姐提供任何建議。
秀妍	是啊，畢竟鹽先生是委託人，真是為難這位醬油律師了。

醬油律師，不對，英禑煩惱著該如何處理這件事。
英禑出神地看著恩知做的海苔飯捲，一口都還沒吃。
紙盒上面的貼紙寫著名為「幸福之家」的店名，更顯諷刺。

S#23. 明錫的辦公室 (室內／白天)

英禑站在明錫的辦公桌前。
明錫正坐在位置上一口接一口地享用著逸秀送來恩知做的海苔飯捲。

明錫	所以妳想怎樣？妳覺得我們至少應該提醒成恩知小姐嗎？告訴她申逸秀先生好像有意離婚？

英禑	這樣成恩知小姐才能有對策…
明錫	妳是誰？
英禑	什麼？
明錫	《律師法》第26條，律師或曾任律師者不得洩漏於職務上得知之祕密。奇怪，那個嚴守法律到過於死腦筋的禹英禑律師去哪裡了？妳到底是誰？

聽到明錫這麼說，英禑愣在原地無法回嘴。

明錫	申逸秀先生是我們的委託人，他對誰比了愛心、向妳諮詢了什麼事情，這些不都是委託人的祕密嗎？妳別想洩漏口風！尤其是在成恩知小姐面前，聽懂了嗎？

明錫一邊大聲斥責，一邊大口吃著剩下的海苔飯捲。
英禑靜靜地看著明錫吃飯的模樣，

英禑	成恩知小姐做的海苔飯捲很特別，因為裡面有加…豆皮。
明錫	什麼？豆皮？
英禑	我爸做的禹英禑飯捲沒有放豆皮，切成細絲，用醬油熬煮的豆皮，鹹中帶甜，既柔軟卻又帶有口感的…豆皮。
明錫	妳現在在說什麼…
英禑	所以我可以為了買豆皮海苔飯捲去幸福之家吧？那並沒有違反《律師法》啊！

英禑也不聽明錫的回答，頭也不回地走出辦公室。
徒留明錫一個人愣在原地。

S#24. 馬路（室外／白天）

濬浩和英禑把車子停在恩知的飯捲店「幸福之家」附近巷口。
兩人下車走向飯捲店。

英禑　　我們是去買豆皮海苔飯捲，並非前去違反《律師法》。
濬浩　　是，那是當然。

英禑和濬浩抵達幸福之家附近。
兩人聽見摔砸東西的聲響從店裡傳來。

S#25. 幸福之家門口（室外／白天）

濬浩跑到幸福之家門口查看店內情況。
英禑也戴起掛在脖子上的頭戴式耳機，小心翼翼地站在濬浩身
旁。
逸秀和恩知在店裡爭吵。

逸秀　　我要花我自己的錢，妳吵什麼吵！妳說啊?!
恩知　　老公，我們有兩個孩子，有兩個年紀還小、需要各種開銷的孩
　　　　子要養！你身為爸爸怎麼這麼不會想？我們沒有自己的房子和
　　　　店面，這種三不五時就要搬家的生活，你都過不膩嗎？
逸秀　　我很煩！我過膩了！還有妳的牢騷！我真的受夠了！！！

逸秀把放在桌上製作海苔飯捲的食材全都往地上砸，和背著恩
知去汪洋法律事務所的模樣截然不同，眼前的逸秀既粗魯又暴
力。
濬浩擔心英禑會成為逸秀的出氣筒，趕緊擋在英禑前面。
多虧濬浩這麼做，逸秀沒有看到英禑，而是走向在街弄裡等待

著自己的女人，一起遠去。

英禑看到了那個女人。

那是賭場的咖啡吧，也就是以證人身分出庭的多慧。

S#26.　幸福之家（室內／白天）

濬浩和英禑走進店裡。

恩知看著散落滿地的海苔飯捲食材，神情恍惚。

濬浩　　妳還好嗎？

恩知　　（這才看向濬浩和英禑）喔，你們是汪洋的員工…你們怎麼會來這裡呢？

濬浩　　禹英禑律師說這裡的豆皮海苔飯捲很特別，我們本來要來吃，結果意外撞見兩位在吵架。

恩知深深嘆氣，把剛才逸秀留下的超跑文宣拿給兩人看。

文宣裡有一輛非常顯眼的黃色超跑。

恩知　　他說要用官司勝訴拿到的錢買這輛超跑，以我們的經濟狀況，要買超過3億韓元的跑車，這合理嗎？

濬浩　　唉唷…是啊，妳一定很難過吧。

恩知　　我老公雖然好賭，但是他對我和孩子很好，嘴巴也很甜，我就是因為這一點才能堅持到今天的。但是人怎麼能說變就變呢？我到底還要繼續忍受、等待多久，他才會清醒呢？

恩知內心裡一陣難過一湧而上，開始哭泣。

英禑和濬浩的心情也變得無比沉重。

此時，店裡的電視播出了海豚飛躍海平面之上的畫面。

英禩看到這個畫面，突然就像下定決心一般，

英禩　　（大聲地說）做人要懂得變通啊！

聽到英禩的大喊，濬浩和恩知驚訝地看向英禩。

恩知　　禹律師？
英禩　　不！我不是律師，我是客人，請給我一份豆皮海苔飯捲。
恩知　　什麼？妳也看到了，食材都倒滿地了…我得重新做…
英禩　　那就重新做吧，我們可以等。
恩知　　什麼…？好…你們先請坐…

英禩和濬浩面對面坐下。
恩知直到剛才都還在哭，雖然內心覺得這兩個人很奇怪，但還是先走向製作飯捲的桌子旁邊，確認剩下的食材，
英禩拿出放在桌邊的鹽巴罐、胡椒罐和醬油瓶，似乎是故意要讓恩知聽到，開始大聲地說話。

英禩　　李濬浩先生，你知道鹽先生、胡椒小姐和醬油律師的故事嗎？
濬浩　　不知道耶。
英禩　　很久很久以前，有一位鹽先生，他和胡椒小姐結婚，並在不久前獲得了一筆特有財產。
濬浩　　（擔心恩知聽不懂，演戲詢問）特有財產？那是什麼？
英禩　　特有財產是指夫妻其中一方在婚前持有的固有財產，或是婚後以自身名義獲得的財產。特有財產為夫妻各自管理、使用及獲利，因此離婚時不屬於財產分配請求之對象…
濬浩　　（怕內容越來越複雜，打斷英禩說話）也就是說，舉例來說，像是樂透彩金之類的嗎？

英祥　　什麼？對，那也是其中一個例子。

濬浩的一句話讓恩知停下動作，聆聽著兩人的對話。

英祥　　鹽先生想知道如果他和胡椒小姐離婚，是否需要和對方平分那
　　　　筆特有財產，而醬油律師回答他，他應該不用和對方平分特有
　　　　財產。

恩知　　請問…你們是在說我老公的事嗎？

英祥　　不是！我在跟李濬浩說鹽先生、胡椒小姐和醬油律師的故事。

恩知　　（聽到逸秀的事愣住）妳說他問離婚的話需不需要分彩金…我老公
　　　　不可能那麼做，你們可能是剛才看到他吵著要買車才誤會，官
　　　　司勝訴的那天，我老公甚至哭著向我承諾，要把整筆彩金都給
　　　　我，他說我和孩子現在可以不用再過苦日子了，我們還緊緊抱
　　　　著彼此哭了很久！

恩知的內心陷入了混亂，在信任與懷疑之間遊走。
同時，英祥無法直接回答恩知，只能眨著眼睛。
濬浩察覺英祥的為難，代為轉達恩知的話。

濬浩　　我聽胡椒小姐說，鹽先生哭著承諾會把中獎的彩金全數交給胡
　　　　椒小姐。

英祥　　胡椒小姐沒有以書面方式簽訂或錄下那個約定嗎？

濬浩　　（轉達英祥的話，對恩知說）請問妳有以書面方式簽訂或…

恩知　　（打斷濬浩說話）奇怪，夫妻間哪會把那些話寫下來或錄音？

濬浩瞥向英祥。
英祥依舊無法直接回答，靜靜地不說話。

| 滄浩 | 聽說都沒有。 |
| 英禑 | 可以幫我轉告胡椒小姐，現在還不算太晚嗎？胡椒小姐至少要找到聽見鹽先生做出那個約定的證人，為了分配到鹽先生的特有財產，就要有證據才行。 |

聽到英禑這麼說，恩知的表情變得五味雜陳。

S#27. **牛排館**（室內／晚上）

秀妍和鍾權正在高級牛排館裡用餐。

鍾權	我其實對樂透真的一點興趣都沒有。
秀妍	真的嗎？你把錢財看得很淡嗎？
鍾權	也不能那樣說…其實我已經中樂透了，妳就是我的樂透。

鍾權對秀妍露出釋放魅力的微笑。
秀妍害羞地竊笑著。

| 鍾權 | 我去一下洗手間。 |
| 秀妍 | 好。 |

鍾權去洗手間時，一位**女生**（30多歲前半）氣喘吁吁地走進餐廳，坐在秀妍對面。
面對這位女生無所畏懼的態度，秀妍感到慌張。

女生	妳也是醫生嗎？
秀妍	什麼？
女生	還是檢察官？律師？法官？會計師？估價師？到底是哪個？

秀妍	奇怪，妳是誰…為什麼要這樣？
女生	看他帶妳來牛排館，應該已經交往2週了，對吧？妳今天記得要多吃一點，這會是李鍾權最後一次花自己的錢，之後他就會一直說自己弄丟錢包了。
秀妍	請問妳現在到底在說什麼…
女生	（接續秀妍的話）妳還聽不懂我在說什麼嗎？李鍾權那個混蛋是女強人殺手，他是利用女人感情來騙錢的王八蛋！

似乎是說到有點想哭，
女生的眼眶裡有著憤怒的淚水。
秀妍看著她，表情變得嚴肅。

女生	李鍾權有送妳花束吧？還扯到什麼花語。妳有喝過「不要生病雞尾酒」嗎？就是那個加了各種食材的蜂蜜水…
秀妍	（像是在自言自語般，呆滯地說）有益健康…
女生	什麼？
秀妍	（依舊呆滯地說）我喝的是有益健康雞尾酒…

此時，從洗手間出來的鍾權發現這位女生，停下腳步。
女生突然站起身來走向鍾權，

女生	喂，李鍾權！你不是說要籌爸爸的手術費？所以去從事遠洋漁業了嗎！你這個混蛋，這裡是遠洋漁船嗎？難道你邊切牛排邊捕鮪魚嗎?!
鍾權	（後退著避開女生，並對秀妍說）那個，秀妍…
女生	把我的錢還來！把你騙我爸爸要動手術而拿走的5千萬韓元還來！我叫你還錢！

看著鍾權支支吾吾，無法解釋的模樣，秀妍終於接受這位女生說的都是事實。
秀妍的臉上夾雜著失望和憤怒，突然起身走出餐廳。

CUT TO：
在牛排館櫃檯前。
秀妍大步地走著，突然停下腳步，回頭對櫃檯的**店員**（20多歲／男）說，

秀妍 給我這裡最貴的酒。
店員 什麼？酒嗎？
秀妍 你背後不是有滿滿的酒嗎？給我這裡最貴的酒。（指著鍾權）那個混⋯（本來要說混蛋）他會付錢。

面對秀妍既憤怒又嚇人的氣勢，店員趕緊從櫃檯後方陳列的洋酒之中，拿出最貴的威士忌。
秀妍拿著威士忌，朝著鍾權瞪了一眼，
走出牛排館。

S#28. 牛排館門口（室外／晚上）
秀妍走出餐廳，拔開威士忌的瓶蓋。
路過的行人們看見秀妍以瓶為單位灌著烈酒，嚇得發抖。

S#29. 汪洋法律事務所17樓會議室（室內／白天）
在庭審之前，恩知還是由丈夫背著進來汪洋的。
現在卻是孤伶伶地坐在明錫和英禑面前。

恩知在短時間內因為逸秀而感到痛苦與折磨，消瘦了許多。

恩知　　人要露出真面目，真的不用花多久時間，他現在直接要求我離婚了，他打我、砸家裡的東西，每天來店裡妨礙我做生意。（嘆氣）前天，我們家老大衝上去試圖阻止爸爸…他甚至動手打了孩子。

明錫　　天啊，申逸秀先生背著妳走進來的模樣我還歷歷在目…那麼大的轉變，妳一定很難過。

恩知　　我也不想…再跟這種男人一起生活了？反正一路走過來，錢也是我在賺，家事我在做，小孩也是我自己養大的。不過，我想要拿到我該得的財產，所以我才會再來找你們。你們知道那傢伙為了防止我動那筆錢，甚至用親哥哥名義的存摺領取彩金嗎？他就是打定主意不想分我半毛錢。

英禑　　在申逸秀先生態度突變之前，沒有向妳約定過會把彩金分給妳嗎？

恩知　　（看著英禑）妳上次說需要證據嘛。

明錫　　什麼？

明錫想要確認恩知在說什麼，一旁的英禑也擔心自己多嘴提醒的事被發現，面露慌張。
恩知隨即掌握情況，趕緊換個說法。

恩知　　（對明錫說）喔，我店裡也有一位客人是律師。

英禑　　（對明錫說）醬油，醬油律師。

明錫　　醬油？

看著恩知和英禑尷尬地圓謊，明錫察覺英禑有對恩知說了一些話，瞪著英禑。

雖然英禑並不完全理解明錫眼神所代表的意義，卻出於本能地想躲避那個視線。

恩知	總之我按照其他律師給我的建議，想方設法地試著留下證據，我試過傳訊息給老公，也嘗試過錄下通話內容…但是他似乎已經察覺到了，問我「妳是不是為了要留證據？」自己卻裝傻裝到底。
英禑	那沒有證人嗎？有聽到申逸秀先生承諾分配彩金或是贈與約定的人。
恩知	沒有，那是我們兩人獨處時說的。

英禑和明錫相繼嘆氣。

明錫	我很抱歉必須告訴妳…我們不方便接下這次的訴訟，因為我們已經為申逸秀先生辯護其他案件，而且這樁案件也與先前我們為他辯護的案件有關。還是我們可以幫妳介紹其他離婚專業律師嗎？一位能力優秀的律師。
恩知	喔…那我當然是感激不盡，可是…在你們看來如何呢？我有可能分到彩金嗎？

面對恩知的提問，明錫和英禑的表情變得黯淡。
明錫小心翼翼地開口。

明錫	詳細情形還是請妳和專責律師討論會比較好…但是我個人的看法是，我認為在法理上獲判勝訴的可能性不大。就目前而言，我認為妳努力爭取多一點瞻養費和扶養費，或許才會是最好的選擇。

聽到明錫這麼說，恩知無力地低下頭。

既疲憊又近乎虛脫的表情令人心疼。

S#30. 馬路（室外／白天）

瀋浩把車停在幸福之家附近的巷弄。

瀋浩、英禑和恩知下車後，走向恩知的店。

恩知　　唉唷，你們還載我一程，真的很感謝你們。

瀋浩　　沒什麼啦，我們是來買豆皮海苔飯捲的。

英禑　　沒什麼啦，我們是來買豆皮海苔飯捲的。

在馬路對面，逸秀的車停在幸福之家門口，恩知看見後停下腳步。

那是在超跑文宣上看過，超過3億韓元的黃色超跑，逸秀下車後，輪番瞥向恩知、英禑和瀋浩。

逸秀　　天啊～妳去找律師了啊？難怪妳死拖著不簽字離婚！怎樣，要打離婚官司？妳說啊?!

恩知　　（對瀋浩和英禑說）我們可以暫時避開他嗎？他每天都會來我店裡要我在離婚協議書上蓋章簽字，大鬧一場，今天來得真早。

瀋浩　　我們先回車上吧。

瀋浩和英禑、恩知一起轉身，正準備用車鑰匙開啟電源，逸秀發現三個人是要上車閃人，情緒變得激動。

逸秀　　喂！妳不過來嗎?!

逸秀趕緊坐上車，吵雜地發動他的超跑。

就在他為了在最短時間內橫越馬路來找恩知，違法迴轉的那一刻，伴隨著巨大的喇叭聲，以驚人速度開過來的自卸卡車撞翻了逸秀的超跑。

聽見車子被撞碎的驚悚聲響，恩知、英禎和濬浩都轉身回頭。

在三個人的眼裡，逸秀的車子就像被揉爛的紙張一樣，這突然其來的驚人情況讓英禎陷入強烈的震驚。

英禎用雙手摀住耳朵並搖晃身體，但是依舊無法鎮定下來。

濬浩   禹律師？妳還好嗎？

恩知   老公！！！

暫時愣住的恩知恢復振作，跑向逸秀。

濬浩擔心地觀察著英禎，不知該如何是好，稍微考慮情況後，先讓英禎留在原地，跑向恩知。

CUT TO：

發生車禍的超跑前。

逸秀滿臉鮮血，似乎已經失去生命跡象，但是恩知仍然想把逸秀拉出車外，費力地試圖擠進已經變形的車身縫隙。

眼前的情況看起來過於危險，濬浩把恩知拉離超跑。

濬浩   太危險了！我會打給119，妳先在這裡等一下！

恩知   老公！老公！！！

恩知推開濬浩並掙扎著。

突然像是全身無力般，癱坐在地上開始痛哭。

幸好附近的店家老闆紛紛出來關照恩知，並打119報案。

潣浩這才放心，回頭走向英禓。

CUT TO：
英禓依舊獨自佇立在剛才停車的那條巷弄。
英禓的恐慌症狀變得更加嚴重。
以雙手用力地拍打著自己的頭部，激烈地搖晃著身體。
潣浩看見這樣的英禓，用力抱緊她。
這個動作似乎是有效的，英禓埋進潣浩懷裡說道，

英禓　　再抱緊一點。

聽到英禓這麼說，潣浩更加用力地抱緊英禓。

英禓　　抱緊一點…再抱緊一點…

潣浩用盡全身的力氣，緊緊地抱住英禓的身體。
因為有強烈壓力施加在身體上，英禓這才開始鎮定。
英禓被潣浩擁在懷裡，急促地深呼吸著。

S#31.　**巷弄**（室外／晚上）
幾週後。
英禓和潣浩一起走在英禓家附近的巷弄。

英禓　　今天成恩知小姐有來找我和鄭明錫律師。
潣浩　　真的啊？自從申逸秀先生的葬禮之後，我就沒見過她了，她過
　　　　得好嗎？
英禓　　是，她的店暫時不營業，所以她沒有帶豆皮海苔飯捲來，但還

是捎來了好消息。申逸秀先生所留下的價值11億韓元的樂透獎金，將由成恩知小姐及其子女繼承，因為申逸秀先生死亡當時仍為已婚狀態。

澹浩　　哇⋯沒想到事情最後變成這樣。

英禑　　他們還會拿到申逸秀先生在生前投保壽險的死亡保險金3億韓元，總計是14億韓元，這與申逸秀先生當初打官司所分配到的樂透彩金是相同的金額。

澹浩　　那14億韓元繞了一大圈，才回到主人身邊呢。

就這麼邊走邊聊天，兩個人快走到英禑家了。
因為還不想分開，澹浩停下腳步。
英禑也跟著不動。

英禑　　我們目擊申逸秀先生死亡的時候⋯謝謝你抱住我。

澹浩　　（欣慰）喔，那個啊，沒什麼啦。

英禑　　自閉症人士⋯

澹浩　　（溫柔地打斷英禑說話，接續說明）在感官受到過度刺激時，對身體施加壓力可以緩解不安，對吧？

英禑　　（稍微驚訝）對，沒錯。

只要是關於自閉症的事，英禑總得向別人解釋一番。
因此澹浩先說出有關自閉症的資訊，這讓英禑覺得很神奇。

澹浩　　聽說法國有一款為自閉症人士發明的擁抱椅。

英禑　　擁抱椅？

澹浩　　（用手做出動作）後面是封閉式的構造，當人坐在裡面，椅子內部就會膨脹，把人緊緊包覆住，還可以用遙控器調整壓力的強度。

英祜	哇…在韓國也買得到那張椅子嗎？
濬浩	一定要買嗎？
英祜	什麼？
濬浩	讓我來吧，我來當妳的專屬擁抱椅。

在路燈下，濬浩看向英祜的眼神滿溢著溫柔。
濬浩走向英祜，英祜起初有些驚訝，不知所措。
但是英祜回想起上次濬浩的指導，
閉上眼睛、張開嘴巴，兩人接吻。
此時，出門倒垃圾的光顯看見了這幅景象，因為過於驚訝，無法做出任何反應，只能睜大眼睛。

S#32. EPILOGUE：守美的辦公室 （室內／白天）

守美坐在辦公桌前忙碌地工作著。
聽見敲門聲，守美也不抬頭，直接回答「請進～」。
打開守美辦公室的門走進來的人，是敏宇。

敏宇	太守美律師，妳好，我叫權敏宇，感謝妳百忙之中抽空見我。
守美	聽說你對我祕書說得我不抽空都不行，到底是什麼事？你為什麼非得見我不可？

守美放下手邊的工作，盯著敏宇。
雖然是守美一如往常的微笑表情，但是面對充滿威嚴的銳利眼神，敏宇還是緊張地吞了口水。

敏宇	我想進入泰山，在妳底下工作。
守美	唉唷，這種事你應該洽詢人資組，明年再投履歷吧，我會特別

記住你的名字，權敏宇律師。

守美認為該說的都說完了，回到先前的工作狀態裡。
敏宇為了再次吸引守美的注意，急忙說道，

敏宇　　我目前在汪洋，（欲言又止）和禹英禑律師一起工作。

聽見「禹英禑」這個魔法般的名字，守美不自覺地抬起頭來。

敏宇　　太守美律師，妳在1995年大四時休學，並在2年後的1997年復
　　　　學，雖然妳對外宣稱去留學，但是卻查無任何具體的紀錄。最
　　　　重要的是…1996年，在妳休學期間，禹英禑律師出生了。
守美　　你現在…是在做什麼？
敏宇　　我想讓妳對我留下好印象，我想在一個能將已知的祕密轉化為
　　　　力量及武器的地方工作，律師必要時會搞政治，也懂得孤注一
　　　　擲，在競爭中取得勝利，我想在這樣的法律事務所工作。在我
　　　　看來，泰山是這樣的地方，但汪洋並不是。在裝好人又偽善的
　　　　前輩律師底下工作，最後連我自己也變得懦弱，這不是我要
　　　　的。

「要怎麼處理他呢？」守美盤算著。
似乎是很快就得出結論，守美稍顯緊張的表情再次找回從容。

守美　　光是知道別人的祕密還不夠，你還得有能力。
敏宇　　我是有能力的人。
守美　　那就做給我看吧。你剛才說你和禹英禑律師一起工作，對吧？
敏宇　　是。
守美　　你有辦法讓禹英禑律師離開汪洋嗎？

195

敏宇	什麼？
守美	不管是自請離職還是被炒魷魚，都無所謂。
敏宇	為什麼…要那麼做？
守美	你不用知道那麼多，只要你達成任務，到時你就是泰山的律師了，而且是成為我的直屬下屬。
敏宇	喔…是！我知道了。

守美對敏宇露出冷冰冰的微笑。

敏宇看見守美的微笑，露出了無比堅決的表情。

〈完〉

「我們就必須自行判斷，

　為怎樣的委託人辯護才是正確的，

　我們總騙不了自己吧。」

第12集

白鱀豚

⑫

S#1.　PROLOGUE：米爾生命辦公室 (室內／白天) **- 過去**

6個月前。

在一間頗具規模的壽險公司「米爾生命」的首爾總公司大樓內辦公室，許多員工各自坐在以隔板分開的辦公桌前，但是誰也無法專注工作，空間裡瀰漫著一股不安且雜亂的氣氛。

金賢政（40歲／女）的臉上同樣也寫著心煩意亂，看著貼在辦公桌上的照片，被選為最佳員工的時候，同事們為她辦生日派對的時候，認真參與海外研修或運動會等公司活動的時候，和丈夫**權永浩**（38歲／男）一起創立「米爾生命公司內部夫妻檔員工社團」的時候…

賢政和米爾生命一起度過的15年歷史，都裝載在這一張張的照片裡。

此時，人資部員工**崔妍希**（31歲／女）叫住賢政。

妍希　　金賢政次長，部長請妳進來面談。

賢政的表情變得黯淡。

200

S#2.　PROLOGUE：米爾生命人資部長室（室內／白天）- 過去

放在人資部長室一隅的會議桌。

人資部長**文宗哲**（46歲／女）與賢政面對面坐著。

和極度緊張的賢政相反，宗哲整天開會下來，已經滿臉倦容。

宗哲　　妳知道最近我們公司正在進行併購作業吧？

賢政　　是，部長。我很清楚米爾生命要被德國保險公司「SB生命」收購了。

宗哲　　既然公司要易主，內部架構調整也是無可避免的，這是公司高層指示的方針，「選定公司內部夫妻檔員工為符合申請自願離職對象」理由是什麼？因為夫妻檔員工的生活相對穩定。

賢政　　生活相對穩定嗎？

宗哲　　相較於單薪員工，雙薪夫妻員工在生活層面還是比較穩定啊，不是嗎？

賢政　　可是我和我丈夫的月薪加起來，還不到一位高層主管的月薪，我們怎麼會是生活相對穩定呢？

宗哲　　（裝作沒聽到）總之這就是公司的方針，「倘若公司內部夫妻檔員工任一方均無意申請自願離職，則以身為丈夫的員工為對象實施留職停薪」。

賢政　　意思就是…如果我不離職，公司就要開除我老公嗎？

宗哲　　請妳想清楚怎麼做對你們比較有利，身為妻子，妳真的想阻礙丈夫的前程嗎？

賢政　　什麼？

宗哲　　在父母看來，肯定也會覺得有點礙眼，媳婦出門上班，兒子卻遊手好閒，哪有公公婆婆會喜歡這種畫面？這種時候妳就得好好扮演賢內助的角色。

聽到宗哲這麼說，賢政的臉上失去血色。

S#3.   **PROLOGUE：米爾生命人資部長室門口** (室內／白天) **- 過去**

和宗哲面談結束後，賢政有些失魂落魄地走出人資部長室。

下一位要進行面談的**李智榮**（32歲／女）焦急地走過來。

智榮   次長！人資部長怎麼說？

賢政   對了…李代理，妳也是職場夫妻檔吧…

智榮   什麼？怎麼了嗎？

此時，賢政的手機震動。

是丈夫永浩傳來「我們聊聊」的訊息。

被妍希叫住的智榮，走進了人資部長室。

S#4.   **PROLOGUE：米爾生命大樓頂樓** (室外／白天) **- 過去**

賢政和永浩面對面站在米爾生命大樓頂樓。

賢政   他跟你說了什麼？

永浩   他叫我說服妳。

賢政   說服？他叫你說服我離職嗎？

永浩   現在公司就是想要資遣女性員工。

永浩的一句話似乎讓賢政難以維持站姿，

賢政癱軟地蹲了下來。

永浩擔心地看著妻子。

永浩   妳還好嗎？

賢政   我真的很盡心盡力為這間公司工作，你應該知道吧？

永浩   我當然知道。

賢政	我生下定旼後，好像只休息了半個月吧？我當初可是自願放棄沒休完的產假，銷假回公司上班！
永浩	是啊！公司同事們都知道妳那麼做。
賢政	可是公司怎麼可以這樣？當初要我放下媽媽和妻子的角色，好好好對公司效忠，現在卻突然叫我好好當你的賢內助，他們說我如果繼續留在公司上班！就是在阻礙你的前程！

賢政流下了隱忍已久的淚水。

蹲在賢政面前，安慰著妻子的永浩，表情也十分痛苦。

TITLE：

《非常律師禹英禑》

S#5.　明錫的辦公室（室內／白天）

6個月後的現在。

伴隨著敲門聲，宣榮走進明錫的辦公室。

坐在辦公桌前邊吃漢堡邊工作的明錫嚇了一跳。

宣榮	看你這個樣子⋯昨晚熬夜了嗎？
明錫	喔，沒有，我凌晨有回家小睡一下。
宣榮	早餐就吃漢堡打發嗎？
明錫	因為待會要跟委託人開會，沒時間好好吃飯，不過妳來找我有什麼事嗎？
宣榮	我現在要去醫院探望朴學洙律師，原本想說你有空的話要不要一起去，但是你要跟委託人開會，那就沒辦法了。
明錫	（驚訝）朴學洙律師怎麼⋯他生病了嗎？
宣榮	（反而更驚訝）天啊，你還沒聽說啊？昨晚張載鎮去找朴律師大鬧

了一場。

明錫　張載鎮…？是玄普建設會長的兒子張載鎮嗎？

宣榮　對，就是他，他前幾天出獄了。他殘忍地殺害父親，最後只配
　　　判8年的有期徒刑，都是因為有你和朴學洙律師努力為他辯護。
　　　真不知道張載鎮到底還有什麼不滿？他闖進朴律師家裡揚言要
　　　報復，甚至對他揮刀，幸好朴律師的家人們及時出現，事態才
　　　沒有擴大…還好朴律師傷勢不重，只是受到一點驚嚇。

明錫　張載鎮被逮捕了嗎？

宣榮　還沒，警方正在通緝他。

明錫　（像是因為擔心而自言自語）張載鎮應該還認得我的長相…

宣榮　所以我已經交代保全組了，請他們務必加強管制汪洋的進出人
　　　員，我們也會加派保全人員，所以你別太擔心。

明錫　是，代表。

雖然明錫嘴上是這麼回答，
但是一湧而上的擔心讓明錫面色黯淡。

S#6.　**電梯**（室內／白天）

明錫搭乘電梯。

電梯門準備要關上的那一刻，一位戴著帽子和口罩的**男人1**（30
多歲）衝了進來。

男人1的身高或塊頭都很像被通緝的載鎮，明錫內心浮現一陣緊
張。

明錫偷瞥男人1要去哪層樓，但是男人1沒有按下任何按鈕。

是因為感受到明錫的視線嗎？

男人1突然回頭看著明錫。

明錫嚇得發抖，在男人1的眼神下，明錫吞了吞口水，幸好電梯

204

門及時打開，門前站了許多人。

男人1先走出電梯，明錫深呼吸後也跟著走出電梯。

S#7.　汪洋法律事務所走道 (室內／白天)

明錫悄悄地跟在男人1的後方。

男人1停在某間會議室門前，明錫也停下腳步。

那一瞬間，啪！突然有人拍了明錫的肩膀，明錫嚇了一跳。

宗哲　　鄭明錫律師？對吧？

明錫　　（驚訝）唉唷，是我沒錯。

宗哲　　我是米爾生命的人資部長文宗哲，我們之前見過一面，你還有
　　　　印象吧？

明錫　　當然，請進會議室。

明錫偷偷地平撫驚訝的內心，

明錫引領宗哲走進會議室。

S#8.　汪洋法律事務所會議室 (室內／白天)

宗哲、明錫、英禑、敏宇及秀妍坐在會議桌前。

英禑　　「倘若公司內部夫妻檔員工任一方均無意申請自願離職，則以
　　　　身為丈夫的員工為對象實施留職停薪。」我不明白為何這項方
　　　　針會被視為歧視女性，這對身為丈夫的員工是不利待遇，反而
　　　　是歧視男性吧？

宗哲　　就是說啊，我就是那個意思！對造律師老是主張我們歧視女性
　　　　員工，我們覺得非常冤枉。

秀妍	（因為坐在宗哲面前，所以講話小心翼翼）嗯…單從字面上解釋確實是如此，但是我們的社會存在著父權價值觀，假如夫妻中只有一人能在職場上班，我們真的能忽視那個人理應是丈夫的偏見嗎？
英禑	（仔細思考）嗯…
敏宇	（看著資料）實際上112對職場夫妻檔中，有98位身為妻子的員工遞交了辭呈。
秀妍	是啊，雖然對身為丈夫的員工而言該項方針是不利待遇，但是最後大多數還是妻子主動離職，而且她們甚至難以抗議，因為丈夫就像是被公司挾持的人質。遞交辭呈的98位妻子員工中，只有2位提出訴訟，想必也是這個原因吧？
英禑	（對宗哲說）公司在制定方針之前，有先全面評估過這些事情嗎？
宗哲	（慌張）什麼？我是說…
明錫	（對律師們說）要在毫無犧牲的情況下進行大規模的內部架構調整，本來就是很困難的事，米爾生命只能在綜合考量下，選擇最有效率的方式。
宗哲	沒錯，就是那樣！我就是那個意思！

明錫似乎是在無意之間幫慌張的宗哲解圍。
敏宇留意地看著兩人。

明錫	提出訴訟的人…是金賢政小姐和李智榮小姐吧？這兩位是什麼樣的員工？
宗哲	就是…她們基本上都沒什麼問題，以金賢政次長的表現來說，甚至可以說是對公司盡心盡力，她曾兩次獲選最佳員工。李智榮代理的工作表現也在一般水準之上。
秀妍	（看著文件）那個…我發現李智榮小姐在離職前經常請特休。

宗哲	我記得她好像是說要去醫院回診…我會再去了解一下。
明錫	關於原告們的資訊越多越有利，請把你手上的資料全數交給我們，雖然不是要找她們麻煩，但是對我們來說，最重要的是掌握這兩個人的情況或弱點。
宗哲	是，我知道了。但是…說到那個對造律師。
明錫	喔，你是說柳齊夙律師嗎？
宗哲	你跟她很熟嗎？
明錫	我跟她沒有私交，我只知道她主要是承接女性、人權或勞動權益等相關案件。
宗哲	她在這個圈子裡很有名嗎？
秀妍	她處理過很多引起社會關注的案件，（看著筆電）例如「善悟種工業承包商裁員案」、「廣日集團女性員工提早退休制案」以及「瓊玉建設塵肺症職災訴訟」等這類案件。
敏宇	不過可能是因為這些案件都是以卵擊石，所以從結果來看，勝訴機率並不高，剛才提到的案件她也全部敗訴了，幾乎可以說是敗訴專門律師…
明錫	請問你對柳齊夙律師有什麼特別的顧慮嗎？
宗哲	是這樣的，她來過我們公司一次…該怎麼說呢？應該說那個女人…很吵嗎？

「很吵？」律師們的表情充滿疑惑

S#9.　法院（室外／白天）

言詞辯論準備日。

賢政、智榮和**柳齊夙**（42歲／女）頭上纏著布條，站在法院前抗議。

賢政和智榮各自拿著「不要向公司透露你們的婚姻狀態！」、

207

「譴責米爾生命的性別歧視架構調整！」的字板，一旁的齊夙就像拿著透明揚聲器一樣，用宏亮的嗓音，

齊夙　　不要向公司透露你們的婚姻狀態！以巧妙手法強迫妻子申請自願離職，進行性別歧視架構調整的米爾生命，覺悟吧！

喊著以上口號。
明錫、英禛、敏宇和秀妍站在遠處傻眼地看著齊夙一行人。

敏宇　　她真的很吵耶。

秀妍　　今天是言詞辯論準備日，她想從抗議活動開始大戰一場嗎？我從來沒見過那種律師。

英禛　　而且她似乎也刻意與原告們一起穿著同色系的服裝，甚至頭上還綁著布條，就像一個團體。

明錫　　就是說啊，她們三個人那麼做，不覺得很像那個嗎？那個⋯

英禛　　《飛天小女警》？

明錫　　什麼？不是耶？是《三劍客》。

英禛　　喔，《三劍客》。

敏宇　　（看著手錶）時間差不多了，我們要先進去嗎？柳明河法官可是出了名的吹毛求疵。

英禛　　（驚訝）柳明河？負責這樁案件的法官是柳明河法官嗎？

敏宇　　是，妳不知道嗎？

明錫　　（對英禛和秀妍說）妳們有遇過柳明河法官，對吧？進行那個脫北者案件的時候。

秀妍　　對，看來他轉調民事合議部了。

英禛　　大事不好了，那位吵鬧的律師，名字不是叫柳齊夙嗎？

秀妍　　（聽到英禛這麼說，恍然大悟）天啊，不會吧⋯她該不會是豐山柳氏吧？

明錫　什麼？怎麼了？

經過第6集的經驗，英祼和秀妍都清楚明河很看重祖籍。

兩人擔心齊夙該不會和明河同樣都是豐山柳氏，內心變得侷促不安。

相反地，明錫和敏宇不懂兩人為何是這個反應，露出傻眼的表情。

S#10.　**法院調解室**（室內／白天）

言詞辯論準備日。

第6集出現過的審判長明河坐在ㄇ字型的長桌頂端正中間，明錫和新進律師們並排坐在其中一邊。

齊夙、賢政和智榮走進調解室，坐在汪洋律師們的對面。

可以原封不動地感受到三人剛才進行抗議活動的熱情和激動。

明錫　庭上，原告們與原告代理人直到剛才都還在法院前面進行與本案相關的抗議活動，我方擔憂那場抗議活動會影響庭上，恐有干預本審判公正性之疑慮。

齊夙　我和原告們只是在進行譴責米爾生命性別歧視架構調整的抗議活動，絕對無意影響這場庭審。

明錫　那麼妳們為何要在法院前面抗議呢？應該要在米爾生命門口進行吧？

齊夙　我們之後也會去米爾生命門口抗議，今天只是因為必須出席言詞辯論準備日，所以才會在法院前進行，我們在哪裡進行抗議，難道還必須跟你們商量嗎？

明錫本來打算對此進行反駁，明河卻突然高舉起手。

審判長的突發行動，讓整個空間變得安靜。

明河直視著齊夙，

明河　辯護人，妳的祖籍是哪裡？

齊夙　喔，我是…豐山柳氏。

「居然真的是豐山柳氏，大事不妙。」

英禑和秀妍的表情變得黯淡。

相反地，遇見同姓、同祖籍的人，明河十分開心。

明河　我也是豐山柳氏！妳的父親是什麼字輩？

齊夙　我父親是…

齊夙本來要回答，話到嘴邊卻突然有所猶豫。

齊夙暫時苦惱了一下，像是下定某種決心般，反問明河。

齊夙　庭上，為什麼不問我的字輩，而是問我父親的呢？

明河　那是因為…通常女生的名字不會放入字輩。

齊夙　因為嫁出去的女兒就像潑出去的水，無法為豐山柳氏家族傳宗
　　　接代嗎？

明河　（猶豫）我是說…

齊夙　庭上，我認為這樁案件的本質就是性別歧視。在《兩性平等基
　　　本法》以及《兩性就業平等法》等，國內法律都明文禁止性別
　　　歧視，我身為一名女性，對於以自身偏見認定女性姓名中不會
　　　使用家族字輩的庭上，我深感擔憂，恐有無法公正檢視本案的
　　　本質問題之疑慮。

明河　什麼？

「我深感擔憂，恐有無法公正檢視本案的本質問題之疑慮。」
齊夙的大膽發言不只讓明河驚訝，更是讓整間調解室裡的人都
像冰塊一般凍僵。

齊夙　我的姓名，柳齊夙中的「齊」是豐山柳氏第26代孫所使用的字
　　　輩，庭上姓名中有「河」字，我想你應該是第27代孫，對嗎？
明河　沒…沒錯。
齊夙　那麼一來，我是庭上的嬸嬸輩呢，當然你大可不必叫我嬸嬸。

　　　在所有人不知道該說什麼，溫度突然驟降的氣氛裡，只有齊夙
　　　開心地笑著。
　　　就在英禑在心裡暗自感嘆著齊夙勇敢到近乎莽撞的態度時，明
　　　錫心想「是現在嗎？」開始挑戰轉換話題。

明錫　庭上，容我再說一次原告們與原告代理人的抗議…
明河　（打斷明錫說話）不會造成任何問題。
明錫　什麼？
明河　我認為那場抗議不會對我的審判獨立性有所影響，所以那不會
　　　造成任何問題。
明錫　什麼？
齊夙　謝謝庭上。

　　　明河的反應讓明錫感到鬱悶，與之不同的是，
　　　齊夙從容地微笑應對。
　　　明河雖然不大服氣，卻還是稍微有在看嬸嬸輩的齊夙臉色。

S#11.　英禑家的客廳（室內／晚上）

光顯坐在客廳桌前削蘋果。

英禑用叉子叉起一塊蘋果，坐在沙發上說著自己的煩惱。

但是光顯從剛才就有話想說，心不在焉地聽著英禑的煩惱，等待著開口的時機。

英禑	我不喜歡「脈絡」這個詞語，那跟「氛圍」一樣難懂。以前學習法律時，不需要掌握隱藏在文字背後的脈絡和氛圍，我覺得那樣很棒，但是有些案似乎不能忽略那些部分。雖然我無法告訴你詳細內容，不過言簡意賅來說就是，即使只是一項看似中立的決策方針，只要把隱藏在文字背後的父權社會脈絡考慮進去，就有可能形成性別歧視…
光顯	（無法繼續忍耐，開始說出自己要說的話）那個，英禑。
英禑	什麼？
光顯	妳是不是…有交往對象了？
英禑	為什麼突然那麼問？這個問題背後也有我無從理解的脈絡嗎？
光顯	沒有啦，只是…想問妳有沒有交往對象？
英禑	那個…沒有。
光顯	（驚訝）沒有嗎？那怎麼隨便跟人接吻？天啊，我都不知道我女兒是走好萊塢路線的啊！這就是美國風格嗎?!
英禑	你怎麼知道我跟人接吻？
光顯	我還能怎麼知道，妳這傢伙！竟然直接在家門前接吻，簡直是故意要讓我看見的，妳說啊?!妳這小鬼頭！親了之後還說什麼？沒有交往對象？
英禑	我們還沒有討論過交往方面的事，目前是在交往前先透過約會瞭解彼此的階段。
光顯	那小子根本是個無賴！他還沒跟妳提交往，嘴唇就先貼上來了嗎？是誰？妳說啊？帶他回來見我！我要親眼鑑定那傢伙的為人！

既是好奇，又是驚訝，還有點生氣…

光顯的心情像是在坐雲霄飛車般翻來覆去。

情況突然變成這樣，英禑愣在原地。

S#12.　　明錫的辦公室（室內／晚上）

明錫今天同樣要加班。

胡亂咬著當作晚餐的漢堡，走進了辦公室。

手上的購物袋裡裝著似乎是剛買回來的的護身用品。

明錫把三截棍、電擊棒、瓦斯槍等物品拿出來，藏在辦公室各個角落。

明錫練習著各種假設載鎮攻擊自己的情況。

像是迅速地從抽屜裡取出並甩開三截棍，

快速地拿出並啟動藏在電腦旁邊的電擊棒，

舉起收在窗邊花盆底下的瓦斯槍並瞄準射擊，

在寬敞的辦公室裡，明錫獨自練習的模樣顯得十分可憐又令人哭笑不得。　　　　．

S#13.　　法庭（室內／白天）

第一次言詞辯論期日。

包含明河在內，共有3位法官坐在法官席上，原告方為賢政和智榮，明錫和新進律師們則坐在被告方。

齊夙正在詰問證人席上的宗哲。

齊夙　　「倘若公司內部夫妻檔員工任一方均無意申請自願離職，則以身為丈夫的員工為對象實施留職停薪。」米爾生命訂定這項方針的意圖為何？是想剝奪丈夫的工作機會，藉由威脅身為妻子

的員工，最終引導女性員工選擇離職嗎？

宗哲　不是的！我們米爾生命是尊重女性的公司，即使是在架構調整的情況下，我們仍為女性員工訂定更有保障的方針。

齊夙　（看著文件）「身為妻子，妳真的想阻礙丈夫的前程嗎？」、「媳婦出門上班，兒子卻遊手好閒，哪有公公婆婆會喜歡這種畫面？這種時候妳就得好好扮演賢內助的角色。」、「丈夫沒工作會變成無業遊民，但是妻子沒了工作還可以當全職家庭主婦，妳想讓妳老公過著丟臉的窩囊人生嗎？」這是你對原告說過的話，你還記得嗎？

宗哲　記得…

齊夙　你剛才說「米爾生命是尊重女性的公司，並為女性員工訂定更有保障的架構調整方針。」不是嗎？可是文宗哲先生，你卻透過面談積極地勸說女性員工們申請自願離職，你承認這些事嗎？

宗哲　那只是…我在分享我的看法，和公司的方針無關，只是我的個人意見。

齊夙　請你不要胡說八道。

明錫　庭上，現在這種詰問方式是在侮辱證人，非常不恰當，請約束原告代理人，別讓她越線。

齊夙　文宗哲先生身為米爾生命的人資部長，在上班時間代表公司與原告們進行面談，他在勸說員工們自願離職的嚴肅場合中，隨意發表個人意見和看法，我應該認為這是合理的嗎？（直視著明河）我並不那麼認為！柳明河審判長！

嬸嬸輩的齊夙以強調的語氣唸出自己的名字，
姪子輩的明河微微顫抖。
今天齊夙的胸口掛上一個小小的名牌。
名牌裡「柳齊夙」的名字所帶來的壓迫，讓明河嘆了一口氣。

明河	文宗哲先生，你當時代表米爾生命與原告們進行面談，你承認這個事實嗎？
宗哲	是…不過…
明河	（打斷宗哲說話，對書記官說）請按照這樣記錄。

最終，明河再一次地稍微站在齊夙那邊。
明錫鬱悶地嘆氣，齊夙看著明錫和新進律師的模樣，露出開朗的微笑。

CUT TO：
稍後，輪到人資部員工妍希坐在證人席。
明錫正在詰問妍希。

明錫	證人，當妳聽到公司的架構調整方針的時候，妳有什麼想法？（完整複述剛才齊夙的提問）妳會認為公司是「想剝奪丈夫的工作機會，藉由威脅身為妻子的員工，最終引導女性員工選擇離職嗎？」
妍希	不，如果我是那麼想，那身為妻子的我就會離職了，以我們夫妻來說，是由我老公申請自願離職，我沒有感受到公司架構調整方針中的性別歧視，但是反向性別歧視就不好說了。
明錫	證人，妳也有和文宗哲先生進行面談吧？
妍希	有。
明錫	文宗哲先生也有對妳說過「身為妻子，妳真的想阻礙丈夫的前程嗎？」類似這樣的話嗎？
妍希	我不大記得了，因為並不是那麼重要的內容，我記得的是如果申請自願離職，公司會給付相當於13個月薪水的離職金，並且提供轉為約聘員工的工作機會。
賢政	「轉為約聘員工的工作機會」？說得好像轉約聘員工是什麼天

大的優惠呢，那是他們以架構調整為藉口，蓄意將女性員工們轉為約聘員工！

賢政不自覺地脫口而出。
在明河示意賢政保持肅靜前，妍希回答道。

妍希　這是性別歧視、那是正職轉約聘⋯我不明白總是有主見又聰明的人們，這次為什麼會聲稱自己被文部長施壓，被迫做出非自願的選擇。公司因為架構調整和併購事宜已經很混亂了，現在還得要打官司⋯留在公司的員工真的很辛苦。

聽到妍希的大力斥責，賢政和智榮感到慌張。

明錫　我方詰問完畢。
明河　原告代理人，請進行反詰問。

齊夙從座位上起身走向證人席。
對妍希露出真心憐憫的表情。

齊夙　妳老公病得很嚴重吧？聽說他最近剛做完大腸癌手術。

突然聽到有關個人私事的提問，妍希非常驚訝。
必須針對私事提問的齊夙，內心也不大舒服。

妍希　是⋯但那並不是我老公離職的原因，就算他沒有生病，我們夫妻也會做出和現在相同的決定！
齊夙　在妳老公動手術之前，妳得到了一個月的帶薪休假吧？對於必須進行大規模架構調整，處境艱難的公司來說，那是破格提供

的福利，妳出庭作證的理由，和妳享有那個福利有關聯嗎？

妍希無法作出任何回答，臉色脹紅。
任誰看都覺得妍希出庭作證與享有休假福利有所關聯。
代表米爾生命坐在被告席的宗哲嘆了一口氣，坐在一旁的汪洋律師們表情也變得黯淡。

S#14.　法院（室內／白天）

庭審結束後，妍希像是逃跑般離開法院，卻聽見後方賢政叫著自己的聲音。

賢政　　崔妍希代理！

妍希無法裝作沒有聽到，猶豫了一下之後轉身回頭。
賢政和智榮走向妍希。

賢政　　妳老公的手術還順利嗎？我們竟然為了打官司…連最重要的探病都沒去！
妍希　　喔，沒關係啦，手術很順利，癌細胞也沒有轉移…醫生說他沒事。
賢政　　（表情變得開朗）真的嗎？真是太好了！
智榮　　（同樣露出開朗的表情）真的！真是太好了！

即使剛才說出對她們不利的證詞，聽到丈夫手術順利，卻一樣像親姊姊般為自己感到開心的前同事們，妍希看著兩人，內心感到五味雜陳。
賢政似乎看穿妍希心中的想法，

217

賢政	不要太有壓力，專心照顧妳老公吧，每個人本來就會有不同的想法…如果我處於妳的立場，我一樣也會出庭作證。
妍希	金次長…

妍希心中的感受難以言喻，眼角噙著淚水。
智榮試圖轉換氣氛，充滿活力地說，

智榮	崔代理，妳有吃過前面那家鯛魚燒嗎？可能是因為開在法院前面，口味非常公道，我們一起去買鯛魚燒來吃吧。
妍希	什麼？我下次再…
賢政	唉唷，吃一個再走吧，如果我們還一起在公司上班，現在剛好就是點心時間啊。
妍希	對不起…我真的非常抱歉…

妍希開始哭泣。
看見妍希哭泣的模樣，賢政和智榮也止不住淚。
較晚走出法庭的齊夙看著相擁哭泣的三個人。
齊夙似乎能懂她們為什麼哭，眼眶也跟著變紅。

S#15. 法院門口 (室外／白天)

走出法院的明錫和新進律師們前去搭車，看見智榮從遠處拿著鯛魚燒紙袋跑了過來。

智榮	不好意思！

汪洋律師們一致停下腳步，等待智榮過來。
智榮氣喘吁吁地遞出裝有鯛魚燒的紙袋。

明錫	這是什麼？
智榮	這是鯛魚燒，我們順便買了你們的，吃完再忙吧。
明錫	喔，好，謝謝。

明錫這才接過智榮遞過來的鯛魚燒紙袋。

此時，英禣注意到從智榮包包的前側口袋裡微微露出來的鑰匙圈。

鑰匙圈上掛有像是某種象徵標誌的獨特金屬裝飾。

智榮	那我先走了！

智榮回頭走向遠處等待著她的三劍客一行人。

敏宇	買鯛魚燒請對造律師吃…還真是游刃有餘。
秀妍	她們覺得自己勝券在握嗎？
明錫	的確是勝券在握啊。（覺得目前的情況很鬱悶，嘆了一口氣）我們走吧。

聽見明錫的催促，一行人移動腳步。

S#16. 廂型車 (室內／白天)

搭著廂型車從法院回汪洋的路上。

潘浩開車，敏宇坐在副駕駛座，明錫、英禣和秀妍坐在後排。

雖然大家人手一個鯛魚燒，但是車裡瀰漫著一股對庭審甚是煩惱的氣氛。

明錫打破沉默。

明錫	濬浩，我想我們應該需要暗中調查原告們。
濬浩	暗中調查嗎？
明錫	嗯，有沒有什麼線索能證明原告們是自發性離職的？當然，她 們一定不是真心想離職，但是至少要有一些證據來證明她們當 時認為自願離職是最佳選擇。
濬浩	是，我會找找看。

此時，英禊注意到路過的計程車，車身上貼著的廣告。
那是和智榮鑰匙圈上的金屬裝飾一模一樣的象徵標誌。
英禊試圖探頭讀出那個標誌旁邊的文字，但是計程車旁的卡車
後半部擋住了英禊的視線。

英禊	那個⋯計程車。（指著計程車）我想看那輛計程車身上的廣告。
濬浩	什麼？計程車？

此時，紅綠燈切換燈號。
濬浩停下時，計程車違反燈號，左轉往前開。

英禊	那輛計程車的車身廣告上，印有和李智榮小姐的鑰匙圈吊飾一 模一樣的標誌，我想確認那是什麼。
敏宇	（有點煩躁）我們為什麼要確認那個？
秀妍	就是說啊，妳又想做什麼無謂的⋯

此時，燈號轉換為綠燈。
濬浩的眼神變得堅決，

濬浩	（打斷秀妍說話）大家都繫好安全帶了吧？

220

濬浩大力踩下油門，幾乎是以甩尾的方式左轉。

律師們全數倒向一邊，緊緊抓住安全帶和鯛魚燒。

濬浩看見遠在前方的計程車。

以神靈附體般的駕駛技術表演，超越路上一輛又一輛的車，緊追著那輛計程車，每當濬浩變換車道，律師們的臉色就變得更加蒼白。

濬浩　　禹律師！請仔細看清楚！

不知不覺間，濬浩已經跟到那輛計程車正後方。

濬浩驚險地變換車道，超越那輛計程車。

多虧濬浩的跟車技術，英禑看見了印在計程車車身廣告上的象徵標誌，標誌旁邊寫著「不孕症專業治療，希望女性醫院」的字樣。

英禑　　（像是在自言自語）不孕症專業治療，希望女性醫院？

那一刻，英禑恍然大悟，眼神閃閃發光。

INSERT：

一隻鯨魚用力跳躍至湛藍海面之上。

CUT TO：

再次回到車裡。

依然緊握安全帶和鯛魚燒的律師們，

以「現在夠了沒？」的表情看向英禑。

濬浩　　禹律師，有看到嗎？沒看到的話要我迴轉開回去嗎？

英祿　　（陷入沉思）根據米爾生命的出缺勤紀錄，李智榮小姐在離職前經常請特休假，也很常提早下班，萬一這些行為⋯都是為了接受不孕症治療呢？

S#17.　汪洋法律事務所影印室（室內／白天）

敏宇站在斗大的影印機前面，正在影印某個東西。

敏宇回想起不久前守美交付給自己的任務。

FLASHBACK：

第11集，守美的辦公室。

坐在辦公桌前的守美以及站在守美面前的敏宇。

守美　　你剛才說你和禹英祿律師一起工作，對吧？

敏宇　　是。

守美　　你有辦法讓禹英祿律師離開汪洋嗎？

敏宇　　什麼？

守美　　不管是自請離職還是被炒魷魚，都無所謂。

CUT TO：

現在，影印室。

敏宇依舊看著正在影印的「某個東西」。

那是一年前汪洋寄給米爾生命的「法律諮詢意見書」。

「有關公司內部夫妻檔員工架構調整方針之審查」的主旨十分顯眼，敏宇看著這份文件，眼神變得堅決。

S#18.　英祿的辦公室（室內／晚上）

狐狸般的敲門聲。

英禑坐在辦公桌前工作，在英禑要說些什麼應門之前，敏宇就自顧自地開門走了進來。

手上拿著一個信封。

敏宇　妳在做什麼。

英禑　我在⋯工作。

敏宇　原來妳在工作，我可以在這裡坐一下吧？

這次敏宇也是在聽到英禑回答之前，就逕自坐在招待訪客用的沙發上。

雖然英禑覺得現在的情況不大自在，但是也不知道該說什麼，只能欲言又止地待在原地。

敏宇　禹英禑律師，妳覺得在大型律所工作怎麼樣？

英禑　什麼？

敏宇　我有時候會覺得⋯有點掙扎。妳也知道，在大型律所工作，有時候必須去做不正義的事，有時候甚至需要欺負弱者，因為能請得起我們這種高價律師的人，通常都是有錢有勢的強者。

似乎是覺得在大型律所工作太過煎熬，

敏宇嘆了一口氣。

雖然不大明白敏宇要說什麼，英禑卻還是靜靜地傾聽。

敏宇　妳知道米爾生命會以那種方式進行架構調整，都是誰想出來的主意嗎？

英禑　什麼？

敏宇　是我們。

英禍	什麼？
敏宇	是汪洋出的主意，我看過去年汪洋寄給米爾生命的法律諮詢意見書，上面寫得清清楚楚。「必須在形式上給予丈夫不利待遇，才不會遭控性別歧視。即使金額不高，仍應給付離職金，以利日後主張員工為自發性離職。轉為約聘員工一事，建議包裝成專屬離職員工的福利」。這些都是汪洋教給米爾生命的把戲。
英禍	那麼…米爾生命打從一開始，就是打算開除女性員工，才會制定那種方針嗎？
敏宇	是啊，他們以併購為由，解僱了近百名女性員工，其中絕大多數都轉為約聘員工，為了避免日後衍生爭議，米爾生命事先向大型律所諮詢，這是手法非常巧妙的性別歧視。

英禍的表情變得嚴肅。
敏宇小心翼翼地觀察著英禍的反應，接著說下去。

敏宇	要是她們三劍客能夠證明這件事，那她們還有勝算…但是應該很難吧。我看柳齊夙律師上電視的樣子，辦公室看起來就像一間小雜貨店，那樣的環境有辦法讓她好好調查案件嗎？就算她想要雇用潗浩這樣的員工幫忙，也會因為沒有錢而作罷吧。

似乎是非常心疼三劍客的處境。
敏宇再次深深嘆氣。

敏宇	唉唷，我不能再發牢騷，要回去工作了。

敏宇正準備起身走向外面，卻似乎突然想起了什麼，回頭走向英禍，從手上的信封裡拿出意見書遞給英禍。

敏宇　　這份文件就是那個意見書，剛才我說的內容都寫在裡面，妳有興趣讀一下嗎？

英禑直接用字面上的意思，理解「妳有興趣讀一下嗎？」這句話，真的開始發出聲音閱讀意見書。

英禑　　主旨，公司內部夫妻檔員工架構調整方針之審查，收件者，米爾生命股份公司，寄件者…

敏宇　　（慌張地打斷英禑說話）不是，我不是叫妳馬上在我面前讀出來。

英禑　　喔…

英禑這才理解敏宇的意圖。

英禑抬頭看向敏宇，表情顯得有點難為情。

S#19.　明錫的辦公室（室內／晚上）

明錫坐在辦公桌前，英禑站在明錫面前。

英禑將剛才敏宇給她的信封遞給明錫。

明錫　　這是什麼？

英禑　　這是去年汪洋寄給米爾生命的法律諮詢意見書，鄭明錫律師，請問你也知道意見書裡面寫著什麼樣的內容嗎？

明錫從信封裡取出意見書，輕嘆一口氣。

明錫　　我當然知道，妳又是怎麼找到這個的？

英禑　　那麼汪洋真的有幫助米爾生命解僱女性員工嗎？汪洋真的教了他們如何在不牴觸法律的情況下，巧妙地遂行性別歧視的手法嗎？

明錫	妳不能用那種方式表達，我們只是提供建議，讓委託人在不會衍生法律問題的情況下，得以順利達成目標。
英禑	如果我們贏得這場訴訟，我們就成為優先解僱女性員工合法化的推手，而且還利用那種卑鄙的方法⋯把李智榮小姐接受不孕症治療的事實視為問題所在，真替那隻奮力躍起，讓我發現希望女性醫院標誌的鯨魚感到不值。
明錫	（傻眼）什麼？鯨魚？
英禑	如果無法放棄米爾生命的訴訟代理，能不能至少不要提到李智榮小姐接受不孕症治療的事？身為律師，即使無法貢獻自身心力，讓世界變得更美好⋯
明錫	（打斷英禑說話，勃然大怒）禹英禑律師！誰告訴妳律師的工作是貢獻自身心力，讓世界變得更美好？
英禑	什麼？
明錫	律師該做的是「辯護」，維護委託人的權利，竭盡全力地辯護，防止委託人面臨損失，那就是我們的本分。我們所具備的法律專業知識是要展現在這些地方，而不是讓世界變得更美好。況且有什麼事能讓世界變得更美好？那應該交由法官來判斷吧？
英禑	「律師以保障基本人權及實現社會正義為使命。」這是《律師法》第1條第1項規定。
明錫	（再次勃然大怒）就是說啊！我們現在不就是在保障米爾生命的權益嗎？至於哪一方代表社會正義，那應該由法官來判斷，不關我們律師的事！
英禑	（留意地看著明錫的表情）你現在⋯是在生氣嗎？
明錫	（仍然用勃然大怒的語調，為自己開脫）沒有啊?!我哪有生氣?!
英禑	即使你的眉毛下沉、顴骨抬高、鼻孔不斷開合，也不算在生氣嗎？這些都是人類生氣時會出現的典型特徵。

「就是說啊，我為什麼這麼生氣？」

明錫對自己的行為感到慌張。

努力地讓自己的眉毛上揚、顴骨下沉，讓鼻孔冷靜下來。

明錫　　算了，妳去仔細調查不孕症治療的事，到時候好好詰問李智榮小姐。如果妳不詰問，我就會親自出馬。

S#20.　**水族館售票亭前 (室外／白天)**

某間水族館的售票亭前。

英禩和瀋浩頭上戴有巨大海豚模樣的帽子，兩人手上各拿著一塊字板。

字板上分別寫著「停止展示海豚，將牠們放歸海洋」、「請不要在水族館和海豚見面，到大海中找牠們吧」。

兩人正在進行第10集裡，英禩遞給瀋浩「約會時要做的事」目錄中的「為聲援解放海豚的雙人抗議活動」。

行人（20多歲／女）拍下兩人的照片，瀋浩不好意思地低下頭來。

同時，英禩在抗議過程中，也陷入自己的煩惱當中，喃喃自語著。

英禩　　現在這個時間，米爾生命門口也有一場抗議活動，我卻裝作不知情，在這裡發起另一場抗議活動。（嘆氣）我不知道這麼做對不對。

瀋浩　　妳並不是以律師身分發起釋放海豚的抗議活動啊，因為我們正在約會。

英禩　　那麼身為律師，我到底該怎麼做？依照鄭明錫律師的說法，我應該要將判斷是非對錯的職責交給法官，自己專心為委託人辯護就好嗎？

瀋浩　　我在汪洋工作這段時間，真的看過很多律師都曾為這件事煩惱

227

過，無論是新進律師、初級律師或是資深律師都一樣。

英禍　（驚訝）真的嗎？

濬浩　對啊，的確有些律師像鄭明錫律師一樣找到並依循著自己的解答，也有些律師不斷地為此煩惱與動搖，也有些律師因為這些煩惱，最終選擇離開汪洋。

英禍　是因為汪洋是大型律所嗎？

濬浩　但有趣的是，沒有任何地方比大型律所更加積極地參與公益活動，我敢說國內沒有任何律所能像汪洋和泰山一樣，接下那麼多公益案件。

英禍　（嘆氣）好困難…聽了你這麼說，我覺得更難了。

濬浩　這並不是能馬上得出結論的問題啊，就給自己一點時間，慢慢地思考吧，不管妳做出什麼結論，我都會支持妳。

濬浩看著英禍，露出微笑。
即使頭戴海豚帽子，依舊無法遮住濬浩的帥氣樣貌，濬浩的微笑讓英禍感到踏實。

S#21.　法庭（室內／白天）

第二次言詞辯論期日。
也許是因為三劍客在這段時間內進行的抗議活動，有別於第一次庭審，這次有許多記者、女性及勞動權益團體的成員們參與旁聽。
人們的關注讓三劍客充滿力量，卻讓汪洋的律師們感到有點畏縮。智榮坐在證人席，英禍猶豫不決地走向智榮。

英禍　原告，請問妳是在什麼時候知道米爾生命要被德國保險公司SB生命收購？

228

智榮	大概是…去年知道的。
英禑	去年妳經常請特休假,其中連續幾個月期間,甚至一週提早下班3次,請問是為什麼呢?
智榮	因為我得去醫院回診…(像是在辯解)我只有去年那樣,我進公司8年來,從來沒有像去年那麼頻繁請假過。
英禑	妳去的那家醫院,院名是什麼?
智榮	希望女性醫院。
英禑	希望女性醫院,是專門治療不孕症的婦產科吧?
智榮	是…

因為有新的資訊出現,法庭裡出現微微的騷動。
齊夙和賢政感到緊張。

英禑	如果要接受不孕症治療方式之一的試管嬰兒療程,一個月內必須每週回診3次,如果是上班族,可能得要提早下班,進行取卵及胚胎植入的日子,則必須請特休假。原告,請問妳是為了接受試管嬰兒療程,才經常提早下班並請特休假的嗎?
智榮	是。

英禑猶豫著該不該說出準備好的下一句話。
但是最後還是選擇開口。

英禑	那麼一來,申請自願離職對妳來說,應該是個能專心接受不孕症治療的好機會吧,因為妳本來就有懷孕的計劃。
智榮	那個…跟這場官司有什麼關聯?雖然我最後並沒有順利懷孕,但是如果成功了,我也打算繼續留在公司上班。

雖然智榮的反應在英禑的預料之中,也針對這樣的反應有所準

備，但這次英禩無法輕易開口。

秀妍看不下去英禩的猶豫不決，突然起身代替英禩發言。

秀妍　　《勞動基準法》規定女性受雇者於分娩日的前後90天應享有帶薪休假。上次言詞辯論期日，原告代理人提到證人崔妍希小姐得到了一個月的帶薪休假，並認為「對於必須進行大規模架構調整，處境艱難的公司來說，那是破格提供的福利」。那麼90天的產假不也是如此嗎？

齊夙　　我有異議！原告接受試管嬰兒療程，是早在被勸說自願離職前就發生的事，原告接受不孕症治療和自願離職無關。

明河　　那個…駁回異議。（對英禩說）被告代理人，請繼續詰問。

明河小心翼翼地駁回異議，避開齊夙的視線。

英禩下定決心，語調強硬地繼續詰問。

英禩　　原告，請據實以告，妳當初是否認為，與其留在陷入危機的公司苦撐，不如把握機會請領離職金並辭掉工作，然後專心備孕比較好？

即使智榮並沒有這麼想，一時之間卻也想不出該如何反駁。

智榮慌張且無助的表情令人心疼。

英禩看著面前的智榮，內心也跟著變得沉重。

S#22.　**法院走道**（室內／白天）

法院裡女生洗手間前方走道。

英禩離開洗手間，齊夙跟著走了出來，向英禩搭話。

齊夙	不好意思！

英禖被突然靠近自己的齊夙嚇到。
猶豫著不知道該怎麼應對，

英禖	我叫禹英禖，正著唸、倒著唸都一樣，黑吃黑、多倫多、石榴石、文言文、鹽酸鹽、禹英禖。
齊夙	我叫柳齊夙，（好像應該要加點什麼）倒著唸的話是夙齊柳？
英禖	嗯…是。
齊夙	我在報紙上看過妳的報導，大韓民國首位自閉症律師，我很好奇這位人物以後會成為怎麼樣的律師，結果…妳去汪洋工作了啊，還以為妳會去更酷的地方工作。
英禖	更酷的地方？
齊夙	是啊，舉例來說像是「柳齊夙法律事務所」之類的地方。
英禖	（無法理解齊夙的話中之話）那個…
齊夙	比起為米爾生命那種客戶辯護，妳不覺得跟勇敢的女性勞工站在同一陣線更酷嗎？

不知道該怎麼回答齊夙，英禖感到非常混亂。
英禖先試著複述明錫說過的話。

英禖	律師該做的是「辯護」，維護委託人的權利，竭盡全力地辯護，防止委託人面臨損失，那就是律師的本分。和怎樣的委託人站在同一陣線，關於這部分的價值判斷並不是律師的職責。
齊夙	可是律師也是人啊，而且和法官與檢察官不同。
英禖	什麼？
齊夙	雖然都在司法體系工作，但是法官和檢察官是辦事的「官」，律師則是代表儒生的「師」，每一樁案件對於法官和檢察官而言，可能

只是工作，但是律師不一樣，我們作為儒生，也就是作為一個人，坐在委託人的旁邊，告訴他們「你並沒有錯」、「我支持你」，握緊他們的手，也都是我們該做的事。為此，我們就必須自行判斷，為怎樣的委託人辯護才是正確的，我們總騙不了自己吧。

聽到齊夙這麼說，英禑腦海裡的想法更加複雜。
同時，敏宇在遠處發現英禑和齊夙對話的模樣。
為了讓身旁的明錫和秀妍看見，故意指向英禑的方向。

敏宇　　咦？禹律師和柳齊夙律師在一起耶，她們兩位在聊什麼呢？
明錫　　嗯，就是說啊…

如同敏宇的意圖，明錫和秀妍訝異地看著英禑和齊夙，敏宇的表情暗自開朗了起來。

S#23.　汪洋法律事務所17樓走道（室內／晚上）

敏宇手上拿著一張小小的紙，正準備要打開已關燈的英禑辦公室，卻被正要下班的秀妍發現，敏宇打了個冷顫。
秀妍感受到某種不尋常的感覺，向敏宇追究。

秀妍　　你在做什麼？
敏宇　　怎樣？

敏宇裝作若無其事地回應，並將手上那張紙悄悄放進口袋裡。

秀妍　　你不是正要進去英禑的辦公室嗎？有什麼事嗎？
敏宇　　奇怪，妳是什麼黑吃黑、多倫多的守護者嗎？妳幹麼這樣？我

也會有事要找禹律師啊。

秀妍　英禧剛才跟澔浩出去了，你看到辦公室暗著還不知道嗎？

敏宇　禹律師和澔浩去哪裡？這麼晚了耶？

「什麼啊，你還不知道他們兩個是什麼關係嗎？」秀妍心想，欲言又止。

秀妍　你跟澔浩住在一起，連這個都不知道嗎？他們兩個…

敏宇　他們兩個怎樣？

秀妍　他們兩個在交往啊。

聽到初次耳聞的消息，敏宇非常驚訝。

敏宇　他們兩個在交往？為什麼？

秀妍　哪有什麼「為什麼？」就是因為想交往而交往啊，總之我看到你就煩。

秀妍認為敏宇的「為什麼？」裡帶有「澔浩為何要和英禧那種人交往？」的意思，心情變得很差。
故意撞開敏宇，走了過去。
敏宇愣在原地了一下子，而後馬上回過神來，走進英禧的辦公室。

S#24.　英禧的辦公室 (室內／晚上)

敏宇偷偷進入空無一人的辦公室。
在辦公桌上整理得有條不紊的文件中，找出上次自己拿給英禧的信封。

裡面放著一年前汪洋寄給米爾生命的法律諮詢意見書。

敏宇拿出口袋裡剛才藏起來的小紙條，貼在信封的「收件人」
欄位。
小紙條上寫有「柳齊夙法律事務所」的地址。
敏宇接著拿出一張英禑放在辦公桌上的名片，放入信封裡，將
封口處黏貼起來，就這麼假扮英禑，完成了把汪洋的法律諮詢
意見書寄給齊夙的事前準備。

S#25. 巷弄（室外／晚上）

英禑和澔浩一起走在英禑家附近的巷弄。
快要抵達英禑家了，英禑突然停下腳步，東張西望。

澔浩　　（跟著一起東張西望）怎麼了？妳在找什麼？

英禑　　我在找我爸爸。

澔浩　　什麼？

英禑　　因為我爸說上次看到我們接吻。

澔浩　　什麼？

英禑　　他叫我帶你去見他，但我不會這麼做，因為我們還不是交往中
　　　　的關係。

澔浩　　我們還不算在交往嗎？

英禑　　嗯…我們不是還沒有談論過那方面的事嗎？

澔浩　　喔…？

英禑　　（突然感到混亂）還是有談過？我們正在交往嗎？

澔浩　　如果我們不是在交往，我為什麼要在假日為了釋放海豚進行抗
　　　　議？

英禑　　什麼？你不同意釋放海豚嗎？

234

濬浩	我同意啊，但是抗議這種事…不大適合在假日進行啊，因為那不是有趣的事。

聽到濬浩這麼說，英禑受到了很大的衝擊。

英禑	那不是…有趣的事嗎？
濬浩	老實說，妳列的那份清單。
英禑	「約會時要做的事」嗎？
濬浩	是，那對我來說…有點陌生，通常人們約會的時候不會做清單上的那些事，像是「沿著漢江邊慢跑邊撿垃圾」。

MONTAGE：

以蒙太奇手法呈現英禑和濬浩執行「約會時要做的事」清單上的時光。

S#26. 漢江公園（室外／白天）- 過去

幾週前，清晨的漢江公園。

畢竟是約會，濬浩講究地穿上全新的運動服，看見遠處搖搖晃晃地朝自己走來的英禑，著實嚇了一大跳。

那簡直是完美呈現「邊慢跑邊撿垃圾」的主題，英禑頭戴登山用的頭燈，雙手戴上麻布手套，拿著長長的夾子，背上甚至背著用來裝垃圾的龐大籮筐。

CUT TO：

現在，巷弄。

濬浩	（因為再次回想起而顫抖）那天妳…真的只有在撿垃圾。天越來越

235

亮，妳卻還是一直撿…撿到那個大籃筐都裝滿了…除了我們，
還有誰會進行這種約會？

英禑　我們也有進行一般的約會，舉例來說…（思考了一下）美食巡禮。

澔浩　但那是海苔飯捲美食巡禮啊！我們整天都只吃海苔飯捲！

英禑　那份清單上也有你想做的事，你說想去遊樂場，所以我們就一
　　　起去了，雖然那裡很吵雜，但我還是忍住了。

澔浩　可是我們去了遊樂場之後，三個小時內都在玩大家來找碴！

S#27.　遊樂場（室內／白天）- 過去

幾天前的遊樂場。

英禑和澔浩並肩坐在大家來找碴的遊戲機前面。

遊戲以用手點擊，找出圖片裡不同之處的雙人競爭模式進行，但
是每當一出題，英禑就以驚人的速度找出圖片裡的不同之處。

英禑面無表情，快速地點擊畫面的模樣，就像天生就要玩大家
來找碴的機器人。

澔浩　哇！妳好厲害！

澔浩根本無法出手去碰遊戲機畫面，一邊微笑一邊試著和英禑
搭話，但是英禑全心專注在遊戲題目裡，頭上戴著頭戴式耳
機，根本沒有聽見澔浩在說話。

CUT TO：

再次回到現在，巷弄。

澔浩　因為妳太厲害了，我覺得一點都不好玩。

英禑　那麼…那麼你為什麼還要繼續跟我約會呢？既然一點都不好玩

的話？

澹浩 （鬱悶）因為我喜歡妳啊！因為喜歡妳，所以願意進行釋放海豚
的抗議活動、邊慢跑邊撿垃圾，還有陪妳去海苔飯捲美食巡
禮。但是我們竟然還不算正式交往嗎？我真的太…（想著要怎麼說
下去）太失落了！

英禎 喔…

英禎不知道要怎麼安慰失落的男人，
愣在原地。

S#28. 法庭 (室內／白天)

第三次言詞辯論期日。
旁聽席上的人比第二次言詞辯論期日還多。

明河 原告代理人，妳提交了新證據對吧？

齊夙 是，庭上。這項證據能證明米爾生命從一開始就以解僱女性員
工為目的，經過縝密計劃，才訂定了現在這項帶有性別歧視的
架構調整方針，是某位匿名檢舉人寄來我們辦公室的。

「匿名檢舉人？」齊夙的一句話讓旁聽席上的人議論紛紛。
敏宇看著齊夙放在桌上的文件信封。
和那個放有汪洋法律諮詢意見書和英禎名片的信封長得相似，
呈現打開狀態的封口，顯示齊夙已經拆開這份文件了。
「現在柳齊夙就要從那個信封裡拿出法律諮詢意見書作為證據
繳交了吧？」
敏宇暗自期待，內心既緊張又激動。
但是齊夙從信封裡拿出來的並不是汪洋的法律諮詢意見書，而

是封面有著大大的米爾生命標誌的業務記事本。

「那是什麼？」敏宇的表情混雜著失望和好奇。

齊夙抬頭挺胸地走向明河面前，交出記事本。

齊夙　　我方將提交米爾生命人資部長文宗哲先生的業務記事本正本。
　　　　有疑義的頁面已另外掃描，今天另以影本提交。

明錫　　（小聲地對宗哲說）那是你的記事本沒錯嗎？

宗哲　　（坐立不安，小聲地說）那是去年公司發給員工的，我的那本應該
　　　　在我的辦公室耶？

此時，設置在法庭裡的大投影幕顯示出記事本裡的某一頁，可
以看見宗哲以潦草字跡寫下的筆記。

〈筆記內容〉

「崔常務來電。

此次無薪假後，只能以解僱處理，沒有復職選項。

對夫妻檔員工——尤其女性員工——公告對丈夫的不利待遇。

先透過丈夫，誘導女性員工申請自願離職。」

齊夙　　我們透過記事本可以發現，文宗哲先生有隨筆記錄通話內容的
　　　　習慣，那些筆記是去年4月他和米爾生命崔丞徹常務通話時所記
　　　　下的內容，崔丞徹常務明確地指示文宗哲先生「公告對丈夫的
　　　　不利待遇，誘導女性員工申請自願離職。」

這份強而有力的證據引起了人們的竊竊私語。

宗哲和汪洋律師們臉上的血色全失。

明河　　文宗哲先生，這是事實嗎？那是你本人的記事本嗎？

238

雖然想否認，但是宗哲無法這麼做。

明錫挺身而出，試圖收拾現在的情況，但是宗哲的回答搶先了一步。

| 宗哲 | 那是我的字跡沒錯，但是那怎麼會落入那些人手上呢？ |

宗哲　那是我的字跡沒錯，但是那怎麼會落入那些人手上呢？

明錫　（急忙起身）庭上，文宗哲先生並未同意將私人記事本作為證據使用，因此那屬於違法取得的證據，根據《刑事訴訟法》…

明錫試圖說出相關法條，卻突然想不起來，雖然擺出表情，示意英禍趕緊接續說，但是英禍無法理解明錫的意思。

秀妍向英禍口譯出明錫的意圖。

秀妍　（小聲地說）那個啊，鄭律師要妳說出違法取得證據的相關法規。

英禍　喔，「《刑事訴訟法》第308條之2，違背法定程序取得之證據，不得作為證據？」

明錫　（接續英禍的話）根據剛才聽到的法條規定，文宗哲的記事本並不具證據能力，請刪除這項證據。

英禍　（像是自言自語）那個…但那是《刑事訴訟法》裡面的規定，本次庭審是民事訴訟。

即使知道這對自己的團隊不利，英禍還是說出了是非分明的公道話。

齊夙微笑著接過英禍的話。

齊夙　（故意複誦英禍的話）但那是《刑事訴訟法》裡面的規定，本次庭審是民事訴訟。根據採用自由心證主義的《民事訴訟法》，證據採納應該交由法院裁量吧？我方期待柳明河審判長做出明智

的判斷。

今天明河也因為被稱呼全名而嚇得打冷顫。

明河依序先看向齊夙胸前那個寫著「柳齊夙」的名牌，再看向
旁聽席上大多數支持原告方立場的人，

明河　　妳說這本記事本是匿名檢舉人寄給妳的，對吧？

齊夙　　是，庭上。

明河　　那麼就算這是違法取得的證據，本庭也認為其違反程序之程度不
　　　　足以嚴重到不得採納為證據，本庭承認這本記事本的證據能力。

聽到明河這麼說，齊夙面帶微笑，賢政和智榮也感到開心。
相反地，宗哲和汪洋律師的表情變得黯淡。
英禑突然看向三劍客。
賢政轉頭，對著旁聽席上的某個人比出了大拇指。
英禑看著坐在旁聽席的那位「某個人」。
是在第一次庭審出庭，為米爾生命提供有利證詞的人資組員工
妍希。

FLASHBACK：

S#29.　米爾生命人資部長室（室內／白天）- 過去
第一次庭審後幾天。
妍希小心翼翼地走進空無一人的人資部長室。
從宗哲插有書籤的日記本中拿出去年的那一本確認內容。
接著把日記本藏在衣服裡，走出了辦公室。
原來幫助三劍客的匿名檢舉人就是妍希。

CUT TO：

S#30.　米爾生命大樓前（室外／白天）

再次回到現在。

一位**記者**（20多歲／女）站在電視臺新聞節目攝影機面前，報導著在米爾生命大樓前進行，頗具規模的集會。

記者　　在米爾生命總公司門口，發起了一場譴責米爾生命優先解僱公司內夫妻檔之女性員工案的集會，不僅有被米爾生命解僱的女性員工響應這場集會，另有數十位女性及勞動權益團體成員參與。

新聞畫面裡出現集會的場景。

以卡車上的大型電子燈牌為中心，人們拿著字板、喊著口號。

其中最為顯眼的當然是比誰都熱情吶喊的三劍客。

「不要向公司透露你們的婚姻狀態！」

「譴責米爾生命的性別歧視架構調整！」

「危機會讓性別歧視變得更嚴重。」

「無論已婚或未婚，女性勞動權即為人權！」

「優先解僱夫妻檔員工中的女性是罪證確鑿的性別歧視！」等的字句清晰可見。

記者　　以外，其中兩位遭到解僱的女性員工，目前正提起解僱無效訴訟，現場集會人士表示將計劃作成建議書並額外提交至法院，集會的熱度能否影響判決結果，引起了社會關注。

S#31.　法庭（室內／白天）

判決宣告期日。

也許是因為集會的相關新聞，法庭裡滿是記者們和旁聽民眾。

律師們通常不會出席判決宣告期日，但是這天除了宗哲、賢政、智榮之外，汪洋的律師們和齊夙都有出席。

明河　　本庭將宣告判決。

　　　　明河突然停止宣告，看著齊夙和原告們。

　　　　齊夙亮出掛在胸前的名牌，朝著明河微笑。

　　　　即使如此，依舊無法隱藏齊夙內心的緊張。

　　　　「果然連判決都會站在豐山柳氏第26代孫那邊嗎？」

　　　　看著明河和齊夙之間的視線交換，汪洋律師們內心變得不安。

明河　　主文，本庭裁定駁回原告們全部之請求，訴訟費用由原告們負擔。

　　　　瞬息之間，法庭變得吵雜。

　　　　有別於失望的齊夙、賢政和智榮，汪洋律師們的表情變得開朗許多。

　　　　同時，宗哲大口嘆氣，無法從他臉上的表情得知他的心情。

明河　　被告針對夫妻檔員工多次勸說其申請自願離職，並表示不願配合者則以身為丈夫的員工為實施留職停薪及裁員對象，本庭認定被告確有告知之事實。

　　　　「認定事實？到底為什麼？」

　　　　齊夙和原告們以無法理解的表情繼續聽著明河的判決。

明河 　然而，進行架構調整時，指定夫妻檔員工之一方為離職對象，
　　　從社會經濟觀點來看仍在合理範圍，且已明示離職對象為夫妻
　　　檔員工之任一方，並非單以女性員工為對象，與《憲法》及
　　　《勞動基準法》等所保障之兩性平等不相違背，故無法將此視
　　　為對女性的性別歧視。

　　　聽見明河的判決，旁聽民眾各自表現出自己的感受和意見，加
　　　上記者們勤奮地記錄著判決內容，法庭再次變得吵雜。
　　　不過明河不予理會，繼續朗讀判決文。

明河 　此外，原告們針對被告提出的自願離職條件、離職後的情況及
　　　繼續留職的情況等各種情事及利害關係，經過綜合考量後，判
　　　斷在當時離職是最佳選擇，因此主動遞交辭呈，故無法將離職
　　　視為無效。

　　　最終的判決結果，和汪洋先前透過法律諮詢意見書所預測的內
　　　容相同。
　　　齊夙想著這次依然無法說服合議庭，低頭不語。
　　　賢政牽起齊夙和智榮的手，用力地握在一起。
　　　即使因為判決結果而感到悲傷，三劍客仍未放開彼此的手。

S#32. 法庭門前走道（室內／白天）

　　　庭審結束後，宗哲和汪洋的律師們走出法庭，一邊走向法院外
　　　一邊對話。

明錫 　部長，你從剛才表情就不大好，你沒事嗎？判決結果很令人滿
　　　意啊。

243

宗哲	判決結果令人滿意又如何，對我來說有好處嗎？開心的只有公司。
明錫	什麼？
宗哲	其實我可能快被解僱了，你不知道嗎？
明錫	（驚訝）我不知道。
宗哲	原來你不知道，我還以為公司這次也找汪洋諮詢呢，要怎麼不留後患地開除人資部長之類的。
明錫	（慌張）不，我是第一次聽說。
宗哲	名義上應該是以架構調整業務推動不力為由開除我吧，訴訟、集會，再加上新聞報導…事情的確鬧得夠大了。但是靜下來想想，公司應該打從一開始就想開除我了，他們想讓SB生命中意的人選來取代我的位置。
明錫	你一直以來那麼辛苦…一定很難受吧。
宗哲	（嘆氣）不會，我讓將近百位員工丟了飯碗，總不能期待我自己全身而退吧？都是我的報應。

S#33. 法院前 (室外／白天)

談著令人心煩意亂的話題，宗哲和汪洋的律師們走出法院。

一行人看見在法院前階梯進行記者會的三劍客。

在為數眾多的支持者和記者們面前，被圍住的三劍客顯得無比理直氣壯。

齊夙	和判決結果無關，我們給予這次訴訟肯定的評價。
智榮	沒錯，我們認為這次訴訟雖敗猶榮！
賢政	雖然敗訴，但我們努力過了！至少有打過訴訟，心情真暢快！

聽見智榮和賢政這麼說，人們笑著歡呼。

齊凮　　接下來還有二審和三審，我們會為了大韓民國的就業安定及平
　　　　等，更加勇敢地抗爭！

　　　　記者們記錄下齊凮說的話，支持者們以熱烈的拍手與歡呼聲援
　　　　三劍客。
　　　　兩邊的氣氛形成極大的對比，英禂的腦海再次變得複雜。

S#34.　巷弄（室外／白天）

　　　　因為是假日，英禂和秀妍身穿舒適服裝走在巷弄裡。
　　　　她們受邀參加庭審結束後的慶功宴，正在前往齊凮辦公室的路
　　　　上。

秀妍　　我覺得提議舉辦庭審慶功宴的三劍客真的很神奇⋯而受邀之後
　　　　真的出席的我們也很奇特耶？畢竟我們曾經是對手。
英禂　　我想去看看，我很好奇。
秀妍　　妳對那些領域感興趣嗎？像柳齊凮律師一樣受理很多人權、女
　　　　性、勞動權益相關的案件？
英禂　　那個⋯我不知道。（暫時思考）柳齊凮律師⋯很像白鱀豚。
秀妍　　天啊，白鱀豚，好久沒聽到了。
英禂　　我可以說明有關白鱀豚的事嗎？
秀妍　　（渴求）我可以說不行嗎？
英禂　　（果然憋不住，開始發射）雖然海豚主要生活在海洋，但也有適應淡
　　　　水的物種，其中最具代表性的就是白鱀豚。如同牠們又被稱為
　　　　長江女神，牠們主要生活在中國長江流域，在2007年被宣告滅絕
　　　　了。
秀妍　　（死心）所以柳齊凮律師到底哪裡像白鱀豚？
英禂　　柳齊凮律師⋯她可是在汪洋見不到的律師物種啊，我希望她不

245

會滅絕。

兩人聊著天，抵達了「柳齊夙法律事務所」門口。
柳齊夙法律事務所位於一棟既小又破舊的商用建築物頂樓。

S#35.　**柳齊夙法律事務所** （室內／白天）

英禵和秀妍走進空無一人的辦公室。
有別於汪洋內部空間寬敞，什麼東西都是煥然一新，齊夙的辦公
室既狹小又樸素，只擺放必要的辦公設備，卻充滿人情味。

在辦公室的一角，可以看見似乎在集會時使用過的巨大看板，
看板上凌亂地貼滿寫有許多建議的便利貼。
英禵不自覺地撕下便利貼，並依照行列，整齊地重新將其貼回
去。

秀妍　　妳的習慣又出現了，喂，放著就好啦。
英禵　　我很難放著不管。

英禵和秀妍整理起便利貼，閱讀著上面的字句。
「我們是有類似遭遇的夫妻檔員工，妳們提起訴訟的勇氣讓我
們非常感動。」
「每當陷入危機就想先犧牲掉弱者的企業慣行，妳們敲響了警
鐘！」
「因為妳們說不接受訴訟費用贊助，所以我們夫妻送了自己種
的橘子。」
「意義非凡的敗訴」
「讓人思考何謂平等勞動權益的契機」

246

「大家同心協力讓帶有性別歧視的解僱情形不再出現！」

秀妍　收到這種鼓勵時，心情會是如何呢？她都敗訴了耶。
英禡　嗯…就是說啊。

此時，齊凩走進辦公室。

齊凩　天啊，妳們來啦？我們在頂樓，一起上去吧。

英禡和秀妍跟著齊凩充滿活力的介紹，準備走向頂樓，但是齊
凩似乎突然想起什麼事，停下了腳步。

齊凩　（對秀妍說）妳要先上去嗎？我有東西要給禹英禡律師。
秀妍　喔，好。

秀妍離開後，齊凩從辦公桌抽屜裡拿出信封，就是敏宇偽裝成
英禡寄給齊凩的那個信封。

齊凩　我要把這個還給妳。

英禡發現信封裡裝著汪洋的法律諮詢意見書，十分驚訝。

英禡　這怎麼會在妳這裡？
齊凩　嗯？這不是妳寄給我的嗎？
英禡　不是。

「那麼是怎麼一回事？」
齊凩稍微思考了一下，

齊夙	裡面有妳的名片，看起來就像是妳偷偷寄給我的，看來汪洋內部也是很複雜呢，禹英禑律師，妳得提防身邊的同事了。
英禑	所以妳手上有這份意見書…卻還是沒有拿來當作證據嗎？
齊夙	如果我把這份資料當作證據使用，豈不是會害妳惹上麻煩嗎？而且我也不是沒有其他尋求證據的管道。

英禑心中浮現各種想法，愣在原地。
面對那樣的英禑，齊夙露出的微笑顯得更加生氣勃勃。

S#36. 柳齊夙法律事務所頂樓（室外／白天）

齊夙帶著英禑上頂樓。
頂樓種有許多盆栽植物，美麗得就像個宅邊庭院。
和秀妍一起坐在平床上的賢政和智榮開心地歡迎著英禑。

| 賢政 | 快來吧！ |
| 智榮 | 坐這裡，坐下吧。 |

有別於親切問候的賢政和智榮，英禑還是有點尷尬，扭扭捏捏地走向平床，坐在秀妍旁邊。

| 智榮 | 我們在做拌飯，柳律師在頂樓種的蔬菜超新鮮。 |
| 齊夙 | 我的副業是農夫，頂樓農夫，看來我的務農副業經營得比本業還要好。 |

這句話也沒有多好笑，但三劍客卻一同笑得合不攏嘴。
英禑看向放在平床上五個木碗裡的拌飯，每個碗裡都整齊排列著各種蔬菜，看起來很美，賢政在一旁煎蛋，在每個碗裡都放

上一顆。

| 英禑 | 這裡只有拌飯，沒有海苔飯捲嗎？因為拌飯不能一目瞭然地看清楚所有食材，我可能會被意想不到的口感或口味嚇到。 |

齊夙　什麼？
賢政　海苔飯捲嗎？
智榮　嚇到？

英禑的一句話讓三劍客感到慌張，秀妍拿起一碗拌飯，直接塞進英禑懷裡，

秀妍　那妳就不要攪拌，把每個食材分開來吃就好了啊。
英禑　那個…
秀妍　（用腹語說話，面帶恐怖表情）人家給什麼，妳就吃什麼。
英禑　好…
秀妍　（再次變回和藹可親）拌飯的顏色真好看，我們應該要早點來一起幫忙準備的。
齊夙　我們只是邊玩邊休息，慢慢地準備而已啦，也一邊吟詩。
英禑　吟詩？
智榮　我們發現彼此都很喜歡詩，我唸了詩人金洙暎的詩，賢政姐朗誦了詩人高靜熙的詩，現在輪到柳律師了。
英禑　現在…是吟詩的時候嗎？妳們應該要準備抗訴吧？

英禑發自內心的擔心，讓三劍客再次哄堂大笑。

齊夙　就是說啊，汪洋的律師果然不一樣，看來我又要敗訴了。
賢政　唉唷，今天要放鬆一下，這可是慶功宴呢。
智榮　我很好奇柳齊夙律師喜歡什麼樣的詩。

齊夙放下拌飯碗，端正地站上平床。
既認真又平穩地，
朗誦著詩人安度昡的《一塊煤炭》。

齊夙　　雖然總是眾說紛紜／然而所謂人生／就是為了我以外的其他人／欣然地成為一塊煤炭／從暖坑裡透出涼意的那天起直到翌春／朝鮮八道的街道上最美麗的風景／是載運煤炭的車子隆隆作響／奮力爬上山坡路的光景／似乎清楚它的使命與志業／煤炭讓火苗在自己的身體上燃起後／便不停歇地燃燒／而每天享用著熱飯及熱湯的我卻渾然不知／全心全意地愛人以後／我深怕化為一團孤寂的灰燼／直至今日我不曾為了任何人成為一塊煤炭／仔細想想／所謂人生／就是即使粉身碎骨也在所不惜／是世界因下雪而變得濕滑的某個清晨／為了讓我以外的其他人能安心行走／化作煤渣平鋪路面而我卻未曾察覺

英禑抱著尚未享用的那碗拌飯，聽著齊夙朗誦這首詩，在英禑的眼裡，她看見一隻已經被宣告滅絕的白鱀豚，緩緩地從齊夙身後游過。

S#37.　EPILOGUE：電梯（室內／晚上）

深夜，明錫正搭乘汪洋的電梯。
今天也因為加班而沒吃晚餐，明錫買了漢堡回來墊墊胃，電梯停在某一層樓，
一位壓低帽緣的**男人2**（30多歲）走進電梯。
男人2也和載鎮有著相似的外貌，但是明錫努力試著說服自己這沒什麼，然而男人2從口袋裡拿出一根小型的螺絲起子並放在手中把玩，明錫的內心變得不安。

現在電梯正經過12樓。

明錫急忙地按下15樓的按鈕。

S#38.　EPILOGUE：汪洋法律事務所15樓走道 (室內／晚上)

電梯門打開，明錫走出電梯。

但是男人2是否也跟著出電梯？有那麼剛好嗎？

明錫想到這裡就變得慌張，趕緊朝樓梯所在的逃生出口跑了出去。

S#39.　EPILOGUE：汪洋法律事務所樓梯 (室內／晚上)

明錫爬著逃生通路的樓梯。

雖然因為過於害怕而不敢回頭，但是似乎能聽見「砰砰！砰砰！」男人2跟在後頭的聲音。

明錫不斷爬著樓梯，最後往17樓走道閃避。

S#40.　EPILOGUE：明錫的辦公室 (室內／晚上)

明錫上氣不接下氣地跑進自己的辦公室裡。

丟開仍一直緊握在手上的漢堡紙袋，從抽屜裡拿出並甩開自己藏起來的三截棍。

朝著辦公室裡根本不存在的假想敵揮舞著三截棍的那一刻，明錫收到了一則訊息，拿出手機一看，

是宣榮傳來的訊息。

「鄭明錫律師，張載鎮被逮捕了！他逃到昌原匿身躲避緝捕，目前已被警方拘留，你不用擔心了！」

宣榮　　　（聲音）鄭明錫律師，張載鎮被逮捕了！他逃到昌原匿身躲避緝
　　　　　捕，目前已被警方拘留，你不用擔心了！

　　　　　似乎是恐懼因為聽聞這個消息而安心，明錫突然開始咳嗽。
　　　　　咳咳！咳咳！明錫的咳嗽嚴重到全身晃動⋯吐出了一灘血。
　　　　　一灘鮮紅色的血就這麼落在手機畫面中宣榮的訊息上。
　　　　　就算明錫不是醫生，也知道現在這個情況頗為嚴重。

明錫　　　什麼啊⋯我生病了嗎？

　　　　　明錫把手機和三截棍放在桌上，用手擦掉沾在嘴邊的血。
　　　　　一瞬間，各種情緒如狂風暴雨般襲來，明錫突然笑了出來。
　　　　　既無言又虛脫，明錫就這麼狂放地笑了好一陣子。
　　　　　那個模樣令人無比心疼且擔心。

　　　　　　　　　　　　　　　　　　　　　　　　　　　　　　〈完〉

「雖然金額不大，但是很難說，

　有時候小案件會變成大案件，

　甚至是新案件。」

第13集

濟州島的
藍夜 I

S#1.　PROLOGUE：禹英禑飯捲 (室內／白天)

沒有客人的閒暇早餐時間。

英禑身穿上班服裝，坐在一如往常的座位，吃著禹英禑飯捲，

光顯坐在英禑對面看著報紙。

此時，光顯和英禑住的雙層商住兩用宅**房東**（50多歲／女）以及身

穿韓服長袍的**金永福**（70多歲／男）一起走進飯捲店。

房東　　老闆！你好。

光顯　　（起立）妳好，房東太太，妳一大早過來，有什麼事嗎？

房東　　喔，那個…

永福　　（莫名其妙）聽說這裡有律師，我們就過來了！

房東　　（因為永福莫名其妙的態度而感到尷尬）這位是我爸爸，我告訴他我有

　　　　　租客是律師，他就想來見個面。

光顯　　（看一眼英禑）我女兒是律師沒錯…有什麼事嗎？

永福大步走向英禑，坐在英禑對面，房東跟著坐在永福身旁，

光顯也跟著坐在英禑旁邊。

永福	小姐，妳就是律師嗎？
英褔	我是…汪洋法律事務所的律師禹英褔，正著唸、倒著唸都一樣的禹英褔，黑吃黑、多倫多、石榴石、文言文、鹽酸鹽、禹英褔。
房東	唉唷～真是能幹！這還是我第一次見到你女兒，之前常聽說她是首爾大學第一名畢業的天才耶！
永福	（再次莫名其妙）法律真的有規定沒有參觀文化遺產的人，也必須支付參觀費嗎？
英褔	什麼？
房東	是這樣的～我爸最近搬家，所以我就去找他玩，順便參觀他的新房子，我們兩個人沿著通往漢白山的道路開車，結果半路冒出一位先生攔著我們的車，他說一間叫「黃地寺」的寺院是知名文化遺產，要我們支付文化遺產參觀費！
光顯	文化財產參觀費？
房東	對！所以我和我爸就說，我們是要去漢白山，並不是要去黃地寺，我們根本沒有要參觀黃地寺，為什麼要付參觀費？結果那位先生竟然說，他們收取文化遺產參觀費是合法的。
永福	（對英褔說）那是真的嗎？
英褔	收取文化遺產參觀費的行為本身是合法的。《文化遺產保護法》第49條，「國家指定文化遺產所有人，若將該文化遺產對外公開，可向參觀者收取參觀費用。」
永福	意思是就算沒有參觀文化遺產，還是必須支付參觀費嗎？只因為我要去那附近？
英褔	那個…那部分可能會有一點爭議。
永福	如果我把這件事告上法庭，可以拿回我的錢嗎？
英褔	請問那筆文化遺產參觀費是多少錢呢？
房東	每人3千韓元。
英褔	那麼就算勝訴，能拿回來的錢也只有3千韓元，遠遠不及所花費

的訴訟費用，打官司反而會虧本。

房東　就是說啊！（對永福說）爸，你聽到了吧？律師都說這樣會虧本了。

永福　如果理由讓我心服口服，別說3千韓元，甚至是3億韓元我都願意付，但我就是無法接受這個理由，既然他們搬出法律，那我也要用法律對付他們，不管要花多少訴訟費用都沒關係，只要能拿回我的3千韓元，打官司我也無怨無悔！

英禑　那麼我就需要更詳細地瞭解案件內容，請問黃地寺這間寺院位於哪裡？

房東　它在濟州島的漢白山。

英禑　（驚訝）什麼？

房東　它在濟州島。

英禑　濟州島…？曾被圈養在水族館裡表演海豚秀，後來經大法院判決，放歸濟州島大海的三腳、春三、福順和海豚寶寶們一起游泳的，妳說的就是那個濟州島嗎？

不知道是驚訝，還是高興，或者兩者皆是，英禑露出了令人困惑的表情。
房東、永福和光顯看著這樣的英禑，一同露出了感到困惑的表情。

TITLE：
《非常律師禹英禑》

S#2.　醫院走道（室內／白天）

大醫院的診間門前走道。
明錫坐在椅子上，等待自己的名字被叫到。

擔心著「如果是很嚴重的病怎麼辦？」並心想「會沒事的」，明錫在兩種極端的想法之中掙扎，努力讓自己冷靜下來。
護理師（30多歲／女）終於走出診間，叫了明錫的名字。

護理師 鄭明錫先生。

明錫起身走向護理師。

護理師 你今天是來聽檢查報告的吧？
明錫 對。
護理師 請進診間。

聽見護理師這麼說，明錫莫名地覺得口乾舌燥，開始吞口水。
在輕輕地調整呼吸，明錫走進了診間。

S#3. 明錫的辦公室（室內／白天）

明錫從醫院離開後，回到自己的辦公室。
檢查報告結果如何？無法從明錫毫無波瀾的表情中得知。辦公室裡秀妍、敏宇和濬浩圍坐在沙發上等待著明錫，明錫這才想起他和這三個人有約。

明錫 喔，對了，我們有說要開會吧？

明錫走向辦公桌拿會議資料的時候，聽見「叩叩，休息一拍，叩」英禑的敲門聲。

明錫 請進。

英祺打開門並閉上眼睛，在心裡默數一、二、三，調整呼吸後走進辦公室，看見辦公室裡已經有這麼多人，微微驚訝。

英祺一出現，濬浩滿臉笑容地迎接，卻隨即想起自己還在因為英祺的尚未交往言論而失落，馬上克制自己的表情。

英祺　　（莫名其妙地對明錫說）我可以出差一趟嗎？
秀妍　　出差？

秀妍、敏宇和濬浩看著英祺，臉上寫滿好奇。

明錫　　去哪裡出差？

光是想到出差地點就內心澎湃，英祺的臉紅通通的，雙眼閃閃發光，

英祺　　濟州島，我要前往生活於近海的印太瓶鼻海豚，牠們所在的濟州島，尤其是經常捕捉到海豚寶寶的蹤跡，被認為是海豚的育兒場所及主要棲息地西歸浦市大靜邑⋯
明錫　　（打斷激動的英祺說話）案件呢？是什麼案件？
英祺　　喔，是不當得利償還請求訴訟。訴求是要拿回位於濟州島漢白山的黃地寺，向附近道路的用路人收取的文化遺產參觀費3千韓元。
敏宇　　3千韓元？天啊，肚臍都要比肚子還大了。

雖然英祺也知道「肚臍都要比肚子還大了」這句俗語，卻還是不自覺地在腦中想像肚臍比肚子還大的人，不禁一笑，不知道英祺在想什麼的敏宇詫異地看著英祺。

明錫	這樁案件是從哪裡來的？
英禑	（不知道是什麼意思）從哪裡來的…？
明錫	委託人是誰？
英禑	喔，是我和我爸住的商住兩用宅房東爸爸金永福先生，他說無論要花多少訴訟費用都沒關係。
明錫	這樣啊？那麼…我們就去一趟濟州島吧？
英禑	鄭明錫律師，你也要一起去嗎？
明錫	我們大家一起去怎麼樣？我們這樣聚在一起也是有緣。
秀妍	什麼？
敏宇	什麼？
明錫	（看著秀妍和敏宇）可以吧？前後稍微調整一下其他行程，應該可以空出幾天吧，你們也不可能比我忙。
秀妍	話是這麼說沒錯…
明錫	濬浩，你也一起去吧，我再跟訟務組組長說一聲。
濬浩	（微笑）是，我知道了。
明錫	很好！那麼禹英禑律師，就請妳正式受理這樁案件，確定好要去濟州島的日期，就告訴我們。
英禑	是，我知道了。

在所有人都傻眼的情況中，只有明錫開心地笑咪咪。

S#4. 汪洋法律事務所員工餐廳 (室內／白天)

午餐時間。

英禑和濬浩面對面坐著，分別吃著禹英禑飯捲和員工餐廳的工餐。雖然濬浩從剛才就很想表現出自己失落的心情，裝得一副冷冰冰的模樣，但是英禑根本沒能意識到濬浩的情緒，自顧自地說著鯨豚類話題。

261

| 英禑 | 那些打著看海豚的廣告，載觀光客追著海豚跑的觀光船，最終只會讓海豚的數量減少，因為海豚的鰭可能會受傷，也可能會帶給牠們壓力導致生育率下降。 |

濬浩等英禑察覺等到厭倦，最終吐露出自己的內心。

濬浩	禹律師，我還陷在失落的情緒裡。
英禑	（停頓）喔…是因為上次…我說我們還不算正式交往嗎？
濬浩	對。
英禑	喔…
濬浩	所以…這次去濟州島，我們不要只去看三腳、春三和福順，也去看一下勝希和正南吧。
英禑	勝希和正南？
濬浩	（微笑）這是我姊姊和姊夫的名字，他們住在濟州島。

面對濬浩提出見家人的邀約，英禑露出了呆滯的表情。

S#5.　宣榮的辦公室（室內／白天）

宣榮坐在自己的辦公桌前，明錫站在宣榮面前，明錫的業務報告幾乎結束了。

| 明錫 | 那我們會照妳交代的去做。 |
| 宣榮 | 好。 |

明錫朝宣榮禮貌性地鞠躬後，轉身準備出去，

| 宣榮 | 喔，對了！那椿黃地寺的案件。 |

明錫	（再次轉身）是。
宣榮	有必要連你也一起去濟州島嗎？那樁案件的求償金額只有3千韓元耶？
明錫	雖然求償金額很少，但是委託費並不馬虎。
宣榮	可是為了這點小事來回濟州島，未免也太大費周章了吧，要不要把這樁案件交給張勝准律師？張律師手上也正好有幾樁濟州島案件，他可以連同這樁案件一起處理…
明錫	（打斷宣榮說話）我來處理就好。
宣榮	（被明錫的堅決嚇到）這樣啊？
明錫	黃地寺一案雖然金額不大，但是很難說，有時候小案件會變成大案件，甚至是新案件。我會對得起帶領多位新進律師出差的餐費，努力達成任務，請妳放心。
宣榮	鄭明錫律師，我覺得你好像變得不大一樣了…怎麼回事？

宣榮開玩笑地上下審視著明錫，明錫笑而不語。

宣榮	去濟州島一路順風，多吃點好吃的。
明錫	是。

S#6. 毛怪家餐酒館（室內／晚上）

英禑一如往常地坐在吧檯座位吃著海苔壽司，格拉米坐在英禑身旁，敏植在兩人面前的廚房工作。

格拉米	妳說你們還不算正式交往，李濬浩就覺得很失落嗎？
英禑	嗯。
格拉米	那妳就跟他說你們在交往啊！問題不就解決了嗎！
英禑	那個…

格拉米	怎樣？妳不想跟李濬浩交往嗎？
英禑	也沒有，只是…（因為煩惱而欲言又止）交往是怎麼一回事？
格拉米	什麼？
英禑	我和李濬浩每天一起吃午餐，如果不用加班就會一起下班，假日也會見面約會。
格拉米	（發出混雜著感到嫉妒和肉麻的嘆息）唉唷——還真是令人羨慕啊。
英禑	如果我們正式交往，和現在會有什麼不一樣？就要增加見李濬浩的姊姊和姊夫這一項嗎？我的意思是…
格拉米	（驚訝地打斷英禑說話）等等，見李濬浩的姊姊和姊夫？
英禑	喔，啊，這次去濟州島出差，我們要順便見面，李濬浩的姊姊和姊夫在濟州島…
格拉米	（再次驚訝地打斷英禑說話）什麼?!濟州島出差？妳要去濟州島？
英禑	嗯。
格拉米	和誰？
英禑	李濬浩、鄭明錫律師、權敏宇律師和崔秀妍。
格拉米	權敏宇？那個帥哥？
英禑	（愣住）什麼？
敏植	秀妍也要去啊…

似乎是響起第10集和秀妍的相親，
敏植突然變得感傷。

格拉米	（因為一次接收太多資訊而頭痛）喔，這我該從何說起啊？
敏植	有什麼好從何說起的？她去濟州島出差，還順便進行相見禮，一切都發展得很順利啊。
格拉米	對！就從這個開始！妳知道那叫相見禮嗎？
英禑	相見禮？
格拉米	妳跟李濬浩的姊姊、姊夫，不是只有見一面這麼簡單而已，相

見禮有非常多的細節需要注意。

英禑　很多細節需要注意…像是什麼？

格拉米　首先，一定要講順耳的話，一走進他們家就要說：「哇，你們家裡超漂亮的！」人家招待妳吃飯就要說：「超級好吃！廚藝真好。」如果有水果就要說：「我來削吧！我很會削水果！」

敏植　（對格拉米癟嘴）妳怎麼淨講些以前晨間劇才會出現的臺詞？

格拉米　因為我就是看了以前的晨間劇才知道的！

敏植　（擔心）不管怎麼樣，還是要視情況決定要不要說這些話…

格拉米　（激動地打斷敏植說話）尤其是！人家招待什麼妳就吃什麼，而且要吃得很香，妳可不能在那種場合說要吃海苔飯捲，聽到了沒？也不准聊鯨豚類話題。

英禑　（銘記在心）不能說要吃海苔飯捲，也不准聊鯨豚類話題。

格拉米　對，而且最重要的是，妳一定要活潑開朗，記得保持笑容，要笑容滿面。

聽到格拉米這麼說，英禑試著讓自己笑容滿面，就像是在不苟言笑的臉孔上，貼上一張笑著的嘴巴一樣尷尬，敏植嚇得打了個冷顫，格拉米卻似乎非常滿意地點著頭。

格拉米　（對敏植說）話說回來！我們怎麼不去濟州島出差？

敏植　（無言）我們為什麼要去？

格拉米　我們也去濟州島出差吧！

敏植　出什麼差啊！我們無故關店，要是流失客源怎麼辦?!

格拉米　你到底在說什麼啊？我們店裡的客人也就她一個！唯一的客人要去濟州島了，難道我們要坐以待斃嗎？當然要跟著客人去濟州島啊！

S#7.　金浦機場航廈（室內／白天）

最早抵達金浦機場的英禍和濬浩在航廈內的集合地點等待著其
他人，進行著專屬兩人的訓練。

英禍用手機亮出印太瓶鼻海豚背鰭的照片給濬浩看，這是在利
用海豚個體可以透過背鰭的形態來辨認的特性，來認出照片裡
的海豚是哪隻海豚的訓練。濬浩似乎很常接受這樣的訓練，稀
鬆平常地喊出答案。

濬浩　選我正解！這題太簡單了吧？牠的背鰭上有個很明顯的「一」
　　　啊。

英禍　這是暖身題。

英禍亮出手機裡的另一張背鰭照片，遞到濬浩面前。

濬浩　那個…春三？

英禍　錯，你答錯了。

濬浩　給我一點提示。

英禍　在原本被關在水族館，後來被野放回大海的海豚中，牠是世界
　　　上第一隻被證實野生繁殖成功的海豚。

濬浩　咦？這個妳上次已經說過耶？是誰啊？

英禍　牠的背鰭下端有個獨特的傷口。

此時，敏宇和秀妍抵達集合地點。

敏宇　你們兩個在幹麼？

英禍　我們在進行以背鰭的形態辨認海豚的訓練，去了濟州島就要見
　　　到那些印太瓶鼻海豚了，應該要先認得牠們分別是誰，不是
　　　嗎？權敏宇律師，你也要加入訓練嗎？

266

敏宇	不要。
英禑	那麼崔秀妍…
秀妍	（打斷英禑說話）不要。

這瞬間，敏宇看見了某個景象，嚇得打了個冷顫，濬浩和秀妍見狀，也轉頭看向敏宇正在看的方向。
明錫身穿夏威夷襯衫，頭戴柑橘帽子，爽朗地從那一頭走來，有別於身穿上班服裝的英禑、敏宇、秀妍和濬浩，明錫閃耀得像顆柑橘。

明錫	你們都到了啊。
濬浩	鄭律師，你今天也太酷了吧？
明錫	啊?!真的嗎？我有酷嗎？

面對隨口開的玩笑，明錫依然笑得燦爛。此時，比柑橘色澤的明錫更加亮麗的一群人走了過來，是穿著任誰看都知道要出去玩的華麗穿著的格拉米和敏植。

| 格拉米 | （響亮地說）禹 to the 英 to the 禑！ |
| 英禑 | （平淡地說）董 to the 格 to the 拉米。 |

格拉米看見站在英禑身後的敏宇，停下腳步，趕緊背過身從口袋裡拿出萬用保濕棒，擦在嘴唇、臉頰、脖子等部位，一補完妝就再次走向汪洋一行人，

| 格拉米 | 大家好久不見啊！我們也要去出差！毛怪家餐酒館的濟州島出差！（指著敏植）這位是毛怪老闆！ |
| 敏植 | （畢恭畢敬）大家好，我是要去濟州島出差的毛怪，我叫金敏植。 |

澔浩	喔，你們好。
秀妍	（隱藏尷尬，開朗地說）敏植，好久不見。
敏宇	（覺得眼前的情況很荒唐）這兩位也要跟我們一起出差嗎？
明錫	那個…是那樣嗎？唉唷，那又怎樣？一起出差吧！
格拉米	（開心地歡呼）喔——耶～！！！

S#8.　飛機（室內／白天）

起飛前的飛機裡。

明錫、格拉米和敏植並排坐在三排椅，正在以無伴奏合唱練習《濟州島的藍夜》這首歌。

三個人小聲地唱著「啦啦啦啦～」、「嘟哇——嘟哇——」的模樣非常可愛。

同時，秀妍想把行李箱放入行李置物櫃，但行李箱又大又重，搬不上去，敏宇雙手交叉胸前，在一旁看著這個情況。

敏宇	妳要移民嗎？只是去濟州島出差，幹麼帶那麼大的行李箱？
秀妍	你不想幫忙的話可以滾開嗎？
敏宇	我幫妳。
秀妍	什麼？

敏宇一下子就抬起秀妍的行李箱放入置物櫃裡，接著若無其事地坐進自己窗邊的座位。

敏宇	（用眼神指著隔壁秀妍的座位）妳不坐下嗎？
秀妍	要…啊。

敏宇不尋常的親切態度讓秀妍很尷尬，「權敏宇為什麼突然那

樣？」秀妍內心感到混亂，坐在敏宇旁邊的座位。

敏宇看著另一邊和格拉米與敏植一同唱歌的明錫，嘴裡嘟嘟囔囔著。

敏宇 我都快忙死了，真搞不懂這是在幹麼，說好聽是出差，但其實根本是玩樂之旅吧？還要帶著禹律師的朋友耶？

秀妍 那你現在退出還來得及，既然你那麼忙，幹麼硬要跟來？

敏宇 憑什麼只有我要退出？這可是公費出遊耶。

「果然，這才是權敏宇」秀妍剛才因為和敏宇不搭的親切感暫時感到混亂，再次看見敏宇該有的樣子，雖然覺得很討人厭，但也找回了內心的安定（？）

同時，坐在兩排椅的另一組人馬，英禑和澔浩。

有別於忙著繫安全帶的澔浩，英禑看起來無比平靜。

英禑 飛機是人類所發明最安全的交通工具之一，因為飛安事故的死亡率只有車禍事故的65分之1，而平均要飛行12萬趟才會發生一次飛安事故，每1,100萬人中才會有一個人死於飛安事故。

澔浩 是啊，但妳還是要繫好安全帶。

聽到澔浩這麼說，英禑不熟練地繫著安全帶，而飛機也漸漸加速起飛。

廣播 感謝各位乘客久候，本班機即將起飛，為了各位乘客的安全，請再次確認是否繫好安全帶。

飛機終於升至天空，隨著轟隆隆——的巨大聲響，面對生平第

一次搭飛機的奇妙情緒，英禍動彈不得，緊緊握住座位兩邊的
手把。

英禍　　　喔…喔喔…

濬浩　　　妳還好嗎？要不要戴耳機？

英禍　　　（激動）不用！好！哇！這是什麼情形？飛機非常可怕！

濬浩　　　什麼？妳剛才不是說飛機是最安全的交通工具嗎？

濬浩趕緊把英禍脖子上的耳機戴到英禍頭上，但是英禍已經顧
不得那些，只專注在包覆自己全身的離地感受，現在似乎已經
超越恐怖，來到了神奇的境界。

英禍　　　喔喔！感覺好奇怪！飛機真的好奇怪！！！

S#9.　租車公司 (室外／白天)

濟州機場附近的某間租車公司門口的停車場，在律師們和格拉
米在正門等待的期間，濬浩和敏植在租車公司裡完成租車書面
程序，走到門外。

濬浩　　　我們租的車子是那一輛。

明錫和新進律師們看著濬浩手指的方向。
一輛黑色的廂型車靜靜地待在停車場的一角。

敏植　　　我們的是那一輛。

格拉米看向敏植手指的方向。

在停車場的另外一邊，停著一輛散發著柑橘光澤的敞篷車。

格拉米　　哇——天啊！太酷了吧！這個車頂會打開嗎？喔，可以完全打
　　　　　開耶！

　　　　　明錫出神地看著打開敞篷車車頂的敏植，和站在一旁大呼小叫
　　　　　的格拉米，

明錫　　　我也要坐那輛車。
澹浩　　　什麼？

　　　　　正在把行李放上廂型車的澹浩、敏宇和秀妍一致驚訝地看著明
　　　　　錫，同時，英禑愣在原地，不知道他們為何被嚇到。

明錫　　　我們都要一起去吃幸福湯麵，對吧？
澹浩　　　對，我們會先去通往黃地寺的3008號地方道路，
　　　　　接著才會去你推薦的那間豬肉湯麵餐廳。
明錫　　　那麼我搭他們那輛車過去也可以耶？

　　　　　在澹浩作出答覆之前，
　　　　　明錫早已興高采烈地奔向敞篷車。

明錫　　　（大聲地說）毛怪老闆！也載我一程吧！
澹浩　　　（莫名變得悶悶不樂）我是不是也該租一輛可以打開車頂的廂型
　　　　　車…
英禑　　　（指責）不可能，因為沒有可以打開車頂的廂型車。
澹浩　　　是啊…

S#10. 3008號地方道路（室外／白天）

廂型車和敞篷車前後行駛在「3008號地方道路」上。在廂型車裡，濬浩坐在駕駛座開車，英禑坐在副駕駛座，敏宇和秀妍坐在後座。

在沒有播放音樂、安靜無聲的車裡，英禑和敏宇閱讀著各自的案件資料，秀妍正在裝設拍攝用的相機，車內的氛圍非常認真且嚴肅，而跟在廂型車後方的敞篷車，情況卻是截然不同。

敏植負責駕駛，格拉米坐在副駕駛座，明錫坐在後座，一行人放聲高歌，唱著《濟州島的藍夜》，跟著節奏跳舞。

他們所行駛的3008號地方道路是一條橫貫「漢白山國家公園」的雙向兩車道，排列在道路兩側鬱鬱蔥蔥的樹木和美麗的風景，令人印象深刻。

一到黃地寺附近，黃地寺售票亭就出現了。

S#11. 黃地寺售票亭（室外／白天）

黃地寺售票亭掛著寫有「黃地寺售票亭」斗大標題的標示牌，以擋桿攔下用路人，廂型車和敞篷車一停下，就有一位**收費員**（50多歲／男）從小小的售票亭走了出來。

濬浩打開車窗。

收費員 這裡要酌收黃地寺文化遺產參觀費，一人三千韓元…（環顧車內）你們有四位？總共一萬兩千韓元。

濬浩 我們沒有要去黃地寺，這樣也要付錢嗎？

收費員 只要走這條路就要付錢，這是合法徵收。

英禑 請問合法徵收是依循哪一條法律？

收費員 有個叫做《文化遺產保護法》的法律，後面還有車在等，請付

一萬兩千韓元。

英禑　《文化遺產保護法》第49條，「國家指定文化遺產所有人，若將該文化遺產對外公開，可向參觀者收取參觀費用。」你指的是這個法條嗎？

「這個人是做什麼的，一直找碴？」收費員以狐疑的眼神看著英禑。

英禑　根據《文化遺產保護法》，你們可以向參觀者收取參觀費用，不過我們已經表明沒有要參觀黃地寺，你還是要向我們收取費用嗎？

收費員　奇怪，你們到底有沒有要參觀黃地寺，我怎麼能只聽信你們的片面之詞呢？黃地寺可是有三個庵堂的大寺院，黃地寺那麼大，我總不可能一直跟著你們，確認你們到底有沒有去參觀吧。

滄浩　那你們把售票亭設在黃地寺門口就好了啊。

收費員　唉唷，真是的！我們已經好幾年來都在這裡收取參觀費了！政府知道黃地寺售票亭就在這裡，也允許我們收費，你們要是有什麼不滿，就掉頭往回走啊！

滄浩　要怎麼從這裡往回走？這裡根本就不能迴轉！

收費員　（看著後座的秀妍）等等，妳在幹麼？妳在錄影嗎？

收費員看見秀妍正在用相機拍著當下的情況。
收費員走向秀妍，敲著車窗。
秀妍打開車窗。

收費員　妳在拍什麼？我看看。

就在收費員伸出手要碰到相機之際，敏宇突然搗住秀妍拿著相

機的手，阻止收費員的行為。

敏宇　你在做什麼？你說這裡是要收費的觀光區，難道我們連錄影都
　　　不行嗎？

敏宇扯著嗓子爭吵，和收費員之間交換著凶狠的眼神。
在敏宇跟收費員大眼瞪小眼這段時間，敏宇並沒有放開秀妍的
手。
秀妍變得⋯很尷尬，悄悄地把自己的手從敏宇手中抽出。

濬浩　先這樣吧，雖然沒有聽到可以讓我們接受的解釋，但是既然你這
　　　樣擋路不讓我們過，那我們就付一萬兩千韓元吧，請開收據。

濬浩遞出信用卡後，收費員完成收費就離開了廂型車，走向敞
篷車。

收費員　（大聲地對敞篷車說）這裡要酌收黃地寺文化遺產參觀費！

明錫遞給收費員一萬韓元，找回一千韓元。

明錫　（對敏植和格拉米說）這個我付就好。
敏植　唉唷，好。
明錫　感覺很棘手耶，除非違法迴轉，否則不付錢似乎就無法通過這
　　　裡。

濬浩發動廂型車。
敞篷車跟在後頭。

S#12. 3008號地方道路（室外／白天）

過了售票亭，廂型車和敞篷車繼續行駛在3008號地方道路上，出現寫著「往黃地寺」的路牌後再往前一小段路，整條路就會呈現出「森林隧道」的樣貌。道路兩側鬱鬱蔥蔥的樹木，以拱門的形狀圍住道路形成隧道，敏植、格拉米和明錫都因這美麗的景象而感嘆。

敏植　　哇…

格拉米　怎麼有辦法那麼美?!

敞篷車正式奔馳在森林隧道裡，陽光從樹蔭的縫隙間灑落，照耀在三人的身上。
明錫安靜地閉上眼，享受擁抱著自己的溫暖陽光和溫度，放鬆地露出微笑。
緊閉的眼睛周圍稍微掛著淚水。

S#13. 鄉間小路（室外／白天）

離開3008號地方道路，敞篷車開上了閒靜的鄉間小路，跟著前方的廂型車走，卻看見附近有一間名為「幸運湯麵」的餐廳，掛著大大的招牌，餐廳建築方正。

格拉米　咦？是那個嗎？幸運湯麵？

明錫　　喔，我們要去的是幸福湯麵，還要再往前開一點。

格拉米　幸福湯麵？幸運湯麵？很容易搞混耶。

敏植　　幸福湯麵比幸運湯麵還要好吃嗎？

明錫　　依照我的口味是這樣沒錯，但是幸運湯麵的生意好像更好。

S#14. 幸福湯麵 (室外／白天)

一間掛著「幸福湯麵」招牌，小而破舊的餐廳門口。

廂型車和敞篷車停在餐廳旁邊，一行人下車。

不過幸福湯麵緊閉大門，灰塵飛揚的荒涼模樣看似已經許久未營業。

明錫	唉唷，沒有營業耶。
敏宇	看起來好像很久沒有營業了？倒閉了嗎？
滄浩	來的路上有看到一間幸運湯麵，要不要去吃那間就好？
明錫	（悶悶不樂）真是的，幸福湯麵的豬肉湯麵最好吃了…
秀妍	這間店真的那麼好吃嗎？
明錫	濟州島的方言中，有個詞叫「濃油香」，就是把豬肉湯頭熬得又濃又油，同時又香氣四溢的意思。這裡的湯頭就是如此，又濃又醇又沉，卻完全沒有豬肉的腥味，那個濃油香的湯頭就是這間餐廳的獨門祕方…
敏植	哇，聽你那麼說，我也好想嚐嚐看那個湯頭。
明錫	這間餐廳的老闆給肉也非常大方，湯麵裡會加滿超大塊的白煮肉，豬肉和麵條幾乎是各半了。
格拉米	可是現在沒有營業啊？直接去吃幸運湯麵吧！我好餓。
明錫	好，先去吃幸運湯麵吧。

一行人為了上車，再次移動。

英禑卻一直出神地看著明錫遺憾的表情。

S#15. 法庭 (室內／白天)

第一次言詞辯論期日。

一位**法官**（40多歲／女）坐在法官席上，

原告方是永福和汪洋的律師們，被告方則是黃地寺的**住持**（50多歲／男）與為黃地寺辯護的律師**李碩俊**（40多歲／男）。

法庭內的投影幕正顯示著秀妍在黃地寺售票亭拍攝的影片，畫面角度因手抖而不斷晃動，畫質也稱不上清晰，

以及粗糙的運鏡手法，讓整段影片看起來就像潛入拍攝的電視節目。

〈影片內容-S#11.的情況〉

收費員	這裡要酌收黃地寺文化遺產參觀費，一人三千韓元…（環顧車內）你們有四位，總共一萬兩千韓元。
澹浩	我們沒有要去黃地寺，這樣也要付錢嗎？
收費員	只要走這條路就要付錢，這是合法徵收。

後半段經過剪輯，跳轉至下一段。
對話都經過擷取。

英祿	不過我們已經表明沒有要參觀黃地寺，你還是要向我們收取費用嗎？
收費員	奇怪，你們到底有沒有要參觀黃地寺，我怎麼能只聽信你們的片面之詞呢？（以下剪輯）
澹浩	那你們把售票亭設在黃地寺門口就好了啊。
收費員	唉唷，真是的！我們已經好幾年來都在這裡收取參觀費了！（剪輯）你們要是有什麼不滿，就掉頭往回走啊！
澹浩	要怎麼從這裡往回走？這裡根本就不能迴轉！
收費員	（看著後座的秀妍）等等，妳在幹麼？妳在錄影嗎？

後半段再次剪輯，接續到收費員伸手到車內試圖奪取秀妍相機的畫面。

277

收費員與敏宇的手在相機收音處附近碰撞，出現了劇烈的爆破音，畫面也嚴重晃動，從影片上看來，當時的狀況十分嚴重。

敏宇　你在做什麼？你說這裡是要收費的觀光區，難道我們連錄影都不行嗎？

影片就在這裡結束，英禑為了進行辯論從座位上起身，感受到法庭內過於肅靜的氣氛，英禑莫名覺得後腦杓發燙，回頭一看發現旁聽席上除了濬浩、格拉米和敏植以外，果不其然全是身穿僧服並剃髮的黃地寺**僧人**，因為僧人們所散發的氣息十分強烈，連不會看臉色的英禑都有些畏縮。

英禑　這段影片…是原告代理人們經過黃地寺售票亭時，所拍攝的畫面，與原告金永福先生遇到的狀況幾乎一致。即使已經確切表明沒有要參觀黃地寺，黃地寺的收費員無法給出具有說服力的解釋，反而以脅迫的態度收取參觀費。

碩俊　收費員的態度或許有點強勢，但是並非沒有給出具有說服力的解釋，影片中不也有提到「合法徵收嗎」？黃地寺是根據《文化遺產保護法》第49條，合法收取文化遺產參觀費。

英禑　若是根據《文化遺產保護法》第49條，參觀費的收取對象應為參觀者，但是原告並非參觀者，他沒有意願參觀黃地寺的文化遺產，實際上也沒有去參觀，原告只是途經3008號地方道路的用路人。

碩俊　3008號地方道路本身即位於黃地寺的所有地內。庭上，請看一下地圖。

碩俊準備的地圖顯示在法庭內的投影幕上。
在名為「**大韓佛教慧釋宗黃地寺**」的標題下，

278

標示著以3008號地方道路為中心，延伸至黃地寺和其庵堂「山麓庵」、「方角庵」、「伏思庵」的位置。

黃地寺的所有地以紅線圈出，

從地圖上看起來相當廣大，除了黃地寺和庵堂之外，3008號地方道路和漢白山國家公園的一大部分都包含於其中。

碩俊　畫面上紅線所圈出的範圍，都屬於黃地寺的所有地，除了黃地寺和其庵堂之外，3008號地方道路所經之漢白山國家公園的一大部分也都屬於黃地寺所有。

英禑　因為是黃地寺的所有地，所以路過就都要付錢嗎？請問被告代理人，你現在是承認黃地寺假借收取文化遺產參觀費之名，行收取道路過路費之實嗎？

碩俊　3008號地方道路當初建造的目的，本來就並非提供一般民眾通行，而是因應1988年舉辦的首爾奧運，為了讓來韓外國人方便至漢白山黃地寺一帶旅遊，所建造的觀光道路。

明錫　用路人通常是直接使用道路，並不會先去瞭解道路當初的建造目的，原告只是依照導航的指引移動，並非為了參觀黃地寺一帶，才選擇走那條路的。

碩俊　真的是那樣嗎？原告支付了文化遺產參觀費，就代表他已經知道可以參觀被告所有之文化遺產。換句話說，既然原告支付了參觀費，就能夠回推原告有參觀文化遺產之意願。

永福　你到底在說什麼？你沒看到剛才律師們錄的影片嗎？莫名其妙擋住我旅行的路途，大呼小叫地要我付三千韓元，我難得和女兒出門旅遊，不想掃興才不得已先付錢！

氣氛變得過於激烈，法官出面控制場面。

法官　目前我已經瞭解兩造立場，被告也申請了證人出庭，本案將持

續進行，之後再擇日開庭。

CUT TO：

確定下次言詞辯論期日，法官和永福離場後，汪洋一行人和毛怪家餐酒館的兩人正準備收拾東西離開法庭，散發威嚴氣派的住持面帶仁慈的微笑，向他們走來。

住持　你們都是從首爾來的吧？

明錫　喔，對。

住持　你們來過黃地寺嗎？

明錫　我們…還沒去過。

住持　唉唷，這樣啊？那你們要不要今天來一趟？今天正好是黃地寺的僧人們進行「地藏祈願」的日子。

明錫　什麼？今天嗎？

住持　我沒有別的意思，只是你們為了這樁案件來到濟州島，如果連黃地寺都沒能去參觀看看就離開，那不是很可惜嗎？至少來聽聽僧人們誦經的聲音嘛。

明錫　是，我們知道了。

住持文雅地合掌問候後，所有人都生疏地跟著照做。

S#16. 黃地寺內部的冥府殿 （室內／白天）

正在進行「地藏祈願」，名為冥府殿的法堂。

法堂內隱隱飄散著深沉的香薰味道，黃地寺的一位**僧人**（40多歲／男）敲著木魚，念誦著《地藏菩薩禮懺文》。

僧人後方坐著四五位中壯年男女信徒們，汪洋和毛怪家一行人則坐在信徒們旁邊。

僧人唸誦出「至心皈命禮」的句子，信徒們起身開始跪拜。

僧人　　至心皈命禮本師釋迦摩尼佛／至心皈命禮極樂世界阿彌陀佛／至心皈命禮獅子奮迅具足萬行佛／至心皈命禮覺華定自在王佛／至心皈命禮一切智成就佛／至心皈命禮清淨蓮華目佛…

汪洋和毛怪家一行人愣在原地，一位**女信徒**（50多歲）指導他們。

信徒　　（小聲地說）請起身跪拜，我們在進行158拜的至心皈命禮。
秀妍　　（小聲地說）158拜嗎？天啊…
格拉米　什麼？158拜是什麼？
敏植　　（像是要格拉米安靜下來，輕拍她的肩膀，小聲地說）叫妳跪拜啦，跪拜！

158次的跪拜就這麼開始了。
英禑意料之外地善於跪拜，像個機器人一樣有條理地跪拜著，相反地，明錫和濬浩似乎不熟悉跪拜禮節，手忙腳亂地跟著信徒們的動作。

明錫　　（氣喘吁吁，小聲地說）天啊，還剩下幾次？
英禑　　（小聲地說）還剩下155次。
濬浩　　（小聲地說）還剩下那麼多次？（做了一次跪拜）那麼現在只剩154次？
英禑　　（小聲地說）你還剩155次，因為你比鄭明錫律師晚開始。
濬浩　　（小聲地說）妳幹麼數得那麼清楚…
英禑　　（小聲地說）趕快拜吧。

同時，秀妍不耐煩地做著自己不喜歡的跪拜，突然往後一看，敏宇怎麼不跪拜，站在那裡不動？

281

秀妍悄悄地走到敏宇旁邊。

秀妍　　（小聲地說）你怎麼不跪拜？

敏宇　　（小聲地說）我是天主教教徒。

秀妍　　（小聲地說）喔…

敏宇　　（小聲地說）那妳在幹麼？怎麼不跪拜？

秀妍　　（小聲地說）我也是天主教教徒。

敏宇　　（小聲地說）這麼突然？妳的受洗名是什麼？我叫加百列。

秀妍　　（小聲地說）我叫…（苦惱了一下）珍妮。

敏宇　　（小聲地說）珍妮是什麼…「BLACKPINK聖人」嗎？趕快去跪拜
　　　　　吧。

秀妍無法說出像樣的受洗名，深深地嘆了一口氣，再次回到跪
拜的位置上。

同時，格拉米出乎意料地專注於跪拜，甚至做到滿臉通紅。
似乎無法再忍受了，格拉米對敏植說，

格拉米　喔，但是聽著木魚的聲音，害我一直…

敏植　　（小聲地說）一直怎樣？

格拉米　好想活動我的關節耶？

格拉米突然隨著木魚聲跳出機械舞，雖然敏植瞪大眼睛，驚訝
地用全身的力量攔住格拉米，偏偏此時住持已經來到冥府殿門
前，看見眼前的畫面呵呵笑著。

S#17.　黃地寺內的礦泉（室外／白天）

地藏祈願結束後，住持帶領汪洋和毛怪家一行人在寺院之間散步，管理完善的殿閣、塔樓以及樹木都相當美麗。
住持在佛寺某一側的礦泉附近停了下來，可以聽見清澈的水潺潺流動，令人心曠神怡。

住持	3008號地方道路經常會發生車禍，不只是人，野生動物也經常被車撞死，更別說當初為了建造那條道路，砍了多少樹了。剛才各位一起進行的地藏祈願，就是為了撫慰那些離開陽間的亡魂，因為地藏菩薩就是將亡者引渡到極樂世界的菩薩。
格拉米	喔～意義超級深遠！
敏植	（作勢要揍格拉米）妳居然在意義那麼深遠的場合跳舞！
格拉米	喔，那是因為木魚聲！一直刺激我體內的機械舞魂啊！

聽到格拉米那麼說，住持再次呵呵笑著。

明錫	師父，聽說黃地寺裡有知名的文化遺產。
住持	知名的文化遺產？
英禑	（對明錫說）你指的是被指定為寶物的「觀音掛佛幀」嗎？
格拉米	觀音掛佛幀？幀？
住持	喔，那是…
英禑	（打斷住持說話）所謂掛佛幀是指寺院在舉辦大型法會或儀式的時候，掛在法堂前院供人膜拜的大型佛教畫像。「黃地寺觀音掛佛幀」就是畫了觀世音菩薩，長10.8m，寬7.3m的畫像，於朝鮮正祖14年繪製而成的…
格拉米	（打斷英禑說話）長10.8公尺？那是多長？
英禑	那個，簡單來說，比小鬚鯨的平均身長還要長，比貝氏喙鯨的平均身長還要短。
秀妍	妳這樣說反而更難懂了耶？而且住持就在這裡，哪裡還需要妳

283

來解釋？

英禑　喔…

住持　她解釋得那麼清楚，我才應該感謝她。那我們就移動到寶物存放的地方吧？

格拉米　我們要看寶物嗎？太酷了！

住持引領一群人前往大雄殿。

S#18.　**黃地寺內的大雄殿**（室外／白天）

供奉著「釋迦摩尼佛」的「大雄殿」法堂，比剛才進行地藏祈願的冥府殿還要大，一行人跟著住持走進大雄殿裡，環顧著大雄殿內部。

住持　各位要不要找找看寶物在哪裡呢？

敏植　既然是畫像…是那個嗎？

敏植指著一幅掛在大雄殿牆上的大佛像。

英禑　那幅畫明顯短於10.8m，頂多只是印太瓶鼻海豚的平均身長而已。

格拉米　（左顧右盼）那會在哪裡？

敏宇　這裡好像沒有那麼大的畫像耶？

住持　有的，就在這裡。

一群人看向住持手指的地方，大雄殿內側的地板上放有一個看起來非常古老、長長的「掛佛櫃」。

秀妍	這個…木箱嗎？
住持	這叫掛佛櫃，也就是收存掛佛幀的盒子，觀音掛佛幀就在這裡面。
明錫	沒有辦法拿出來看嗎？
住持	觀音掛佛幀以往每年只會在佛誕日拿出來一次，不過從十年前開始，我們擔心觀音掛佛幀會損壞，就連佛誕日也不再拿出來了，這幅觀音掛佛幀畢竟是我國寶物，我們當然要用心保存。
格拉米	什麼啊？那你怎麼還說要讓我們看？
住持	（微笑）我沒有說要讓你們看，我只說要帶你們移動到寶物存放的地方。

不僅是格拉米，所有人的臉上都充滿失望。
住持笑咪咪地看著大家的表情。

住持	眼前所見並非就是全部，不要被眼前看到的事物所迷惑，而是要思考事物的本質。

S#19. 民宿客廳 (室內／晚上)

民宿美得像是租了類似「Airbnb」的獨棟住宅。
民宿有3間房間（男生房間、女生房間、明錫房間）、氣派的廚房和客廳。
明錫拿著筆電和文件走出自己的房間，看見敏植和格拉米在廚房以各自的方式努力維持安靜、料理晚餐，澔浩和新進律師們則坐在客廳，等待著明錫，準備開會。
透過客廳的窗戶就能看到濟州島令人拍案叫絕的美麗夜景，汪洋一行人卻受制於滿滿的工作，別說窗外了，只能專注地看著文件，這樣的畫面讓明錫突然很想哭。

285

明錫　　那個，我們…

濬浩和新進律師們把視線移開筆電和文件，看向明錫。

明錫　　要不要先放鬆玩一下？這是我們來濟州島的第一天，開會就太
　　　　煞風景了吧？
格拉米　（似乎等待已久）喔耶！喔～耶！
敏植　　立刻變更晚餐菜單，我通通都要換成下酒菜！

果不其然，身為明錫的旅行靈魂伴侶，敏植和格拉米先做出反
應，緊接著新進律師們也一一收拾會議資料。

秀妍　　那我出去買點酒吧？
明錫　　好啊！
敏宇　　我跟妳一起去吧。
秀妍　　（冷顫）幹麼？不用啦。
敏宇　　便利商店離這裡滿遠的吧？妳要怎麼一個人提回來？
秀妍　　（比出拒絕手勢）喔，我會自己看著辦啦！就算用頭頂我也會一個
　　　　人扛回來。
敏宇　　（生氣）喔，那妳就用頭頂著扛回來吧！一定會很有看頭！

秀妍和敏宇為了這件芝麻綠豆般的小事，大聲地爭執不下。
明錫感到詫異。

明錫　　你們怎麼了？吵架了嗎？
秀妍/敏宇　（幾乎同時）沒有！
明錫　　那麼…就你們兩個去吧，沒吵架的人一起去。

秀妍和敏宇無可奈何地一起走出民宿外。

S#20. 街道（室外／晚上）

秀妍和敏宇各自拿著裝滿酒的購物袋一起走回民宿，卻隔著一條明顯的隱形距離。敏宇發現了某樣東西，停下腳步。

敏宇　　咦？要去那裡看看嗎？有東西在閃閃發光耶？

秀妍看向敏宇手指的方向。
被五光十色的燈光照亮的「龍淵雲橋」甚是美麗。

秀妍　　走那邊是繞路，大家都在等我們買酒回去。
敏宇　　那就讓他們等吧，反正酒在我們手上。

敏宇從購物袋裡拿出一罐啤酒，灌進肚裡。

敏宇　　這應該是跑腿買酒的特權吧？

喝下了涼爽的啤酒，敏宇的心情似乎變好了，露齒微笑著。
秀妍靜靜地看著那樣的敏宇。

秀妍　　（像是在自言自語）真討人厭。

S#21. 龍淵雲橋（室外／晚上）

雖然討人厭，但還是說好一起去了嗎？秀妍自顧自地灌啤酒，跟在敏宇後方，走上了龍淵雲橋。

龍淵雲橋上設置的燈光，和底下平靜的湖水頗有雅致。

敏宇　　妳要不要站在這裡？我幫妳拍照。
秀妍　　不用了，拍什麼照。
敏宇　　幹麼這樣～站好啦。

敏宇馬上拿出手機，擺出拍照的架式，秀妍不自覺地開始擺姿勢，用手撥弄頭髮後，突然驚訝「我現在是在幹麼？該不會是想在權敏宇面前裝美吧？」趕緊把頭髮撥亂。

敏宇　　（本來要拍照卻停下）妳要那樣拍照嗎？像《推奴》一樣？
秀妍　　（勃然大怒）我就說我不拍照了！

此時，敏宇接到一通電話，是敏宇的爸爸。

敏宇　　（通話）是，爸。

敏宇以畢恭畢敬的尊敬語氣、端正的姿勢，像個成熟大人般和父親講電話。
對於和父母像朋友般相處的秀妍來說，敏宇那樣的態度既陌生又讓她感到神奇。

敏宇　　（通話）那件事我有在查，我會想盡辦法解決，你不用擔心，好好照顧身體就好。（停頓）好，先這樣，我再打過去。

敏宇掛斷電話後，輕輕地嘆了一口氣。

秀妍　　怎麼了？你家裡有什麼事嗎？

敏宇　　唉唷，我家那些狗屁倒灶的事，公主不用知道啦。

秀妍　　（生氣）什麼公主啊…我為什麼是公主？

敏宇靜靜地看著秀妍，

敏宇　　崔保延法官，不久前升官了吧？

秀妍　　什麼？我爸嗎？

敏宇　　他不是升上大法官了嗎？

秀妍　　唉唷，你現在連別人爸爸升官都要管啊？

敏宇　　妳有那麼可靠的爸爸，的確可以當一輩子的公主。

秀妍本來想追問敏宇對自己的人生瞭解多少，憑什麼下定論。
但是敏宇的表情突然變得苦澀，於是秀妍就把原本想說的話吞
回肚子裡。

敏宇　　（嘆氣）我本來以為至少到三十歲之前，我都還能過得從容不
　　　　迫，但是我父母的健康狀況卻不容許我過得從容。我真的要很
　　　　認真賺錢，因為我現在是家裡的經濟支柱。

「敏宇的人生所背負的重量是如何呢？」雖然現在在秀妍的眼
裡，敏宇看起來非常成熟，但是秀妍對這種情感本身就很陌
生，莫名地開始碎碎念。

秀妍　　什麼啊…幹麼突然裝大人。

敏宇　　我不是在裝大人，我就是個大人。

敏宇無言地笑著，喝完剩下的啤酒，走在橋上。秀妍無聲地跟
在敏宇身後。

289

S#22.　民宿客廳（室內／晚上）

秀妍和敏宇走進民宿，英禑正在吃著敏植做的海苔壽司，其他人吃著山珍海味，一行人歡迎兩位回來，拿出剛才買回來的酒開始喝。

格拉米　你們是去了釀酒廠嗎？保持清醒真的好痛苦。

敏宇　　（輕鬆地接過玩笑話）唉唷，不好意思。

明錫　　你們兩個快點吃飯吧，毛怪老闆做的菜真的很好吃。

敏植　　你們吃得開心，就是我這個怪老闆的幸福！

秀妍　　我們去買酒的時候，你們在聊什麼？

英禑　　我們在聽鄭明錫律師被他太太提離婚的故事。

秀妍　　（驚訝）什麼？鄭明錫律師，你結過婚嗎？

英禑　　嗯，他三十歲的時候結婚，8年後被太太提離婚了。

滄浩　　（小聲地對英禑說）妳怎麼一直說他被提離婚啦…

明錫　　我的確是被提離婚啊，我們那時候來濟州島度蜜月，所以現在來這裡，我一直想起當時的回憶。

敏植　　那時候也流行來濟州島度蜜月嗎？應該是我們的父母輩比較流行來濟州島吧。

明錫　　沒錯，我們那個時候的人，很多都是去夏威夷、關島或是馬爾地夫之類的地方，不管是當時還是現在，我的工作都很忙，所以就算在度蜜月期間，我也一定要接到電話，如果突然發生了什麼事，我也可能得馬上趕回首爾。

滄浩　　哇——好悲傷的故事，連度蜜月都要工作…

明錫　　現在回想起來，似乎就是從那時候開始的。我原本都以為我們的問題是離婚前那陣子太常吵架，但其實不是，我們從度蜜月那時候就有問題了。

明錫回想起度蜜月當時。

290

MONTAGE：

13年前，明錫的度蜜月之旅以蒙太奇手法呈現。

S#23. 濟州島朝天窗縫岩 - 過去

像是窗戶被穿破一樣，有著奇特形狀的岩石，名為「朝天窗縫岩」，從中空的洞看出去，一片湛藍海洋一覽無遺。

明錫的前妻**崔知秀**（當時28歲／女）正以朝天窗縫岩為背景，擺著拍照姿勢。13年前，當時30歲的明錫正準備要幫知秀拍照，放在口袋裡的電話突然響了起來。

明錫向知秀比了一個請稍等的手勢，接起了電話，是汪洋的律師前輩打來的工作電話。

明錫　　是，律師。（停頓）沒關係，請說。

明錫拿著電話離開拍照區，其中一位正在朝天窗縫岩排隊等待拍照的**男人**（30多歲）向知秀擺了臉色。

男人　　你們不拍照嗎？後面還有很多人在等。
知秀　　喔，你們先拍吧⋯

知秀排隊了好一陣子，卻只有擺姿勢，沒有拍到任何照片，知秀離開朝天窗縫岩，靜靜地看著仍然在講電話的明錫。

S#24. 濟州島生魚片餐廳 - 過去

窗外可以看見美麗海景的高級生魚片餐廳。
生魚片餐廳**員工**（40多歲／女）將裝有新鮮生魚片、裝飾華麗的盤

子送到明錫和知秀面對面坐著的餐桌。

知秀 　（心情好）哇！親愛的，生魚片上菜了！趕快吃吧！
明錫 　嗯。

但是有別於明錫的回應，明錫以嚴肅的表情顧著看手機。

知秀 　你在幹麼？
明錫 　什麼？喔，等我看一封信，是很重要的事。
知秀 　吃完再忙吧，不然菜會涼掉。

明錫專注於確認電子郵件，現在連知秀說什麼都聽不見，知秀
終於看不下去，大聲說道。

知秀 　我叫你吃飯！不然會冷掉！
明錫 　什麼？（微笑）怎麼會冷掉，這不是生魚片嗎？
知秀 　（勃然大怒）會冷掉！生魚片也會冷掉！

S#25. 濟州島飯店房間 - 過去

明錫身上只穿著一件浴袍，坐在飯店房間的書桌用筆電工作，
似乎是終於告一段落，起身走向知秀。

明錫 　（興奮）知秀！我忙完了！

但是知秀身上只穿了一件浴袍，睡倒在床上。茶几櫃上放有知
秀在等待明錫時，獨自喝完的空香檳瓶，明錫走向床邊試著搖
醒知秀。

明錫	睡了嗎？妳要睡覺嗎？
知秀	（被吵醒而煩躁）唉⋯現在都幾點了？

明錫看向時鐘，已經超過凌晨4點了。

明錫	喔⋯很晚了呢，對不起。

看著再次入睡的知秀，明錫嘆了一口氣。

CUT TO：
再次回到現在，在濟州島民宿客廳展開的的酒局。
回想起過去而難受的明錫，一飲而盡。

明錫	我以前那樣生活，到底是為了什麼？

明錫的這一句話，所有人都無法給出回應。
各自都以複雜的表情看著明錫。

S#26. 民宿女生房間 （室內／晚上）

英禵、格拉米和秀妍各自躺在民宿的女生房間。
有別於已經呼呼大睡的格拉米和秀妍，英禵即使穿著平常在家裡穿的睡衣，戴著繡有「禹英禵」的眼罩和耳塞，還是完全無法入睡，最後起身坐在床上。
格拉米的棉被因此被掀開，格拉米驚訝地醒來。

格拉米	喔，妳又怎麼了?!
英禵	時鐘太大聲了。

格拉米	哇，煩死了，禹英禑，妳這個公主！一下子嫌地板太硬、一下
	子嫌窗戶太亮、一下子嫌棉被太粗糙、一下子又嫌房間溫度不
	對，妳已經抱怨了老半天，現在又嫌時鐘太大聲？
英禑	（拿下耳塞）我本來忍耐著，但真的太大聲了，妳仔細聽。

雖然格拉米試著仔細聆聽，
但是格拉米的耳朵沒有聽見任何聲音。

| 英禑 | （專心聽）應該是客廳的時鐘，秒針一直滴答滴答地響… |
| 格拉米 | 秒針一直滴答滴答地響，妳就應該滴答滴答地睡啊… |

格拉米雖然發牢騷，卻還是踢開棉被站了起來。
英禑愣住，抬頭看著格拉米。

| 格拉米 | 妳在幹麼？起來啊！不是說客廳時鐘很吵嗎？我們去殺了它。 |

S#27. 民宿客廳 （室內／晚上）

格拉米和英禑從房間走到客廳。
格拉米指著客廳牆上掛著的時鐘，

| 格拉米 | 是那個混蛋嗎？滴答滴答地響的混蛋？ |
| 英禑 | 嗯，應該是它。 |

格拉米大步走去，從牆壁上把時鐘拿下來，取下電池，英禑以
小碎步跟在格拉米身後，看著格拉米的勇猛行為。英禑突然轉
頭看向窗外，發現明錫獨自待在客廳外的陽臺。
明錫似乎是想在戶外喝茶，拿著馬克杯走到外面。

294

明錫看起來肚子很痛，用雙手摀住肚子，彎著身子哀嚎。跟著英禩的視線，格拉米也看見窗外的明錫。

格拉米　　（莫名擔心）他想上大號嗎？他怎麼了？

英禩　　　要不要去問問他怎麼了？

明錫的疼痛似乎稍微緩解，這才終於挺起身子，深深地嘆了一口氣，再次喝茶的模樣令人心疼。

格拉米　　不，就當作沒看到吧，那樣比較好。

英禩　　　喔…好。

S#28.　民宿廚房（室內／白天）

隔天早上，

敏植和格拉米正在一邊處理鮑魚，一邊鬥嘴。

敏植　　　妳能不能不要一直切到內臟？很浪費耶！

格拉米　　喔，你不是叫我切嘴巴？嘴巴跟內臟連在一起，我才會一直切到啊！

此時，秀妍走過來探頭看著。

秀妍　　　我們一早就要吃鮑魚嗎？

敏植　　　喔，我想說來煮鮑魚粥，剛好這附近有人賣，我就買了一點回來。

秀妍　　　（驚訝）這麼早啊？

格拉米　　對啊！就是說啊！他為了買鮑魚，一大清早就把我搖醒！

秀妍	哇，謝謝你們，託你們的福才能大飽口福。

原本秀妍的出現，讓敏植緊張得動作僵硬且不自然。
似乎是秀妍溫柔的感謝舒緩了敏植的緊張，也喚醒了敏植體內的大叔魂。

敏植	啊！這哪有什麼啦！秀妍，妳知道第幾代鮑魚最臭嗎？
秀妍	什麼？
格拉米	（不安）你又要說什麼…
敏植	第四代！
秀妍	什麼？
敏植	因為鮑魚之肆最臭，哈哈哈！

敏植的豪爽笑聲讓秀妍變得呆滯，格拉米拿起剪下鮑魚嘴巴的剪刀，伸至敏植的嘴巴前，

格拉米	我應該剪掉這張嘴巴！我要把毛怪老闆的內臟切爆！

此時，秀妍看見澔浩拿著花束走到民宿客廳，秀妍正好想遠離被大叔魂附體的人，走向澔浩。

S#29.　民宿客廳（室內／白天）

澔浩把花束放在客廳的桌上，最少程度的包裝，輕輕綁成一束的野花，散發著一股清香。
秀妍拿起花束，幸福地聞著花香，

秀妍	怎麼有花？太漂亮了吧！是你買的嗎？

濬浩本來要回答，剛洗好澡的敏宇散發著清爽的味道，走出來
代替回答。

敏宇　那是我買的耶？

敏宇的那句話，讓秀妍的熱情被澆了一桶冷水，直接把花束丟
了出去。

敏宇　我剛才去慢跑，有個奶奶在路上賣花。怎麼？因為是我去買的
花，突然就不怎麼樣了嗎？（誇真地模仿）剛才不是還說「太漂亮
吧！」
秀妍　我哪有說過（模仿著敏宇的模仿）「太漂亮了吧！」總之你真的很
煩。

秀妍一邊念念有詞，一邊離開客廳。濬浩愣在原地，不知道秀
妍為何如此，偷偷地問敏宇。

濬浩　怎麼了？你們吵架啦？
敏宇　喔，不知道！

敏宇癱坐在沙發上打開電視，一位**政治名嘴**（40多歲／男）出現在
新聞節目上，針對守美進行評論。此時，英禑正好來到客廳找手
機，敏宇為了觀察英禑對守美的反應，故意提高電視的音量。

電視裡名嘴　「太守美候選人原本是泰山的代表律師，會不會太小看這一點
了？」這其實是我最擔心的。雖然她在成為法務部長候選人之
前，已經主動請辭代表一職，不過她身為泰山創始人的女兒，
曾經直接世襲代表的職位也是不爭的事實。而且泰山是一間對

企業比較友善的律所，不是嗎？太守美候選人的老公也是…

但是在英禑聽到電視聲音之前，在廚房的格拉米跑了過來。

格拉米　（急忙地說）咦?!現在要播《海綿寶寶》了耶？

格拉米自然而然地搶過敏宇手上的遙控器轉臺，坐在敏宇旁邊的座位。

格拉米　禹英禑！有《海綿寶寶》！妳不看嗎？
英禑　　再說。

英禑找到手機，再次走回女生房間。
敏宇試探英禑反應的策略就這麼失敗了，敏宇安靜地嘆息。

S#30. 民宿的明錫房（室內／白天）

同時，明錫在民宿裡自己的房間，用手機打開「冥想方法」的影片，正在進行呼吸冥想。
明錫盤腿坐著，閉上眼睛，照著影片裡**女人**（30多歲）的指示進行冥想，看起來無比認真。

女人　　請專注於你自己的呼吸，慢慢地吸氣，慢慢地吐氣。
　　　　所有的痛苦都會隨著你吐氣而排出體外，而清淨且嶄新的能量也會隨著吸氣填滿你的身體，呼吸會讓血液變得清澈，也會讓頭腦變得清晰…

S#31.　民宿女生房間（室內／白天）

英禑回到女生房間，正在為去看海豚做準備。

頭上戴著探險家的帽子，眼睛下方貼著棒球選手會使用的黑色遮陽眼貼，往包包裡裝著雙筒望遠鏡和相機的模樣，看起來非常激動且期待。

此時，伴隨著敲門聲，濬浩走進房內。

濬浩　　我剛才跟我姊姊通過電話了。

英禑　　（看見濬浩，非常激動地說）去看印太瓶鼻海豚，這些裝備夠嗎？為了預防陽光過於刺眼看不到海豚，我戴了帽子，也貼上遮陽眼貼，還準備了有防手震功能的10倍雙筒望遠鏡和具備連拍功能的相機。

濬浩　　（覺得英禑很可愛，露出微笑）那些裝備應該很夠用了吧？不過，禹律師，我姊姊和我姊夫好像準備了很多東西。

英禑　　什麼？

濬浩　　我本來是想說一起輕鬆地見個面、喝杯茶就好，但是姊姊覺得很久沒見到我了，而且她聽說妳也會一起去，覺得只喝杯茶的話太可惜了。她說她準備了很多東西，還叫我們直接過去吃午餐…我想她準備的食物應該不會是海苔飯捲。

英禑　　這樣啊，那麼她準備了什麼食物呢？

濬浩　　她說要烤肉來吃，好像還準備了一些生魚片…的樣子。

英禑　　喔，烤肉和生魚片。

濬浩　　還是我回撥給姊姊，跟她說我們沒辦法過去吃飯？

英禑　　不用了，烤肉和生魚片，雖然我真的不喜歡，但是他們招待什麼我就吃什麼，還要吃得很香。

濬浩　　妳真的不用勉強，我打電話給我姊姊就好…

英禑　　（打斷濬浩說話）不用了！你別擔心。

濬浩雖然很感謝英禑願意努力嘗試看看，但是英禑過度堅決的模樣，莫名地讓濬浩有點不安。

S#32. 濟州島大靜邑沿岸 (室外／白天)

為了看海豚，英禑和濬浩來到大靜邑沿岸。

英禑頭戴探險家帽子，眼睛下方貼著遮陽眼貼，脖上掛著雙筒望遠鏡，而濬浩手上拿著裝有望遠鏡頭的數位單眼相機。

即使他們做足了萬全準備，站在海邊好一陣子，卻還是不見任何一隻海豚。

英禑　　海豚和鯊魚是會互相搶食獵物的競爭關係，不過濟州沿岸因為有印太瓶鼻海豚定居，所以只要有鯊魚接近，牠們就會成群結隊地把鯊魚趕走。多虧有印太瓶鼻海豚，濟州島海女下海捕撈才不至於遇到鯊魚，只不過海女辛苦地捕撈到的漁獲，有時候會被海豚偷吃。

濬浩　　原來如此。

海面平靜得像是不會有任何海豚出現，濬浩等到有些累了，悄悄地看著手錶。

濬浩　　怎麼會一隻海豚都不出現呢？要去我姊家的話，現在差不多要出發了⋯

聽到濬浩這麼說，英禑無聲地嘆氣。
兩人的表情都顯得悶悶不樂。

S#33.　**勝希家的前院**（室外／白天）

濬浩姊姊**李勝希**（33歲／女）和勝希丈夫**朴正南**（36歲／男）家中前院。院子似乎是兩人親自設計並打造的，看起來既美麗又符合他們給人的印象。

濬浩和英禑走進前院。

濬浩　　姊姊！姊夫！

勝希　　李濬浩！你來啦？

正南　　小舅子，好久不見。

似乎真的很久不見，濬浩、勝希和正南開心地互相打招呼。同時，英禑緊張地站在濬浩旁邊，全身變得僵硬。

勝希　　（指著英禑）這位是⋯

英禑　　我叫禹英禑，正著唸、倒著唸都一樣，黑吃黑、多倫多、石榴石、文言文、鹽酸鹽、禹英禑

勝希　　（雖然被英禑的自我介紹嚇到打了個冷顫，卻裝作沒被嚇到）唉唷，這樣啊。

英禑　　你們家裡超漂亮的！

因為過於緊張，英禑莫名其妙就說出了事先準備好的句子，勝希和正南猶疑了一下，不知道英禑在說什麼。

正南　　（回頭看向屋子的方向）妳看得到家裡長怎樣嗎？

濬浩　　（試圖圓場）姊姊，我們先坐下吧？

勝希　　嗯嗯！坐那裡。

勝希引領濬浩和英禑走到院子某一角的戶外餐桌和椅子，餐桌

301

上滿是勝希用心準備的烤肉、生魚片及蔬菜。

英禶坐在濬浩旁邊的椅子，態度堅決地看著今天的挑戰任務，也就是眼前的那些食物。

正南　你姊一聽到你要帶英禶過來，從好幾天前就開始準備了。

濬浩　看得出來，這桌菜真的好豐盛，妳一定很辛苦。

勝希　哪裡辛苦，待會吃完飯也吃點水果吧。

勝希從院子的另一邊把洗好的水果放在托盤上拿過來，一聽到「水果」這個詞，英禶就馬上做出反應。

英禶　水果！我來削吧，我很會削水果。

但是此時，勝希放在桌上的水果，是葡萄。

正南　再怎麼會削水果，葡萄也…

英禶　喔…

勝希　（試圖圓場，提高語調地說）吃飯吧！（對英禶說）多吃點。

英禶　好。

雖然英禶給出了回應，但是看著桌上任何一種食物，英禶一點食欲都沒有。英禶摸著手上的筷子，做著心理準備，似乎終於下定決心，夾起烤肉和一片生魚片，一口放入嘴裡。

似乎是在嚼苦澀的藥材，英禶緊閉眼睛、皺著眉頭，吃力地咀嚼吞下。正南看到英禶的模樣，努力裝作沒看到，撇過頭詢問濬浩。

正南　你們來濟州島出差，應該都沒能好好觀光吧？

302

澔浩	我們還是去了漢白山、黃地寺和幾個地方，來你們家之前還去了大靜邑的海邊，大靜邑的海豚…
英禑	（就算正閉著眼睛咀嚼，也急忙地出聲阻止澔浩）不行！禁止聊鯨豚類話題。
澔浩	什麼？
英禑	在這樣的場合，不能聊鯨豚類話題，也不能說要吃海苔飯捲。
澔浩	（大概猜到是什麼意思了）喔…
勝希	但是英禑，妳還好嗎？是不是在勉強吃？
澔浩	禹律師，妳真的不用勉強，不用硬吃。

英禑依舊咬著剛剛放入嘴裡的烤肉和生魚片，在勝希和澔浩的擔心下，好不容易把嘴裡的食物吞下去，

英禑	不會！很好吃！妳的廚藝真好耶？

不知道吃下剛才那一口食物有多痛苦，英禑雖然露出開朗的微笑，眼角卻泛出一點點淚水。

CUT TO：
約一小時後，英禑暫離座位，去了勝希家裡的廁所時，澔浩、勝希和正南在院子裡喝茶。

澔浩	禹律師怎麼去那麼久？是找不到廁所嗎？

澔浩準備起身去找英禑，勝希卻抓住澔浩要他坐下。

勝希	唉唷，你是在照顧小孩嗎？我們家又不是迷宮，怎麼會找不到廁所？

正南	是啊，小舅子，你不是說英禑很聰明嗎？
勝希	而且你怎麼叫她「禹律師」？講話聽起來還這麼生分？你們不是在交往嗎？
濬浩	因為我們都習慣平常工作的語氣了啦，稱呼可以慢慢改啊。
勝希	（猶豫該不該說，最終還是說了）你不會告訴爸媽吧？
濬浩	什麼？
勝希	跟英禑交往的事。
濬浩	怎樣？
勝希	你還問我怎樣？你想讓爸媽暈倒嗎？反正你們又不會結婚，就別說了吧。
濬浩	那是什麼意思？爸媽為什麼會暈倒？
正南	（看著屋子的方向）老婆，下次再單獨跟濬浩說吧，免得被英禑聽到。
勝希	你談場戀愛談得那麼辛苦，連我這個做姊姊的看了都心疼，如果爸媽知道…
濬浩	姊姊！
勝希	李濬浩！你不知道我和爸媽都希望你幸福嗎？知道的話你就應該帶會讓你幸福的女人回來！而不是一個需要你照顧的女人！

S#34. 勝希的家 （室內／白天）

同一時間，英禑靜靜地站在勝希家裡的玄關附近。

英禑聽見濬浩在院子裡說話的聲音。

濬浩	（聲音）姐姐，妳怎麼能這樣說？妳們今天才第一次見面，見一次面就能完全瞭解一個人嗎？

英禑有聽見三人完整的對話內容嗎？她現在心情如何？光從英

304

褌沒有表情的臉孔，無從得知。

S#35. 法庭 （室內／白天）

第二次言詞辯論期日。
佛教文化遺產**研究員**（30多歲／男）坐在證人席，
碩俊向研究員進行詰問。

碩俊　　原告主張自己只是行經3008號地方道路，並沒有參觀黃地寺的文
　　　　化遺產。證人，你身為佛教文化遺產專家，你對原告的主張有
　　　　什麼看法？

研究員　我認為這是原告在不瞭解韓國傳統山寺的情形下，才會做出的
　　　　主張。

研究員的指責讓永福驚訝得瞪大眼睛。

碩俊　　請問你為什麼那麼認為？

研究員　原告行駛在3008號地方道路上所經過的「漢白山黃地寺一帶」，
　　　　屬於國家指定文化遺產中的「名勝」，不只是主要的殿閣、周
　　　　遭的自然環境，就連黃地寺裡的動植物，根據法律都受現象變
　　　　更[4]的限制與保護。因為所謂的文化遺產，並非一處一處的建築
　　　　物，包圍著寺院的整個空間都該視為文化遺產的一體。

碩俊　　你說包圍著黃地寺的整個空間，都是文化遺產的一體嗎？

研究員　是的，只要提到黃地寺的文化遺產，大家通常只會想到一幅觀

註釋4：現象變更：對於文化遺產本身的現象變更行為，包含修理、整頓、復原、
保存處理、捕獲、採取與飼育等保護及管理文化遺產的行為，以及在文化遺產所在
的空間，對地形、地勢、植被、景觀與環境進行變化的行為。

音掛佛幀，因為它被指定為寶物。但是真正的寺院文化遺產，大多是以土地面積為單位。

硕俊 以土地面積為單位？

研究員 就是我們說「點、線、面」的「面」。不是像「博物館裡的一幅畫」這種動產文化遺產，而是包含寺院範圍內外的所有殿閣、庵堂以及自然環境等。

硕俊 以黃地寺來說，你認為它的文化遺產包含哪些部分？

研究員 包含了黃地寺所有的整塊土地。黃地寺和它所有的庵堂，山麓庵、方角庵、伏思庵以及3008號地方道路所經過的漢白山國家公園部分土地。

硕俊 我方詰問完畢。

法官 原告代理人，請進行反詰問。

英祸正要起身進行反詰問時，聽見坐在一旁的明錫發出了「呃…」的聲音。
英祸回頭看向明錫，似乎是肚子劇烈疼痛，明錫抱住肚子發出呻吟。

英祸 鄭明錫律師？

英祸試著叫明錫，但是明錫痛到無法回答。
明錫面色發紅，全身都在流汗，非常痛苦。英祸第一次看到有人這麼不舒服。
英祸不知道該怎麼辦，感到非常慌張。

永福 （這才看著明錫）你怎麼了？還好嗎？

明錫 我，等一下…

明錫試圖走出法庭，對永福比了一個借過的手勢，但是就在屁股一離開椅子時，砰的一聲！明錫應聲倒地。

秀妍　鄭律師！

伴隨著秀妍驚訝的聲音，法庭裡一陣騷亂。
濬浩趕緊從旁聽席起身，跑向明錫身邊。

法官　你還好嗎？（對法警說）快叫119。

在法官的指示下，法庭**法警**（30多歲／男）撥打119。
除了汪洋和毛怪家的人們，旁聽席上的僧人也都很擔心明錫，鬧哄哄地聚集在明錫周圍。
英禑被人群擠至後方。
似乎是明錫的倒下帶給英禑太大的衝擊，英禑的表情呆滯。

〈完〉

「真的嗎？我度過了有意義的時光嗎？」

「是，我是這麼認為。」

濟州島的
藍夜II

⑭

S#1.　PROLOGUE：前情提要

濃縮第13集內容的前情提要。

為了處理有關黃地寺的文化遺產參觀費徵收的不當得利償還請求訴訟，前往濟州島出差的汪洋與毛怪家一行人。明錫因為吃不到幸福湯麵的豬肉湯麵而感到可惜；秀妍因為敏宇跟平常不同的模樣而感到混亂，卻又無法停止在意；勝希擔心澔浩和英禑的戀愛之路會走得很辛苦，而英禑聽見了勝希的煩惱；庭審中突然一陣劇烈疼痛發作，明錫昏倒在地…

TITLE：

《非常律師禹英禑》

S#2.　病房（室內／白天）

濟州島某間醫院的單人病房。

明錫身穿病服坐在床上，正在和宣榮通電話，同時把幾乎沒吃的病患膳食一個個蓋上碗蓋。新進律師們、澔浩、格拉米和敏植站在明錫身邊，所有人都用擔心的神情看著明錫。

| 明錫 | （通話）聽說韓國治療胃癌的實力是世界第一耶？而且我不是第四期，是第三期，不會有事的，請別太擔心。（停頓）我會在這裡處理完黃地寺的案件，一回首爾就會立刻接受手術治療（停頓）是，代表，再見。 |

明錫掛斷電話，正在用手機搜尋胃癌的英禩，馬上就確認出明錫所言是否為真。

| 英禩 | 韓國治療胃癌的實力可能是世界第一，但你也不能因為是第三期就掉以輕心。胃癌第三期是肌肉層、漿膜下層或漿膜層有浸潤現象，或是癌細胞已經轉移到周圍淋巴結的階段，就算動手術也有很高的復發率，是建議應於術後接受輔助性化療的階段。而且5年存活率大約只有三至四成。 |
| 明錫 | 喔，5年存活率那麼低啊？ |

秀妍輕輕地撞了一下英禩的肩膀，示意英禩不要說那種話，但是英禩無法讀出那層含義，對明錫點了點頭。

| 澔浩 | （轉移話題）鄭律師，你已經預約好手術日期了嗎？ |
| 明錫 | 當然！我在首爾就醫診斷出胃癌後，就預約好手術日期，做好一切準備才來濟州島的，我自己看著辦就好，大家不用擔心。 |

但是秀妍看著明錫剩下的病患膳食，非常擔心。

秀妍	還是得…吃點東西吧？你幾乎都沒吃。
明錫	喔，因為我沒什麼胃口，勉強進食反而會讓肚子更不舒服。
敏植	還是我去請醫院準備粥之類的東西？
明錫	不用了，我也不知道我吃不吃得下粥。

英祧	那麼豬肉湯麵怎麼樣？幸福湯麵的豬肉湯麵。
格拉米	幸福湯麵？但那裡倒閉了啊。
英祧	我們找出幸福湯麵的老闆，去拜託他怎麼樣？請他為一位罹患胃癌第三期，可能活不了多久的律師煮一碗豬肉湯麵。
明錫	唉唷！算了啦，妳別想做那些無意義的事，專心處理黃地寺案件吧，聽懂了沒？

S#3. 病房門前走道（室內／白天）

明錫獨自留在病房，其他人都走出病房，來到走道上，英祧詢問瀋浩。

英祧	要怎麼做才能找到幸福湯麵的老闆？

面對英祧的提問，瀋浩思考了一下，
秀妍率先說話。

秀妍	妳非得找看看就對了？剛才鄭明錫律師叫妳不要做無意義的事啊。
英祧	雖然鄭明錫律師叫我不要做無意義的事，但我並沒有答應他。
格拉米	（自豪）看看這丫頭多有霸氣？

英祧出神地站在原地，認真地喃喃自語。

英祧	鄭明錫律師可能已經時日不多了，如果錯過現在…可能就再也吃不到幸福湯麵了。
格拉米	對啊！錯過的炸醬麵也不會再回來了！
敏植	其實我也有點在意，鄭明錫在幸運湯麵吃豬肉湯麵時，一直露

出失望的表情。

濬浩　　那麼要一起去找找看嗎？

聽到濬浩這麼說，秀妍看向敏宇，等著敏宇說話，但是敏宇什
麼話也沒說，

秀妍　　你為什麼沒反應？

敏宇　　要有什麼反應？

秀妍　　奇怪，平常這種時候你一定會講一句難聽話。（浮誇地模仿敏宇）
　　　　「那種事為什麼要一起做？你們自己去找，我要退出。」

敏宇　　我只是覺得⋯如果可以找到幸福湯麵的老闆也不錯，我也想吃
　　　　吃看那間餐廳的豬肉湯麵，到底是多好吃才會讓他讚不絕口。

秀妍　　（挖苦）我看生病的人其實是你吧？聽說人在臨死之前會突然性
　　　　情大變耶。

敏宇　　（生氣）真是的，幹麼又這樣子講話，我有惹到妳嗎？

看見互相大呼小叫的秀妍和敏宇，濬浩趕緊轉移話題。

濬浩　　如果要找到老闆的去向，就必須先去附近探訪調查，與其所有
　　　　人集體行動，不如分組進行怎麼樣？

英禂　　要怎麼分組？

格拉米　　就用「黑白」來分組吧。

英禂　　那個，妳是說「白黑」嗎？

格拉米　　不是，是黑白。

秀妍　　妳們是在說「手心手背」嗎？

濬浩　　這個各地的說法都不一樣，濟州島的版本很長。（對準音律）
　　　　「天跟地，這樣也不知道，這次是真的，這次是假的，猜不到
　　　　也沒用！」

313

敏宇	我住的地方都直接說「天地！」
敏植	我住的地方…（準備要說卻突然停下）
格拉米	「我住的地方」怎樣？話怎麼說到一半？
敏植	喔，我住的地方…（想到要說出來，就很興奮）「黑白！輸了沒話說！嘴巴塞大便！」（氣氛好像變得有點尷尬，再次用力地說）「嘴巴塞大便！」
秀妍	就用黑白吧。

一群人裝作沒聽到敏植的「嘴巴塞大便！」伸出手準備分組。

秀妍	黑！白！

所有人伸出手心，只有敏宇和秀妍伸出手背。

秀妍	白！

這次則是所有人都伸出手背，只有敏宇和秀妍伸出手心。

秀妍	（心情因這個情況而不悅）再一次！黑白！

但是這次還是一樣，所有人都伸出手背，只有敏宇和秀妍伸出手心。

格拉米	喔，既然你們默契那麼好，乾脆同一組吧！
敏植	對啊，不一定要三人一組啊？
英裸	那麼我、格拉米、李濬浩和毛怪老闆同一組，崔秀妍和權敏宇律師同一組。
秀妍	為什麼？我不要！再來一次！

314

英禩　　　（無視）現在開始分組調查。

英禩這組的組員從容地走出醫院。
秀妍還在喊著「再一次！」無法放下對黑白的眷戀，相反地，
敏宇心情非常平淡。

S#4.　　幸運湯麵（室外／白天）

一行人抵達幸運湯麵門前的大型停車場，餐廳建築既大間又方
正。
瀋浩、英禩、格拉米和敏植從剛停好的廂型車下來走向餐廳，
餐廳入口貼有許多登上各種電視節目的宣傳資料。

S#5.　　幸運湯麵（室內／白天）

就如同一間生意興隆的知名餐廳，就算現在並非用餐時間，餐
廳裡還是有著滿滿人潮。餐廳內部同樣貼有許多登上電視節目
的宣傳資料，和名人來訪的簽名，原先站在櫃檯的幸運湯麵**老
闆**（50多歲／男，以下簡稱「幸運老闆」）朝著英禩組組員走來。

瀋浩　　　老闆不好意思，可以請教你幾個問題嗎？
幸運老闆　咦？你們不是前幾天剛來過我們店裡的客人嗎？
瀋浩　　　喔，沒錯。我們…
英禩　　　（打斷瀋浩說話，莫名其妙就問）你知道幸福湯麵的老闆在哪裡嗎？
幸運老闆　幸福湯麵的老闆？

似乎光是聽到這個名字就心情變差，幸運老闆的表情漸漸垮了
下來，同時，在廚房裡工作的**主廚**（40多歲／男）一聽到「幸福湯

315

麵老闆」這幾個字，眼神不自覺地往櫃檯這裡看，卻又趕緊轉頭，濬浩留意地看著主廚的一舉一動。

幸運老闆　你們找那個人幹麼？

敏植　喔，因為我們上次來濟州島的時候，幸福湯麵還有營業，這次來卻發現好像結束營業了，想問問看你是否知道發生了什麼事。

幸運老闆　還能發生什麼事！就是被市場淘汰了啊！

格拉米　淘汰嗎？淘汰？

幸運老闆　因為我們店的生意越來越好，幸福湯麵就沒有立足之地了。那裡的老闆為了仿效我們家湯麵的味道，也是費了一番工夫，但是最終還是贏不了元祖的味道，生意變得不好，有一段時間沒有營業了。

英禑　元祖？幸運湯麵是元祖嗎？那麼是幸福湯麵模仿幸運湯麵，連名字都取得很相似嗎？

幸運老闆　這個…沒錯！那間餐廳真的讓我內心很煎熬，光是聽到幸福湯麵這個名字我就頭痛，不要在我面前提到它！

　　幸運老闆揮手拒絕回答，而後閉口不談。
　　濬浩悄悄地看向廚房。
　　裝作沒在聽，其實把幸運老闆所言都聽進耳裡的主廚，一感受到濬浩的視線，便急忙地跑進廚房內側消失了。

S#6.　鄉下村莊（室外／白天）

　　幸福湯麵和幸運湯麵附近的鄉下村莊。
　　秀妍和敏宇攔住路過的**奶奶**（70多歲）向她詢問。

316

奶奶	我也不知道那個人去了哪裡，就算你們把整個村子的人都抓來問，可能也沒有人知道吧？他不做生意之後，一夜之間就消失了，也沒說去了哪裡。
秀妍	他為什麼不做生意了呢？請問你知道嗎？
奶奶	就是趕不上那個嘛，不是有那個…
秀妍	那個？
敏宇	什麼？
奶奶	流行。

從70多歲的奶奶口中聽見預期之外的單字，敏宇和秀妍驚嚇地打了個冷顫，奶奶非常跟得上流行，繼續接著解釋。

奶奶	不久前，那種人來訪幸運湯麵，那叫什麼？在網路上的…
秀妍	藝人嗎？
敏宇	（猜測這位奶奶可能會說的答案）名人？
奶奶	不對，是網紅。

奶奶的單字選擇再一次地讓敏宇和秀妍暈眩，奶奶用智慧型手錶確認了一下時間，繼續說道。

奶奶	幸運湯麵每天都在上節目，三不五時就有網紅和名人來訪，而幸福湯麵做不到這一點，結果還能怎麼辦？就只能被擠下去啊。單就湯麵口味而言，幸福湯麵真的是驚為天人…真的很可惜。
秀妍	妳也覺得幸福湯麵比幸運湯麵好吃嗎？
奶奶	幸福湯麵原本是母子一起經營許久的餐廳，那位媽媽熬出來的湯頭真的可說是濃油香～得不得了。不過聽說那位媽媽突然病倒了？好像是去動手術後也沒有復原，就住進了療養院。但是兒子還是有自己營業了一陣子，最後還是撐不下去，因為幸運

317

湯麵一直妨礙他。

敏宇　妨礙？什麼妨礙？

奶奶　就是啊～幸福湯麵的老闆為了照顧生病的媽媽，忙得焦頭爛額的時候，幸運湯麵每天上節目、在社群媒體上宣傳，原先幸福湯麵的熟客就原封不動地被搶走了。

從奶奶口中聽見幸福湯麵以前的故事，
秀妍和敏宇的表情變得凝重。

S#7.　**幸運湯麵**（室外／晚上）

幸運湯麵打烊後的晚上，濬浩站在幸運湯麵附近等待著主廚下班，一看到主廚走出餐廳，便準備上前搭話。
不過這時，主廚以鬼鬼祟祟的表情環顧四周，突然轉身走向某處？
看到主廚這副模樣，濬浩直覺認為事情必有蹊蹺，偷偷地跟著主廚。

S#8.　**巷弄**（室外／晚上）

也許是為了遮住臉，主廚低著頭以快速的步伐走著，感受到似乎有人跟在後頭，突然回頭一看，濬浩趕緊躲到附近的樹木後面。確認沒看到人影，放下心來的主廚再次回頭，走向幸福湯麵。「是要去幸福湯麵嗎？為什麼？」濬浩感到詫異，繼續跟在主廚身後。

S#9.　**幸福湯麵後門**（室外／晚上）

主廚走向幸福湯麵建築物後側的小巷子。

熟練地打開因很久沒使用而積了一堆灰塵的其中一個醬缸，拿出醬缸裡的一大包貓飼料袋。

主廚把飼料倒進醬缸臺附近的空碗。

為了在另一個空碗裡裝水，走向水龍頭，

發現了正在看著自己的瀋浩，嚇得瞪大眼睛。

主廚　　唉唷，嚇我一跳！

瀋浩　　你是幸運湯麵的主廚吧？你現在在這裡做什麼？

主廚　　那是…

主廚似乎記得瀋浩白天來過幸運湯麵，馬上就認出瀋浩是誰，不好回答瀋浩的問題，主廚露出了為難的表情。

S#10. 幸福湯麵前門（室外／晚上）

過了一下子，瀋浩和主廚並肩坐在幸福湯麵門前的椅子上。

主廚　　其實那個人…是我的師父。

瀋浩　　那個人是指幸福湯麵的老闆嗎？

主廚　　對，（指向幸福湯麵的建築物）我在這裡的廚房工作了很久，儘管如此，我還是跟不上老闆和老闆媽媽的實力。

瀋浩　　你是因為幸福湯麵歇業，才去幸運湯麵工作嗎？

主廚　　（嘆氣）不是，我在幸福湯麵工作時，幸運湯麵的老闆把我…（尋找適當的用字）「挖角」過去了。當然，站在幸福湯麵老闆的立場，與其說我是被挖角過去的…他應該會認為是我背叛他了吧。

主廚的臉上浮現了對幸福湯麵老闆的歉疚和自責。

主廚	我只是…想澄清一件事，幸福湯麵才是元祖老店。幸福湯麵的美味聲名遠播後，生意非常好，所以幸運湯麵的老闆才會挖角我過去煮麵。他們甚至把店名改成幸運湯麵，那間店本來叫「夫妻食堂」，是一間定食餐館。
澮浩	這樣啊…
主廚	他們就那樣把幸福湯麵的客人們全部搶走，還上過幾次節目，幸運湯麵就此站穩腳步，而幸福湯麵的老闆就越來越難做生意了，一個人獨撐了很久，最終還是歇業了。
澮浩	你也不知道他的去向嗎？
主廚	我有一次瞞著幸運湯麵的老闆，跑來這裡問他，幸福湯麵歇業的話，打算去哪裡做什麼。
澮浩	然後呢？
主廚	（回想當時）然後他就呵呵笑著說「我要去好山好水的地方休息一下。」那個人本來就是那樣，既沒什麼野心，也沒有做生意的手腕。

似乎是因為想起幸福湯麵的老闆，內心變得沉重，主廚嘆了一口氣。

主廚	幸福湯麵的老闆每天打烊後，都會在這裡把貓飼料和水倒滿才下班，為了讓這個社區的流浪貓晚上可以過來吃。雖然幸福湯麵倒閉了…但是像這樣幫老闆倒貓飼料，我才比較過意得去。所以每天下班我都會過來這裡倒飼料、倒水。
澮浩	是。

似乎能夠理解主廚的心情，

濬浩出神地看著主廚。

S#11. 民宿客廳（室內／晚上）

濬浩、新進律師們、格拉米和敏植圍坐在民宿客廳，英禑仔細地思考著濬浩帶回來的線索。

英禑 　　（像是在自言自語）好山好水的地方？那是哪裡？

格拉米 　他有說老闆還在濟州島嗎？

濬浩 　　主廚說確切情況他也不清楚，他只知道老闆說「要去好山好水的地方休息」…

敏宇 　　那種地方可不只一兩個耶？真令人頭痛。

英禑 　　（全神貫注）好山好水的地方…好山好水的地方…

秀妍 　　不要太執著於這句話，那只是慣用的措辭，意思是自然景觀優美的地方。

敏植 　　是啊，通常說到「好山好水」，就是風景秀麗的意思。

英禑 　　那麼…會跟「山水療養院」有關嗎？

濬浩 　　山水療養院？

英禑 　　幸福湯麵的門口堆了一疊未拆的信件，其中大多是來自山水療養院。

格拉米 　妳是不是也記得地址？

聽到格拉米的提問，
英禑回想起在第13集去幸福湯麵的時候。

FLASHBACK：

第13集，幸福湯麵門口。
英禑和其他人一起站在歇業的幸福湯麵門口，看見有許多未拆

的通知單、告知書等郵件散落在餐廳正門口的地上，其中大多都是山水療養院寄來的公告。英禤就像在放大照片一樣，把記憶裡的公告信封欄放大來看，寄件地址欄上寫著以下的資訊：

「山水療養院，濟州特別自治道濟州市漢白邑庚午路30號（山水洞1037號）。」

CUT TO：
再次回到民宿客廳。
英禤唸出在記憶中看到的寄件人地址。

英禤　　濟州特別自治道濟州市漢白邑庚午路30號，左括號，山水洞1037號，右括號。山水療養院在濟州島。

敏植　　太好了！只要去那間療養院詢問認不認識老闆就好了。

澹浩　　不過這樣一群人去療養院好像不大好，認不認識幸福湯麵的老闆、老闆在哪裡，這種跟入住者有關的個資，療養院也不方便透露，我們應該要靜靜地去瞭解情況就好，我去一趟吧。

英禤　　我也想一起去。

澹浩　　好，那就這樣吧？

S#12.　山水療養院（室外／白天）

位於濟州島市內的山水療養院。
澹浩和英禤走進療養院建築物裡。

S#13.　山水療養院櫃檯（室內／白天）

進到療養院內，看見一位**員工**（30多歲／女）坐在櫃檯，澹浩和英禤向員工走去。

322

濬浩	（面帶微笑）妳好，方便請教一些問題嗎？
員工	（看著濬浩，變得親切許多）喔，好的。

濬浩拿出在幸福湯麵門口撿起來的郵件，是這段期間山水療養院寄給幸福湯麵老闆的公告。

濬浩	我們去了一間叫做幸福湯麵的麵店，但是店家歇業了，這些信件都散落在地上。
員工	（仔細看著郵件）天啊…寄錯地址了嗎？（查詢收件人姓名）喔，這個人！
濬浩	妳認識這個人嗎？
員工	對，他的媽媽住在我們療養院裡，他每個月都會來一次，我不知道他都沒收到信件，他昨天也有來。
濬浩	（驚訝）昨天來過了嗎？
員工	是。
濬浩	請問我們可以見見他的媽媽嗎？
員工	什麼？方便請問原因嗎？
濬浩	我們很好奇幸福湯麵什麼時候要重新營業，那裡的豬肉湯麵是出了名的好吃，我們大老遠跑來品嚐。
員工	但是就算你們見到老太太，也很難得到答案，她患有嚴重的失智症，無法正常對話交談。
濬浩	喔…

聽到員工這麼說，濬浩和英禧有些失望。
員工對濬浩微笑，轉換氣氛。

員工	你們大可以選擇路過，還這樣親自拿過來…真是親切。（接過信件）這個就由我們這邊保管，等到下個月他來的時候一定會交給

他。

滄浩　好，謝謝。

滄浩向員工點頭道別後，便轉頭離去。
英禍跟在滄浩後方。

滄浩　幸福湯麵的老闆應該住在濟州島沒錯，因為他每個月會來療養
　　　院看母親一次。

英禍　是，不過他下個月才會再過來這裡，就算我們想在療養院等等
　　　看，也很難在回首爾之前見上他一面。

此時英禍接到一通電話，是明錫的來電。

英禍　喂？

明錫　（聲音）禹英禍律師，妳現在在哪裡？

英禍　那個…

英禍害怕被發現自己正在進行明錫口中「無意義的事」，慌張
地支支吾吾。

英禍　你不需要知道。

明錫　（聲音）什麼？妳說什麼？

英禍　我絕對沒有在找幸福湯麵的老闆。

明錫　（聲音）這樣啊？真的吧？

英禍　是。

明錫　（聲音）禹英禍律師，我們是為了處理黃地寺案件才來濟州島
　　　的，所以我們就專心準備庭審吧。

英禍　是，我知道了。

尋找幸福湯麵老闆的事情就要這麼結束了嗎？

英禩和濬浩表情很沉重。

S#14.　法庭（室內／白天）

第三次言詞辯論期日。

除了明錫因為還在醫院無法出席之外，法庭裡的一切都和上次期日一模一樣，包括坐滿旁聽席的僧人們。住持坐在證人席，接受碩俊的詰問。

| 碩俊 | 1983年政府宣布將在黃地寺所有地，建設3008號地方道路時，黃地寺的立場是什麼？ |

碩俊　　1983年政府宣布將在黃地寺所有地，建設3008號地方道路時，黃地寺的立場是什麼？

住持　　我們當時反對建設道路，因為那不僅會破壞寺院的環境，也會妨礙僧人們的修行，最重要的是興建道路會在該地大量殺生，許多樹木因此被砍伐，無數的動物與人類也會因為車禍喪生。

碩俊　　即使黃地寺持反對立場，政府還是強硬執行道路興建嗎？

住持　　是的，不過政府讓我們收取文化遺產參觀費，所以我們就妥協了。

碩俊　　為什麼妥協呢？是因為收取文化遺產參觀費有辦法補償建設道路對黃地寺造成的損害嗎？

住持　　與其這麼說…不如說是因為如果有收費，能降低人們來訪的意願，不是嗎？所以我們才會妥協。因為延緩文化遺產遭受破壞並減少殺生行為的最佳方法，就是盡可能地阻止人們來訪，一直到現在，我都依然認為那才是文化遺產參觀費最重要的功能。

聽到住持說，比起經濟利益，收取文化遺產參觀費更多是為了阻止文化遺產毀損和殺生行為，旁聽席上的僧人們都感動地不停點頭。

碩俊	我方詰問完畢。
法官	原告代理人，請進行反詰問。

英禍起身走向住持。

英禍	請問文化遺產參觀費為黃地寺帶來多少收入？
住持	這個嘛，我不清楚確切的金額。
英禍	根據國土交通部的道路交通量調查統計進行試算，黃地寺徵收的文化遺產參觀費，每年約會帶來十億韓元的收入，請問這正確嗎？
住持	我剛才說過了，我不清楚確切的金額。
英禍	黃地寺徵收文化遺產參觀費的用途是什麼？
住持	那些錢是用在黃地寺和寺內文化遺產的管理與維修。
英禍	管理與維修黃地寺和寺內文化遺產的預算，政府不是已經有編列了嗎？文化遺產廳本年度在文化遺產修繕維護項目上，總共編列了4千億韓元的預算，其中核定分配120億韓元在傳統寺院的修繕維護項目上。黃地寺應該也有獲得文化遺產廳的補助經費，同時卻還向市民收取文化遺產參觀費，豈不是重複收費嗎？
住持	無論是十億還是百億韓元，都只是數字看起來可觀而已。黃地寺光明磊落，不管是對國家或是觀光客們，我們都只會收取必要的費用，並且老實地運用這些經費。
英禍	那麼你可以公開黃地寺的預算明細嗎？
住持	那恐怕不大方便，因為屬於黃地寺內部事務。
英禍	你剛才說黃地寺光明磊落，現在卻無法公開預算明細嗎？

聽見英禍用機器般毫無起伏的嗓音逼問住持，坐在旁聽席的僧人們各自發出「大膽——」、「放肆！」等咋舌的聲音，英禍因此回頭一看，感受到僧人們的無情視線，「看來他們還不能

去極樂世界啊」英禍心想。

碩俊	我有異議。原告代理人究竟是在詰問,還是在嘲諷?證人是深受許多僧人和佛教徒尊敬的黃地寺住持,請妳保有基本的禮儀。
法官	原告代理人,請勿以譏諷的方式詰問。
英禍	是。(再次打起精神)去年一整年因黃地寺在售票亭攔下車輛,警方共計接獲了62件交通堵塞申訴案件。證人,你知道這件事實嗎?
住持	我知道常常會有人為此抗議。
英禍	那麼為什麼不研擬對策呢?例如將售票亭遷至黃地寺門口等,應該有很多應對作法吧?
住持	黃地寺收取文化遺產參觀費的行為本身並沒有錯,這是依循《文化遺產保護法》的正當行為,也是為了黃地寺、寺內文化遺產和周圍自然環境必須做的事。我們做著合乎情理的行為,為什麼要研擬對策?

聽見住持沉著又篤定地說著這段話,英禍說不出話來。

S#15.　病房 (室內／晚上)

在第13集中,明錫的度蜜月回想畫面中出現過的前妻知秀。經過了13年的歲月,知秀現在已經41歲,站在明錫面前。一聽見明錫生病的消息,就一口氣從首爾跑來濟州島,但是知秀看到明錫依舊放不下公司的工作,發了脾氣,明錫就像是被媽媽罵的兒子,氣魄全失。

知秀	奇怪,你不是痛到連庭審都去不了嗎?結果現在在這做什麼?你應該趕快回去首爾動手術!能早一天是一天。

327

明錫	我現在回首爾也動不了手術…我預約的日期還沒到。
知秀	（勃然大怒）哪間醫院把手術日期約得那麼晚!?不能問問其他醫院嗎？
明錫	那個…

此時，病房內的兩人聽見「叩叩，休息一拍，叩」的敲門聲，英禑以自己的方式打開門，閉上眼睛，在心裡默數到三後走進了病房。因為正在挨知秀的罵，看見英禑進來，明錫露出了開朗的表情。「是誰來了，你怎麼擺出那種表情？」知秀有些不情願。

英禑	沒有參觀文化遺產就無須支付參觀費的原告主張十分合理，但是為什麼我們…（停頓）
明錫	怎樣？
英禑	為什麼我們好像會敗訴？被告單純主張黃地寺沒有錯，而我們卻完全無法反駁。
知秀	不好意思…請問妳是誰？
英禑	我是禹英禑，正著唸、倒著唸都一樣，黑吃黑、多倫多、石榴石、文言文、鹽酸鹽、禹英禑。
知秀	什麼？
明錫	喔，她是跟我一起工作的律師。
英禑	（對知秀說）不好意思，請問妳是誰？
知秀	我是…
明錫	喔，她是我前妻。
英禑	前妻的話…是忍受了只在乎工作、不顧家庭的鄭明錫律師足足8年，最終還是下達離婚通報的那位前妻嗎？
知秀	什麼？
明錫	（聽見英禑的話雖然有點慌張，卻故作鎮定）那個，知秀，可以讓我跟

禹英禑單獨聊聊？

知秀　　（氣呼呼地說）聊啊。

明錫等待著知秀離開病房，但是知秀只有往後退一步，並沒有
離開病房，明錫別無他法，只好開口對英禑說。

明錫　　在我看來，我方缺少法理上的名分。

英禑　　法理上的名分嗎？

明錫　　黃地寺的名分很明確，依循《文化遺產保護法》，他們有合法
　　　　徵收參觀費的名分，以寺院文化遺產的概念來說，他們也具備
　　　　擴大至寺院周邊空間的學理名分。相形之下，我們的主張就會
　　　　顯得比較空洞，我們現在只是不斷強調原告沒有參觀黃地寺的
　　　　事實關係，在這樣的情況下，即使法官想要站在我們這邊，也
　　　　會有所顧忌，因為缺乏作成判決的法理依據。

英禑　　（仔細思考）那麼以國家公園門票收費制度，已在2007年廢止之事
　　　　實作為法理上的名分如何呢？因為黃地寺位於漢白山國家公園
　　　　裡。

明錫　　不過黃地寺收取的並不是「國家公園門票費」，而是「文化遺
　　　　產參觀費」。

英禑　　（再次仔細思考）那麼要求法官讓黃地寺公開預算明細呢？在今天
　　　　的庭審上，我試圖主張「黃地寺既獲得了政府的補助經費，卻
　　　　還收取參觀費，實屬重複徵收」。但我不清楚黃地寺確切的預
　　　　算明細，所以能著墨的很有限。

明錫　　不過我想法官應該不會同意，這場庭審不是處理黃地寺的預算
　　　　執行，而是原告繳納文化遺產參觀費的行為是對是錯，那才是
　　　　問題所在。

英禑　　嗯…那麼有什麼法理上的名分嗎？

明錫　　嗯…就是說啊，有什麼名分嗎？

英禑和明錫全神貫注地推理，病房突然變得安靜。知秀看著兩人的模樣，深嘆了一口氣，走出了病房。

S#16. 病房門前走道 (室內／晚上)

抱著必須找出名分的任務，英禑走出了病房，看見站在走道上的知秀，雖然稍微停下腳步，但是英禑手足無措，猶豫不決。知秀先向英禑搭話。

知秀　　你們聊完了嗎？

英禑　　是。

知秀　　那個人還真是一點都沒變。

英禑　　什麼？

知秀　　比起和時隔5年才見面的我交談，他跟每天見面的律師談公事時…更有活力。他和我在一起時，像屍體一樣黯淡無光的眼神，突然變得炯炯有神，簡直可以說是起死回生了。

知秀以五味雜陳的表情，苦澀地笑著。
英禑看著眼前的知秀，內心變得很複雜。

知秀　　多虧妳來才讓我回想起，我和他分開的理由。

英禑　　你們為什麼分開？

知秀　　和他在一起…

面對一湧而上的各種情緒，知秀稍作停頓。
英禑靜靜地等待著下一句話。

知秀　　我很孤單，我並不幸福。

此時英禑的手機發出震動，是光顯的來電。

S#17.　醫院門口（室外／晚上）

英禑站在醫院門口的路燈下，與光顯講電話。

光顯　　（聲音）聽到妳過得不錯，我很開心，有什麼事就馬上打給爸
　　　　爸，知道吧？

英禑　　好。

手機另一端的光顯準備掛斷電話，英禑卻突然提出問題。

英禑　　爸爸。

光顯　　（聲音）嗯？

英禑　　如果我帶李濬浩回家，你打算做什麼？

光顯　　（聲音）李濬浩是誰？

英禑　　那個，他就是和我在家門口接吻的人。

光顯　　（聲音）喔，那小子啊！怎樣？妳想帶他來見我嗎？

英禑　　不是，我只是好奇你為什麼想見李濬浩。

光顯　　（聲音）還能是為什麼？我想看看他是什麼樣的人，是不是能夠
　　　　讓我女兒幸福，我想親眼鑑定他能不能像我一樣好好照顧妳。

聽到光顯這麼說，英禑更加心煩意亂。

英禑面帶複雜的表情，暫時沉默了一下，

英禑　　李濬浩是那樣的人，他可以讓我幸福，也能像爸爸一樣好好照
　　　　顧我。問題是…我自己。我會是能讓李濬浩幸福的人嗎？我能
　　　　讓李濬浩不感到孤單嗎？

S#18. 濟州島大靜邑沿岸 (室外／白天)

英禑和澯浩為了看海豚，再次來到大靜邑沿岸。

可是今天依舊沒看到海豚。

澯浩拿著英禑的雙筒望遠鏡，觀察著大海的每一個角落，英禑
靜靜地看著那樣的澯浩。

澯浩	好奇怪，明明有很多人說這裡每天都能看到海豚，怎麼我們每次來都撲空呢？
英禑	李澯浩。
澯浩	什麼？
英禑	我覺得我們還是別交往比較好。

聽見那句話，澯浩的視線從雙筒望遠鏡移至英禑身上。

臉上寫滿了不知所措。

澯浩	妳為什麼…突然那麼說？（試著思考理由）是因為鄭明錫律師生病了嗎？鄭律師被診斷出胃癌，他現在一定很難受，我們卻嘻嘻哈哈地談戀愛，妳覺得很內疚，是因為那樣嗎？
英禑	雖然我沒有那樣想過，但是聽起來滿有道理的。
澯浩	如果不是那樣，那到底是為什麼？（再次思考）還是因為沒看到海豚妳很失望？天啊，應該不是那種原因吧？海豚只是沒有出現在我們面前而已，牠們都在海洋裡啊！住持不是也說過嗎？眼前所見並非就是全部！

因為過於慌張，澯浩東一句西一句地，近乎語無倫次。

但是澯浩的語無倫次，給了英禑靈感。

英禑回想起第13集，住持說過的話。

英禑	「眼前所見並非就是全部,不要被眼前看到的事物所迷惑,而是要思考事物的本質。」
濬浩	對!住持就是那麼說的。
英禑	沒錯,我被眼前看到的事物所迷惑,而忘記了事物的本質。3008號地方道路位於黃地寺的所有地、建設這條路起初是以觀光為目的,以及黃地寺和其周圍環境整體都是寺院文化遺產…我不能被這些事情迷惑,因為3008號地方道路終究是一條「道路」,那就是它的本質!
濬浩	妳現在…突然說起案件的事?

面對英禑任意地轉移話題,濬浩怒從中來。
但是英禑未能察覺濬浩的情緒,陷入了自己腦海裡的沉思,

英禑	《行政法》中有「公物」的概念,公物是指國家或地方自治團體等行政主體,以提供行政目的使用而設置的物件。道路就是為了便利民眾通行,對不特定之公眾提供的代表性公物,這個公物的概念可以作為名分,法理上的名分!

英禑急忙地離開海邊,濬浩開口提問。

濬浩	妳要去哪裡?
英禑	我必須去找鄭明錫律師討論這個問題。

英禑大步地走向停在路邊的廂型車,濬浩呆滯地被留在後頭。
英禑剛才單方面告知分手,完全沒把自己放在眼裡的模樣,讓濬浩不禁生氣,

濬浩	(勃然大怒)妳現在在跟我開玩笑嗎?!

聽見濬浩的大叫，英禑驚訝地停下腳步，回頭看向濬浩。

英禑　　什麼？

濬浩　　妳怎麼能丟下一句我們別交往了，就這麼走掉？妳覺得我很可
　　　　笑嗎？妳到底把我當成什麼了？妳說啊?!

　　　　站在英禑的立場，這是她第一次看到濬浩生氣的模樣。
　　　　英禑欲言又止，煩惱著要怎麼回答，最終，

英禑　　對不起。

　　　　說完後，英禑對濬浩90度鞠躬道歉，濬浩看見英禑這麼做，眼
　　　　角裡噙著淚水，英禑再次回頭走向廂型車。濬浩想到就算讓英
　　　　禑自己開車，她應該也開不到明錫所在的醫院，因此濬浩發揮
　　　　了愛情巨大的力量，擦乾眼淚跟上英禑的腳步。
　　　　就在兩人轉過身去，背對海洋的那一刻，大靜邑沿岸有一隻印
　　　　太瓶鼻海豚敏捷地跳出水面。

S#19.　**法庭（室內／白天）**
　　　　第四次言詞辯論期日。
　　　　明錫依舊無法出席，法官說道。

法官　　原告與被告還有要主張或證明的部分嗎？

英禑　　原告有！

　　　　英禑高舉起手，碩俊看見了。
　　　　「還有什麼好主張的？」碩俊內心有些不安，

碩俊	被告…沒有。
法官	那麼請原告代理人進行闡述。

英禑從座位上起身。

英禑	法官，3008號地方道路是公物。
法官	公物嗎？
英禑	是，原告在使用3008號地方道路通行的過程中，經過了被告所有之土地，也就是漢白山黃地寺風景區一帶。然而，那只是使用地方自治團體為便利民眾通行所提供之公物，也就是使用本案道路通行的過程中伴隨發生的事。僅以原告使用公物為由，尚無法認定原告對被告所有的文化遺產有實際參觀行為，這是我方的主張。

聽見英禑這麼說，法官點了點頭，陷入了沉思。看著這一切的永福、秀妍和敏宇的表情變得開朗，相反地，碩俊發出了不安的嘆息。

S#20.　法院停車場（室外／白天）

庭審結束之後，英禑、秀妍和敏宇走向停在法院停車場的廂型車，英禑打開副駕駛座的門，就看到坐在駕駛座的澔浩，兩人自從上次英禑在大靜邑沿岸說出不要交往之後，一直都是冷戰狀態，沒有對話。就連英禑也覺得在這種狀態下，坐在澔浩旁邊很尷尬嗎？英禑關上了車門，對準備去後座的秀妍說，

英禑	我搭董格拉米和毛怪老闆租的車。
秀妍	怎麼了？（開玩笑）妳跟澔浩吵架了嗎？

秀妍無意間的一句話，讓英褐無法回答，秀妍反而被英褐的這
種反應嚇到，看向車內的潛浩，潛浩因為英褐連坐同一輛車都
排斥而傷心，無法隱藏自己難過的表情，嘆了一口氣。

秀妍 （對英褐說）這樣啊⋯那晚點民宿見。

秀妍看著潛浩和英褐的臉色，安靜地上車。
英褐跑向遠處的格拉米和敏植。

英褐 董 to the 格 to the 拉米！一起走吧！

潛浩在廂型車內看著英褐跑步的模樣，變得心煩意亂，坐在後
座的敏宇向潛浩的方向探頭。

敏宇 你怎麼了？你們兩個真的吵架啦？
潛浩 沒事。
敏宇 要去喝一杯嗎？（對秀妍說）方便嗎？
秀妍 喔，好，我不介意。
潛浩 唉唷，算了吧，喝什麼酒啊。

CUT TO：
同時，敏植和格拉米已經坐在敞篷車上，等待著英褐過來，英
褐坐上後座，格拉米就問道。

格拉米 怎麼？妳不搭那輛車嗎？
英褐 我無法上車，因為李潛浩的關係⋯我很不自在。
格拉米 李潛浩為什麼讓妳覺得不自在？
英褐 因為⋯我跟他說我們還是不要交往比較好。

格拉米　什麼?!

敏植　什麼？

格拉米和敏植驚訝地回頭看向英禑。

S#21. 露天小吃攤（室外／白天）

以濟州島晚上的海邊為背景，放有簡易桌椅的露天小吃攤。敏宇、秀妍和濬浩圍坐在一張桌子前，敏宇和秀妍適度地喝醉，相反地，剛才說「喝什麼酒」的濬浩已經酩酊大醉。

濬浩　到底是為什麼？你們說啊？是因為鄭明錫律師生病嗎？是因為沒看到三腳、春三、福順和齊突嗎？

秀妍　不會啦，即使是英禑也不會因為那種理由提分手。

濬浩　那麼她為什麼會那樣說？明明相處得好好的，卻突然…

敏宇　你是不是給她太多壓力了？她在出差期間，突然被帶去男友姊姊家做客，她該有多緊張啊？如果是我遇到那種情況，唉唷，我連想像都覺得反感。

濬浩　（即使喝醉還是仔細思考）是那樣嗎？是我對她做了無理的請求嗎？

秀妍　也是，那種場合應該會讓英禑有壓力。（對敏宇說）你是怎樣？幹麼突然假裝善解人意？

敏宇　我沒有突然假裝善解人意…妳才為什麼老是針對我？

濬浩　（只想著英禑）也是，她看起來很緊張，那裡連海苔飯捲都沒有，她勉強自己吃烤肉和生魚片，她根本吞不下去…

敏宇　（打斷濬浩說話）喂！不過這也許是件好事，你只是還沒意識到而已，以後你一定會很辛苦，禹律師不是你承擔得起的對象。

秀妍　她不是濬浩能承擔的對象？那是什麼意思？

濬浩　對啊！你那是什麼意思？

敏宇　　我是說禹律師的身世…

敏宇差點就在喝醉的情況下，說出英禑「身世的祕密」，敏宇
驚嚇地阻止自己繼續說下去，繃緊神經。

秀妍　　她的身世怎麼了？

敏宇　　我是說她從身世背景…我的意思是禹律師的存在本身就與眾不
　　　　同，我也不知道啦，總之繼續喝吧！

敏宇往濬浩的空杯子裡倒酒，秀妍也想喝，敏宇卻突然用手蓋
住秀妍的酒杯。

敏宇　　等等！有蟲子跑進去了耶？

秀妍　　蟲子？

敏宇放開蓋住酒杯的手，看見秀妍的杯子裡的確有一隻小小的
有翅蟲子。

秀妍　　（不道謝，反而碎碎念）你什麼時候這麼細心了？

敏宇　　不要喝這杯。（對店員說）請給我們一個新的杯子！

敏宇高舉起手，大聲說道。
因為敏宇意料之外的貼心舉動，秀妍再一次地變得尷尬。
秀妍用一頭霧水的表情看著敏宇的臉。

S#22.　KTV（室內／晚上）

同一時間。

格拉米和敏植在KTV嘶吼唱著悲傷的失戀情歌。從《離別計程車》、《今天分手了》、《酒啊》、《熱戀中》、《怎麼了》、《不要忘記》，一直到《我愛過你》…格拉米和敏植手握麥克風，站著唱出最失落的情緒時，分手當事人英祺戴著頭戴式耳機，坐在椅子上不發一語地拍著手。

哭笑不得的時間過了多久呢？敏植掌控了包廂裡的氣氛，演唱了一首金鍾書的《現在無從得知》。
KTV畫面上跑過的歌詞映入英祺的眼裡。

敏植　　　（唱歌）現在無從得知，我離開你的真心～我的愛，請你務必要忘記我，我只會成為你的負擔，我的愛，愛得轟轟烈烈的記憶～現在也請你忘記吧。

英祺停下拍手的動作，靜靜地聽著敏植的演唱。
雖然英祺臉上依舊面無表情，但是眼角卻有些濕潤。

S#23.　民宿男生房間（室內／晚上）

喝得很醉的敏宇和秀妍，費力地拖著喝得更醉的濬浩回房間躺下。

敏宇　　　唉唷～好重！

敏宇和秀妍之間流動著一股有些尷尬的空氣。

敏宇　　　那麼…妳回去睡覺吧。

敏宇準備在濬浩旁攤開棉被躺下，秀妍站在一旁看著，鼓起勇氣說道。

秀妍　　我們談談吧。

S#24.　民宿陽臺（室內／白天）

敏宇和秀妍並排站在宿舍客廳外的陽臺。

有別於即使喝醉還是略顯緊張的秀妍，敏宇看起來很平靜。

秀妍　　你吃錯藥了嗎？

敏宇　　什麼？

秀妍　　奇怪～你突然變了一個人，說到權敏宇，就應該要是討人厭又倒胃口的形象，一開口就惹人嫌，讓人想揍你一拳，你應該再躲在暗處要權謀詭計啊，那才是權敏宇該有的樣子。

敏宇　　（驚訝）我有到⋯那麼差勁嗎？

秀妍　　你不知道嗎？那個討人厭、愛要權謀詭計的權敏宇去哪裡了？你幹麼突然變得親切體貼，讓大家都很困惑？唉唷，我差點就要因為人設崩壞罪報警抓你了。

敏宇　　我到底做了什麼？

秀妍　　奇怪！你管人家會不會吃到蟲子、要不要把行李放到機艙置物櫃、自己買酒回來會不會太重！為什麼權敏宇要帶頭體貼別人？你來出差，早上還去慢跑，甚至還去跟賣花的老奶奶買花。那又是什麼角色扮演？你跟帥氣的形象一點都不搭！你到底為什麼要那麼做？

敏宇　　因為這裡是濟州島啊。

秀妍　　（驚嚇）啊！你說什麼?!你現在還想裝浪漫嗎？

敏宇　　崔秀妍律師，妳對我有意思嗎？

秀妍	什麼？才沒有！你瘋了嗎？
敏宇	那妳幹麼反應那麼大？我都不了解自己是什麼樣的人，妳卻說得滔滔不絕？妳老實說，妳喜歡我吧？

敏宇微笑地激怒著秀妍。
但是那一刻，秀妍臉色變紅，什麼話也沒說，這副模樣反而讓敏宇變得尷尬。

敏宇	妳幹麼不說話？不回嘴嗎？什麼啊…妳真的喜歡我嗎？

秀妍這次也無法說出任何話語，靜靜地看著敏宇的雙眼，突然可愛地發出打嗝聲。
秀妍的模樣讓敏宇眼中惡作劇的笑意也消失了。
秀妍和敏宇都無法將視線移開對方。

S#25. 民宿前院 (室外／晚上)

此時，英禔、格拉米和敏植從KTV回到民宿。
三人看見了一句話也沒說，直愣愣地望著凝視彼此的敏宇和秀妍。

格拉米	哇——我被甩了耶。
敏植	被誰甩？
格拉米	你看了權敏宇和仙女之間的眼神交流，還不知道嗎？那種過度火熱且濕漉漉，像汗蒸幕般的眼神啊？
敏植	什麼眼神？別廢話了，趕快進去吧。
格拉米	進去哪裡？應該要趕快再去KTV啊！
英禔	妳剛才都待在KTV，現在又要去KTV嗎。

格拉米	喂！我現在可是被權敏宇甩了！我連告白都還沒試過！
敏植	說是被甩有點太超過了…根本什麼都還沒發生…
英禧	（因為是生平第一次聽見，驚訝地說）妳喜歡過權敏宇？
格拉米	（欲哭無淚）不管啦！我要去KTV唱一連串的失戀情歌！因為我被甩了！

格拉米回頭再次大步走向KTV，英禧和敏植跟在後頭。

S#26. 民宿廁所門口（室內／晚上）

幾小時後的半夜。

英禧穿著睡衣走出廁所，準備走回女生房間，突然聽見瀋浩的聲音而停下腳步。

英禧走向聲音出現的方向。

S#27. 民宿男生房間門口（室內／晚上）

瀋浩以無法聽懂的聲音說著夢話，難受地呻吟著，

英禧透過男生房間沒有關上的門，看見瀋浩的模樣，內心非常…難過。

S#28. 病房（室內／白天）

隔天。

明錫換下這幾天來穿著的病服，換上西裝準備出院，瀋浩幫助明錫整理行李。

明錫	其他人現在都在做什麼？在民宿嗎？

濬浩	是，因為我們講好等你出院，要一起去黃地寺，大家應該都在做外出的準備。
明錫	嗯。

濬浩打包好明錫的行李。
濬浩為了確認是否有東西沒帶到，環顧病房四周，突然想起，

濬浩	對了，那個…（煩惱著該怎麼說）那位「客人」先離開了嗎？
明錫	喔，我前妻啊？嗯，她打電話來說搭今天早上回首爾的飛機先走了。
濬浩	是。
明錫	昨天晚上我在夢裡對我前妻苦苦哀求，我說都是我的錯，我不會再這樣，我們重新開始吧。

濬浩不知道明錫對前妻還是抱持著那樣的心意。
濬浩隱藏自己心疼的心情，靜靜地看著明錫。

明錫	但是今天早上她打電話過來的時候，那些挽留的話我卻一句都說不出來，我只故作瀟灑地說了「慢走～」看來那種話還是需要平常練習才說得出口啊。

明錫看著濬浩微笑。
濬浩不知道該如何反應，欲言又止。

明錫	濬浩，你有喜歡的人嗎？
濬浩	什麼？
明錫	如果你有喜歡的人，就緊緊抓住她，萬一不小心錯過了，你也要重新抓緊她才行，當然，我相信你不會跟我一樣犯下相同的

錯誤。

聽到明錫這麼說，濬浩不自覺地想起英禍，內心有點悶悶的，
明錫輕拍濬浩的肩膀。

明錫　　走吧！

明錫和濬浩走出病房。

S#29.　民宿廁所門口（室內／白天）

秀妍想上廁所，站在廁所門口等著裡面的人出來，偏偏打開廁所
門走出來的人，是敏宇。兩人試圖避開對方，反而一直走向同個
方向撞在一起，敏宇率先開口，打破兩人之間的尷尬氣流。

敏宇　　我們別這麼尷尬。
秀妍　　什麼？
敏宇　　我們昨天什麼事都沒有啊。
秀妍　　確實什麼事都沒有。
敏宇　　我可能是喝太多了，什麼都想不起來。
秀妍　　誰沒喝酒啊？我也是什麼都想不起來。
敏宇　　那我們就像之前一樣自在地相處吧。

聽到敏宇這麼說，秀妍內心有點失落，但是也不想輸給敏宇，於
是點頭表示知道了，秀妍走進廁所。敏宇安靜地嘆氣，準備走進
民宿男生房間，卻似乎感受到客廳裡的某人快把自己盯穿了，敏
宇轉頭一看，發現格拉米雙手抱胸站著，瞇著眼睛看著敏宇。

格拉米	是我?還是仙女?
敏宇	什麼?
格拉米	如果去無人島!董格拉米和仙女!兩人之中你要帶誰去?
敏宇	什麼?

敏宇愣在原地的時候,一旁的敏植急忙拉住格拉米。

敏植	(對敏宇說)沒事啦!啊哈哈!你去忙你的吧,啊哈哈!

S#30.　3008號地方道路（室外／白天）

廂型車和敞篷車前後並排地奔馳在3008號地方道路上,濬浩、明錫、秀妍和敏宇坐在廂型車上,敞篷車上則是敏植、格拉米和英禑。

快要接近黃地寺售票亭時,廂型車和敞篷車都放慢速度,有別於庭審前的情況,現在的售票亭空無一人,門窗緊閉,原本用來擋住車輛通行的設施也都全數撤至路邊。

敏植	售票亭關門了耶,恭喜妳勝訴。
英禑	是,謝謝。

敏植以開朗的表情回頭看向英禑,但是英禑看著門窗緊閉的售票亭,表情莫名不是很開心。

S#31.　黃地寺（室外／白天）

汪洋和毛怪家一行人穿過一柱門,進入黃地寺內部。正在掃地

的三、四位僧人（皆為30多歲／男）認出英禍和律師們，停下手邊的動作。

僧人們的冰冷眼神，讓律師們有點退縮。

此時，一位**僧人**大步走了過來，

僧人　　什麼風把各位律師吹來黃地寺了？現在不用收取文化遺產參觀費了，所以你們回首爾前，專程過來免費參觀嗎？

英禍　　（聽不出僧人口中的譏諷）不是那樣的，我們是…

明錫　　（為了保護英禍出面阻止）我們有些話想對住持說，請問他在哪裡？

僧人不回答，反而銳利地瞪著明錫。

明錫也不迴避視線。

經過了一段時間的較勁，僧人語氣生硬地說道。

僧人　　住持現在在大雄殿。

S#32.　**黃地寺內的大雄殿**（室外／白天）

在大雄殿裡，汪洋和毛怪家一行人以住持為中心圍坐，有別於先前在門口掃地的僧人，住持的表情一直都很仁慈。

明錫　　判決結果一定讓你深感憂心吧？實在很抱歉。

住持　　如果為了這種小事就感到憂心，我怎麼敢稱自己為僧人？既然法院作出那樣的判決，我們就應該要順從。

明錫　　雖然我們在訴訟中站在彼此的對立面，但是透過這場訴訟，我充分理解了黃地寺的立場。3008號地方道路造成的損害都由地主黃地寺概括承受，政府對此卻視而不見，只用各種法律規範你們。

住持　　唉嗨，你們在庭審上質疑我們重複收費，要求我們公開預算明

細，強硬地逼迫我們，現在怎麼突然這麼說？

住持看著英禑呵呵笑著，強硬地逼迫住持的當事人英禑，不自覺地看向遠方。

明錫 黃地寺依照法院的意思，放棄了文化遺產參觀費這項主要的收入，我認為政府現在應該出面替黃地寺奠定自主營運的基礎，我們召集地方自治團體、國家公園公團、農漁村公社以及文化遺產廳等相關機構，針對這個問題試著共同協議如何？針對黃地寺自主營運基礎架構簽訂合作備忘錄。

聽到明錫意料之外的一段話，讓新進律師和毛怪家的人們非常驚訝，只有住持似乎同意明錫的說法，點了點頭。

住持 其實我也有在思考這件事，這是黃地寺和政府必須共同解決的問題，不該跟人民爭執這件事。不過與政府溝通…並不容易。

明錫 是，與政府溝通向來不容易，那麼這一次…

明錫就像是一位說服達人，熟練地斷在吊人胃口之處，露出淡淡的微笑，大雄殿裡的所有人都等待著明錫的下一句話。

明錫 試著和政權磋商如何呢？

住持 政權嗎？

明錫 慧釋宗在大韓佛教宗派中擁有很多信眾，是頗具聲勢的宗派，而黃地寺在慧釋宗寺院中是最有名的地方，我認為磋商的可能性很充分。

住持 這不是我一個人可以決定的事，我得和慧釋宗其他僧人們討論共識，不過…你為什麼要告訴我這些事？

| 明錫 | 如果你想召集政府與相關機構，朝著對黃地寺有利的方向，簽訂業務協定，應該會需要專家的協助吧？汪洋法律事務所設有「政府關係組」，超越現有律所提供的法律服務範圍，而是扮演政府與個別團體之間的橋梁。將團體的需求傳達給政府和行政機關，並代表團體確實反映其需求，進而說服他們。目前為止，汪洋主要是擔任企業代理人，不過我們也有信心可以妥善處理黃地寺的自主營運基礎架構一案，達成簽訂協議。 |

聽了明錫這麼說，住持陷入了沉思。
同一時間，新進律師們聽到明錫新穎的提議，尤其是英祺，深受感動。

| 住持 | 我明白你的意思了，我和其他僧人討論過後，再跟你聯絡。 |
| 明錫 | 是，師父。 |

此時，隱約地聽見告知供養時間的鐘聲。

| 住持 | 剛好到了供養時間，你們應該還沒吃飯吧？不嫌棄齋飯的話，歡迎一起用餐。 |
| 明錫 | 那就打擾了。 |

汪洋和毛怪家一行人起身，一個個走出大雄殿，住持留住最晚離開的明錫。

| 住持 | 你的身體還好嗎？你的臉色看起來比昏倒之前更憔悴了。 |
| 明錫 | 唉唷，謝謝你的關心，我的身體…有點狀況。 |

雖然明錫盡可能地輕描淡寫帶過，但是說出口的瞬間明錫隨即

變得脆弱，就像是剛才還穿在身上的「能幹律師」形象，突然
被脫掉的感覺。

住持　　祈求觀世音菩薩保佑吧。

明錫　　什麼？

住持　　觀世音菩薩有一千隻眼睛，所以能照見眾生的一切苦難，祂有
　　　　一千隻手，能保佑眾生脫離一切苦難，祂是全知且全能的存
　　　　在。因此，只要懇切地呼喚祂的名號，虔誠地祈求觀世音菩薩
　　　　保佑，祂就會消除我們的一切苦難。

明錫　　那個…該怎麼祈求保佑呢？

　　　　住持雙手合掌，

住持　　「南無觀世音菩薩。」這樣做就可以了，這是向觀世音菩薩皈
　　　　依的意思。

　　　　雖然明錫不相信宗教，但是那一刻，明錫極度懇切地想向觀世
　　　　音菩薩祈求保佑。
　　　　面對自己這樣的一面，明錫既驚訝又感到混亂。

S#33.　黃地寺（室外／白天）
　　　　明錫走出大雄殿，等待明錫的英祤走了過來，跟著走在前面的
　　　　其他人，兩人一邊走出黃地寺，一邊對話。

英祤　　這是我第一次覺得你很帥。

明錫　　第一次…嗎？

英祤　　是，我完全沒有想到你會對住持說出那樣的提議，你被離婚又

罹患胃癌，只顧著工作還是有意義的。

明錫　真的嗎？我度過了有意義的時光嗎？

英禛　是，我是這麼認為。

除了認為明錫很帥，英禛還有一點亢奮。
看著那樣的英禛，明錫露出了帶有苦澀的微笑。

S#34.　黃地寺內的供養室（室外／白天）

寺院內的用餐場所，供養室。
汪洋、毛怪家一行人以及住持圍坐在餐桌前，每個人的面前都
放有一碗拌麵。

住持　僧人們很喜歡吃麵，如果問僧人「要幫你煮碗粥嗎？」都不會
有人回應，但是換作問「要幫你煮碗麵嗎？」他們百分之百會
答應。（微笑）

明錫　是啊，我們也覺得這看起來非常美味。

住持　請慢用。

住持語音一落，所有人攪拌著拌麵，品嚐味道。
相反地，英禛選擇不攪拌，從配料開始一個個分開吃，除了英
禛以外，所有人都為拌麵的驚人味道發出感嘆。

格拉米　（一搭）什麼？這三層次的口味是…？

敏植　（一唱）就是說啊，第一層是酸味，中段是甜味，尾韻帶點辣
味？

住持　（看著毛怪家的激動言行微笑）在寺院烹煮飲食並修行的人會被稱為
「供養主」，黃地寺的供養主尤其擅長煮麵，聽說一次煮大份

350

秀妍	量麵條的時候，很難掌控煮麵的時間，但是我們的供養主光看麵條色澤，就能精準地掌控時間。
秀妍	難怪麵條真的很彈牙。
明錫	濟州島有一間名為幸福湯麵的麵店，那裡的豬肉湯麵真的很好吃，這碗麵就像我在那裡吃過的拌麵，例如使用寬麵代替細麵，用大朵厚實的香菇當配料，就像鋪上白切肉的感覺。

聽到明錫那麼說，還在挑配料的英褀，眼神閃閃發光。

INSERT：
一隻鯨魚用力躍上湛藍的海平面。

CUT TO：
再次回到黃地寺供養室。

英褀	為什麼我都沒有想到呢？黃地寺位於漢白山，寺內還有一座礦泉！
秀妍	對耶，難道這裡就是…
敏宇	（接續秀妍的話）好山好水的地方？
英褀	我想確認黃地寺的供養主是否就是幸福湯麵的老闆。

英褀的恍然大悟，讓秀妍、敏宇、濬浩、格拉米和敏植都激動了起來。相反地，住持和明錫聽不懂英褀在說什麼，愣在原地。

S#35.　黃地寺內的供養間（室內／白天）
寺院內烹飪食物的場所，供養間。
汪洋與毛怪家一行人往供養間衝去並打開門！供養間裡煮完飯

正在整理環境的**供養主**（60多歲／男）驚訝地瞪大眼睛。

英禑　　請問你是黃地寺的供養主嗎？

供養主　什麼？我是…

英禑　　你也是幸福湯麵的老闆嗎？

聽到英禑的提問，供養主（以下簡稱「幸福老闆」）停下動作。

幸福老闆　妳是…怎麼知道的？

因為終於找到幸福湯麵老闆的喜悅，所有人都露出了開朗的表情。同時，明錫依舊搞不大清楚現在是什麼情形。

濬浩　　我們一直在找你。

幸福老闆　找我嗎？為什麼…

要在明錫面前說出尋找幸福老闆的理由，讓濬浩欲言又止。
不過英禑義無反顧地說道。

英禑　　我們想拜託你一件事，請幫一位罹患胃癌第三期，可能活不了多久的律師煮一碗豬肉湯麵。

明錫這才搞清楚所有狀況。

明錫　　我不是叫妳不要做無意義的事嗎？妳還是做了嗎？

幸福老闆　既然你們到處找我，那你們應該也知道幸福湯麵已經歇業了，而且我也不能在寺院內煮豬肉湯麵…

英禑　　那麼幸福湯麵可以重新營業啊？我們是律師，可以幫助你。

格拉米	真的嗎？律師要怎麼幫助餐廳營業？
敏宇	如果幸運湯麵仿照幸福湯麵取名屬實，律師就能幫得上忙了。
秀妍	還有雇用曾經在幸福湯麵廚房工作的人擔任主廚，讓幸福湯麵的獨門祕方外流，如果這些也屬實，我們就能幫助你。
英褀	（對幸福老闆說）這些都是事實嗎？

那些努力遺忘的辛酸往事——浮現腦海，幸福老闆的內心甚是混亂，但是依然打起精神說道，

幸福老闆	這些都是事實，但是就算如此，我還能怎麼做？
英褀	你有聽過《防止不正當競爭暨營業祕密保護相關法》嗎？
幸福老闆	什麼？
英褀	模仿知名店家商號，以類似的方式取名，這叫做不正當競爭行為。幸福湯麵變得有名之後，原本商號不同的店家改名為幸運湯麵，就是這樣的例子。因為這種行為會讓消費者混淆，所以法律有明文禁止，而適用的法律就是《防止不正當競爭暨營業祕密保護相關法》。
幸福老闆	所以呢？幸運湯麵的老闆有問過我的店名是否取得專利，他說如果我當時沒有註冊商標，不管我再怎麼做都沒有用…
英褀	即使你還沒申請註冊商標，依然能先就不正當競爭的方面處理問題。我們先以律師名義對幸運湯麵發出存證信函，要求他們停止使用商號如何？
敏宇	如果是這種情況，也能對他提出訴訟吧？老闆這段期間因為幸運湯麵的不正當競爭行為而受到的損害，也可以藉由提告請求賠償。

從存證信函到提出訴訟…突如其來的資訊讓幸福老闆的思緒變得複雜。

英禓	如果要以幸福湯麵的店名重新開始營業，最好盡快申請商標。當然，這部分有汪洋的「智慧財產權組」可以提供協助。
秀妍	這樣一來，日後也可以防止員工外流幸福湯麵的祕方，只要將祕方設定為營業祕密加以保護就可以了。
幸福老闆	營業祕密嗎？
敏宇	像我們無從得知可口可樂的製作方法，就是因為可口可樂公司把製作方法設定為營業祕密來保護，豬肉湯麵的祕方同樣也可以這麼做，當然程序會有點繁瑣，也必須取得員工們簽署的保密協議書，整個過程汪洋的專家們都可以為你提供協助。

看著新進律師們像是排練過一樣，默契十足地提供諮詢，格拉米和敏植發出了「喔喔～」的感嘆。
明錫也欣慰地看著新進律師們。

幸福老闆	我不知道…還有這些解決方法，我從來沒想過可以透過法律尋求救濟，還以為只能勸自己看開一點。我一直覺得「我無法守護並延續媽媽告訴我的湯麵祕方」這讓我好痛苦…（忍住哭泣）謝謝你們。

眼眶發紅的幸福老闆臉上，浮現了抱有一絲希望的微笑。

S#36. 幸福湯麵 (室內／白天)

為了汪洋和毛怪家一行人，幸福湯麵臨時營業。人們坐在餐廳裡，店內處處可見已經一段時間沒有營業的痕跡，幸福老闆端著放有豬肉湯麵的托盤走了出來。

明錫	你為了我們還趕著開店…真的非常感謝。

幸福老闆　你說你們就要回首爾了，雖然改天我委託案件時還會再見面，但是在你們回去之前，我總得請你們吃一碗麵吧。

明錫　是，你考慮過後再聯絡我們。

幸福老闆把剛才煮好、還熱騰騰的豬肉湯麵放到桌上，也在正打開剛才在附近飯捲店外帶的英禑面前放了一碗，

幸福老闆　妳真的不吃豬肉湯麵嗎？想說至少可以讓妳嚐嚐湯頭，所以也幫妳煮了一碗。

英禑　不用，沒關係。

敏植　那麼那碗麵也給我⋯

敏植把英禑那碗麵拿到自己面前，終於見到豬肉湯麵豐盛的廬山真面目，除了英禑之外，所有人都吞著口水。

明錫　來吃吃看吧？

澮浩　請慢用。

秀妍　我要開動了！

敏植　哇——油花漂浮在熱騰騰的湯頭上，一定很美味！

有些人先喝湯，有些人先吃麵⋯大家都用各自的方式品嚐著豬肉湯麵，一點腥味也沒有的濃油香滋味，讓所有人都幸福了起來。

明錫　真的很好吃！
明錫笑得很燦爛。
英禑看著這一幕，才終於感到放心。

S#37.　飛機 （室內／白天）

回首爾的飛機裡。

濬浩比較晚才上飛機，看著自己的座位，猶豫著要不要坐下，
因為座位就在英祿旁邊，似乎有點不自在。

秀妍察覺濬浩的心情，走了過來。

秀妍　你坐我的位置吧，我去跟空服員說一聲。

濬浩　喔，好。

稍後，秀妍癱坐在英祿旁邊的位置上。

英祿驚訝地看著秀妍，

秀妍　你們不是分手了嗎？坐在一起會很尷尬吧。

這句話讓英祿回頭看向後面。

濬浩坐在敏宇旁邊那個本來是秀妍的位置，一和濬浩對視，濬浩
就馬上避開視線。英祿摸著尚未繫上的安全帶，內心有些沉重。

接著，背景音樂出現英祿唱的《濟州島的藍夜》，英祿乾淨且平
淡的嗓音，安慰了結束濟州島之旅，返回首爾的每個人的內心。
把胃癌第三期的診斷報告拋諸腦後，在濟州島領悟到這段期間
以來自己錯失了什麼的明錫；原以為只會是死對頭，沒想到卻
有新的情愫在他們之間萌芽，內心感到混亂的秀妍和敏宇；不
僅沒看到嚮往的三腳、春三和福順，還以分手的狀態返程的
英祿和濬浩；懷念著幸福湯麵那碗驚人美味的豬肉湯麵的敏
植；以及正在睡夢裡和敏宇前往無人島的格拉米…

S#38. EPILOGUE：宣榮的辦公室 (室內／晚上)

晚上，漆黑的辦公室。

宣榮坐在自己的辦公桌前，用電腦看著電視新聞。

新聞畫面裡的**記者**（30多歲／女）站在首爾高等檢察廳門口報導新聞。

記者　　法務部長候選人太守美的國會人事聽證會將在一個月後舉行，太姓候選人今天前往設於首爾高等檢察廳辦公大樓的人事聽證會籌備小組辦公室上班，正式投入準備工作。

宣榮看見守美下車走向檢察廳大樓的畫面，等待已久的採訪人員一窩蜂地湊到守美附近。

記者　　這次的人事聽證會主要議題會圍繞著太姓候選人擔任律所代表的世襲爭議、兒子在國外出生的爭議，以及她與丈夫擔任會長的江川集團利益勾結等太姓候選人本身的各種爭議，朝野預計將展開激烈攻防。

守美站在記者們面前，進行簡短的訪問。

守美時時刻刻都掛在臉上的那抹優雅笑容，甚是美麗。

守美　　各位國民都能透過直播觀看人事聽證會，因此我會更加徹底準備，我會以謙卑的姿態勤奮努力。

看著畫面裡的守美，宣榮的臉上浮現不悅。

此時，宣榮的**祕書**（40多歲／女）敲門後，走進辦公室，宣榮暫停播放新聞。

357

祕書	代表，《正義日報》的李準範記者來了。
宣榮	請他進來。

名為**李準範**的記者走了進來。準範是在第8集、第9集、第10集中出現，針對英禑的身世進行祕密調查的記者。
準範和宣榮面對面坐在接待訪客用的沙發上。

準範	韓代表！妳過得好嗎？妳好久沒有跟我聯絡了。
宣榮	你的身體也無恙吧？有找到太守美的女兒嗎？
準範	什麼？
宣榮	聽說你為了找出太守美婚前生下的女兒，進行了很徹底的調查耶。

宣榮單刀直入地切入談話要題，
原本厚著臉皮微笑打招呼的準範，也認真了起來。

準範	喔，是。綜合分析各種情況，我懷疑某個人是她的親生女兒…
宣榮	是誰？
準範	不知道代表是否認識她，是在汪洋這裡工作的禹英禑律師…我只有心證，沒有確切的關鍵證據，所以一直無法寫新聞。
宣榮	沒錯。
準範	什麼？
宣榮	禹英禑律師確實是太守美的女兒。
準範	那麼…妳一開始雇用她的時候，就知道了嗎？太守美那邊呢？她也知道這個事實嗎？

準範似乎是想寫下所有資訊，急忙地拿出手冊。宣榮微笑著調節談話的步調。

宣榮	你好奇的一切事情，我都會慢慢地告訴你，但是我有條件。
記者	條件嗎？
宣榮	刊登報導的時間點，要在太守美出席人事聽證會的前一刻，讓她無法立刻反駁。
記者	是，雖然還得要跟總編輯商量一下，不過應該沒問題。另外，既然我都來汪洋一趟了，不知道能不能見上禹英禑律師一面呢？

宣榮思考了一下，回答道。

| 宣榮 | 先跟我談就好，你想訪問禹英禑律師的話，至少等到報導刊登之前。 |
| 準範 | 好的。 |

宣榮看著準範，表情透露出些微的笑意，眼神冰冷卻閃閃發光著。

〈完〉

「我是在問你能不能為了同事、為了你心裡堅持

　　的正確信念，暫時放下處世之道，不要算計搞

　　政治，單純像個傻瓜一樣變得勇敢。」

沒問的話，
沒吩咐的事

15

S#1.　PROLOGUE：羅溫辦公室（室內／晚上）**- 過去**

6個月前。

知名電商平臺「羅溫」的首爾總公司大樓內的辦公室。

如同用戶人數足足高達4千萬人的大型電子交易企業該有的樣子，辦公室非常寬敞且舒適，相對來說是個氣氛充滿自由和創意的空間。

雖然時間已經接近晚上12點，包括資料庫管理員**崔振表**（30多歲／男）在內，有幾位員工都還在加班。

振表似乎有些睏意，一邊揉眼睛一邊打哈欠。

振表用自己的工作用電腦確認個人電子信件，稍作休息。

弟弟**崔振浩**（20多歲／男）寄來了一封標題寫著「我照著哥說的，重新寫好自傳了！幫我看一下」的電子郵件。

振表打開那封電子郵件，下載附件「自傳.doc」後開啟。

此時，Word視窗出現了以下通知：「*此檔案使用了與Macro Office無關的應用程序建立文件，如欲檢視文件內容，請點擊工具欄之『啟用編輯』。*」

振表稍有猶豫，而後還是按下了工具欄顯示的「*啟用編輯*」。

但是Word視窗什麼文字都沒有出現，「這是怎樣？」振表心想，雖然覺得有點奇怪，搖了搖頭，卻還是不以為然地收拾自己的東西和手機，下班離開。

S#2.　**PROLOGUE：羅溫大樓外馬路**（室外／晚上）**‐ 過去**

時間超過12點。

振表離開羅溫總公司大樓，走到馬路上。

振表打電話給振浩。

振浩　　（聲音）嗯，哥，怎樣？

振表　　你寄給我的自傳檔案打不開，你重寄一次，我回家再看。

振浩　　（聲音）我沒有寄自傳耶？

振表　　你沒有寄嗎？

振表驚訝地呆呆站在原地，突然想起了什麼，掛斷電話，拔腿就往公司跑回去。

S#3.　**PROLOGUE：羅溫辦公室**（室內／晚上）**‐ 過去**

振表跑得太急促，用力地撞上了正從辦公室走出來的**員工**（30多歲／女）。

就算員工痛得驚聲尖叫，振表也完全沒有表示歉意，急急忙忙地衝回自己的座位，盯著電腦。

羅溫的共同代表暨CTO（最高技術負責人）**金燦弘**（46歲／男）見狀，用詫異的表情詢問振表。

燦弘　　振表，發生什麼事了？

振表無法作出回應，臉色發白。
燦弘走向振表。

振表　　代表，我好像⋯中了。

燦弘　　什麼？

振表　　魚叉式網路釣魚。

燦弘聽見這句話，面色凝重。

TITLE：
《非常律師禹英禑》

S#4.　**汪洋法律事務所1樓大廳 (室內／白天)**

6個月後的現在。

英禑坐在大廳的長椅上，看著來汪洋上班的人們。雖然是英禑
自己先說出不要交往，但是她還是很想見到濬浩，於是就像第
11集那樣，在大廳等待見到上班的濬浩。

濬浩通過旋轉門走進大樓裡，接著走向電梯，英禑看著眼前這
一幕，內心非常複雜。

也許是因為英禑的視線，濬浩突然轉頭往英禑的方向看，英禑
大吃一驚，就像只懂得把頭藏起來的雉雞[5]，英禑用雙手遮住自
己的臉。濬浩看到那樣的英禑，內心非常複雜，英禑維持雙手
遮住臉的姿勢，起身走出大樓外，濬浩嘆了一口氣。

註釋5：韓國俗語。雉雞被追捕時，只會將自己的頭部隱藏在草叢之間，然而身體
依然暴露在環境中，藉此比喻一個人畏畏縮縮，反而露出馬腳的行為。

S#5.　醫院走道（室內／白天）

醫院手術室門前走道。

明錫躺在病床上，等待著輪到自己進去手術室，兩位**護理師**（皆為30多歲／女）及**明錫的母親**（60多歲／女，以下簡稱「明錫母」）都站在明錫身邊。母親的臉上寫滿了擔憂，明錫見狀，內心也變得很沉重，遠遠地就看見像雉雞般逃跑的英褆快步走了過來。

明錫很開心可以見到英褆，但也有點詫異英褆怎麼會來。

明錫　　禹英褆律師？妳怎麼來這裡？

英褆　　我搭地鐵來的。

明錫　　不是，我是問妳為什麼會來，這個時間妳應該在公司吧。

英褆　　喔，因為我想見你，要是你手術失敗死亡，我就再也見不到你了。

聽到英褆這麼說，明錫母親和護理師們都大吃一驚。

明錫母　（不悅）妳…說什麼？

明錫　　（圓場）媽，沒事啦，禹英褆律師她沒有那個意思。（趕緊對英褆說）打個招呼吧，這位是我媽。

英褆　　妳好，我的名字叫禹英褆，正著唸、倒著唸都一樣，黑吃黑、多倫多、石榴石、文言文、鹽酸鹽、禹英褆。

明錫母　（莫名更加不悅）什麼？

明錫　　媽，我有跟妳說過吧？在胃癌治療領域，韓國是世界第一的國家，手術後的存活率超過七成，不用擔心。

英褆　　要把初期就發現罹患胃癌的病患也通通算進去，才會得出七成以上的存活率。鄭明錫律師，像你這樣已經是胃癌第三期的人，手術後5年存活率只有三成到四成…

明錫　　（打斷英褆說話）我要進去了！

幸好在英禑持續爆出更多事實之前，手術室的門就打開了，護理師拉著明錫的病床進入手術室。

明錫母　明錫，手術加油，媽媽在這裡等你。

英禑　請你一定要活著回來。

明錫　嗯嗯！待會見！

明錫以開朗的表情，對眼眶泛紅的明錫母親，以及面無表情的英禑，輕輕地揮了揮手。

S#6.　醫院手術室 (室內／白天)

當手術門關上，明錫這才放下兒子和上司的角色，在這個空間裡，真的只剩下自己了。為了不向一湧而上的害怕認輸，明錫安靜地祈禱。

明錫　南無…觀世音菩薩。

S#7.　醫院走道 (室內／白天)

明錫母親閉著眼睛，雙手合攏，對著手術室懇切地祈禱著，而英禑孤零零地站在一旁，接到了一通秀妍打來的電話。

英禑　喂？

秀妍　（聲音）禹英禑，妳在哪裡？來17樓會議室，我們要和新案件的委託人開會。

英禑　我現在不在公司…

秀妍　（聲音）那妳還在幹麼？快點趕回來啊。

英禍   喔，嗯！

英禍掛斷電話，以她的方式朝著公司快點趕回去。

S#8.　汪洋法律事務所17樓會議室門口（室內／白天）

英禍氣喘吁吁地抵達會議室門口。
英禍一邊喘著氣，一邊舉起手準備敲門。

S#9.　汪洋法律事務所17樓會議室（室內／白天）

會議室裡，勝准、敏宇、秀妍以及羅溫的共同代表們面對面坐
著，共同代表是最高技術指導人燦弘與最高執行長**裴成烈**（46歲
／男）。兩人是一起創立羅溫的同齡朋友，但是燦弘和成烈外貌
上卻截然不同，有別於燦弘說是在玩嘻哈都會有人相信的服裝
和鬍鬚，成烈則身穿西裝，符合世人對知名企業最高經營人的
既定印象。

勝准   汪洋有許多優秀的律師，但是論企業案件，尤其是資訊科技方
           面，我…

勝准已經自誇了好一陣子，「叩叩，休息一拍，叩」聽見了英
禍的敲門聲，所有人的視線轉向門口，勝准覺得自己的發言被
妨礙，非常不悅。勝准也沒有開口叫英禍進來，只是靜靜地瞪
著門，秀妍觀察著勝准的臉色，代替英禍打圓場。

秀妍   還有一位共同負責案件的律師，她好像到了。（對門口說）趕快
           進來。

英禱打開門，閉上眼睛，在心裡默數「一、二、三」後才進到會議室，成烈和燦弘詫異地看著這一幕。

勝准　妳不快點進來，站在那裡幹麼？客戶都在等了。

勝准問了「站在那裡幹麼」，英禱針對這個問題給出回應。

英禱　因為對我來說，從一個空間到另一個空間所感受到的刺激太大了，如果在心裡默數「一、二、三」之後，調整一下呼吸再進去，至少可以稍微緩解刺激。

英禱回答完畢後，走到秀妍旁邊的座位坐下。
燦弘似乎覺得很有趣，露出了微笑。

燦弘　我偶爾也會那樣，空間突然改變會讓人很不自在。（看著英禱）她好勇敢，我都很怕別人用異樣眼光看待我，所以即使不自在，也會裝作沒事，獨自隱忍。

成烈　現在這種情況…你還覺得那很有趣啊？還笑得出來啊？你現在跟學生時期還是一模一樣，每次都只有我嚴肅看待事情。

成烈似乎很是失望，不僅嘆氣，還指責燦弘。
燦弘有些難為情，閉口不說話。

勝准　兩位畢業於同一所大學嗎？
燦弘　喔，我沒上大學。
成烈　我們是高中同學，我畢業於「河那大學」。

勝准	（驚訝）河那大學嗎？哥！不對，學長！我是河那大學00學號[6]！
成烈	（開心）這樣啊？我是97！

「就是現在！」敏宇心想，加入對話。

敏宇	我是河那大學13學號的。
成烈	2013年？唉唷，簡直是小寶寶！
秀妍	小寶寶？

即使秀妍噗哧一笑，敏宇也不予理會。

敏宇	我唸大學的時候，裴成烈學長有來學校辦專題講座，我聽了之後深受啟發，不禁讚嘆「深受全國人民喜愛的電商平臺，竟然是我們學校的學長創立的！」
英禢	那個…並不是全國人民。根據最近的調查結果，羅溫的用戶人數為40,954,173人，大韓民國總人口數則為51,628,117人。
秀妍	（對英禢說）意思差不多啦，表示全國有八成的人都在使用羅溫啊。（對成烈和燦弘說）真的很厲害。
成烈	（苦澀）哪有什麼厲害的，現在都要完蛋了。

成烈和燦弘表情變得黯淡，勝准轉移話題。

勝准	我們繼續談公事吧？
秀妍	我們剛才談到羅溫的資料庫負責人說他收到駭客的電子郵件。
燦弘	駭客入侵我們資料庫負責人和他弟弟往來的電子郵件，掌握了

註釋6：韓國大學生因當兵、個人規劃、旅外留學等因素而選擇休學的情況較為普遍，故以入學年份指稱屆數，文中的「零零學號」意指西元2000年入學。

兩人平常的談話內容，他甚至模仿弟弟的語氣寄電子郵件。如果植入惡意程式碼的附件檔案副檔名是.exe這種安裝檔，我們的資料庫負責人就會有所戒備，但是駭客把惡意程式碼植入在副檔名為.doc的檔案裡，負責人也就不疑有他。

敏宇　我也不知道可以用Word檔散播惡意程式碼。

燦弘　這是可能的。因為那是為了攻擊特定對象，而特別製作的惡意程式碼，所以防毒軟體也無法偵測出來。

英禑　駭客落網了嗎？

成烈　還沒，警方認為是北韓偵察總局所為，不過還尚未確定。

秀妍　北韓偵察總局嗎？

燦弘打開自己的筆記型電腦，給律師們看了某個東西，那是振表打開名為「自傳.doc」的檔案時，畫面顯示的通知文字。「*此檔案使用了與Macro Office無關的應用程序建立文件，如欲檢視文件內容，請點擊工具欄之『啟用編輯』。*」

燦弘　有點奇怪吧？

英禑　是「程序」嗎？

燦弘　對，北韓人將「程式」稱為「程序」，雖然不能光憑這一點就懷疑是北韓所為，但是警方表示正在調查中。

勝准　如果真的是北韓人做的，那麼連要抓到駭客都很難，因為這還牽扯到了政治問題。

成烈　更嚴重的問題在於廣播通信委員會，他們對我們處以高達3千億韓元的罰鍰，所以我們才會來找你們。我們或許也是遭受北韓駭客攻擊的受害者，因為我們沒能保護好用戶的個資，就要負擔3千億韓元的罰鍰，這合理嗎？

燦弘　駭客入侵我們資料庫管理員的電腦時，連接資料庫伺服器的終端就直接顯示在螢幕上，而且還是登入的狀態，所以從駭客的

角度來看，就等於省去了連接伺服器時必須竊取管理員的帳號和密碼的麻煩，廣通委認為這就是問題所在，他們認為我們的資料庫伺服器沒有妥善設好idle timeout[7]。

勝准　所謂的idle timeout，是指最長連線時間限制，對吧？

燦弘　是，過了一定的時間，就會自動中斷連線，只能在必要的時間內連線系統。

勝准　而羅溫的資料庫伺服器沒有那個設定？

燦弘　對，我們沒有特別設定。

因為身為最高技術指導人，所以把一切錯誤攬在自己身上嗎？
燦弘內心似乎很沉重，深深低下頭。

勝准　我認為⋯

勝准故意稍作停頓。
成烈和燦弘等待著勝准的下一句話。

勝准　應該是廣通委不小心多打了幾個零。

成烈　什麼？

勝准　幾年前「阿哈購物網」也發生過個資外洩的事件，你們知道當時阿哈繳了多少罰鍰嗎？

燦弘　不知道。

勝准　當時大約有2百萬筆個資外洩，但是他們只繳了7千萬韓元。

和3千億韓元這個金額相比，實在少得太荒謬了，成烈和燦弘大

註釋7：idle timeout：閒置逾時。

吃一驚。

勝准 「JP通信」的外洩規模更大，幾乎有將近1千萬筆個資外洩，但是他們只繳了1億韓元的罰鍰。

成烈 那為什麼要我們繳足足3千億韓元的罰鍰呢？是因為我們的個資外洩資料數最多嗎？

燦弘 這麼說也有道理，有超過4千萬筆的個資外洩…4千萬筆的話幾乎是全國人民…（本來要這麼說，但是想起英禑說的話）的八成，這個數字對吧？

勝准 又不是4千萬位國民的財產有所損失，只不過是個資遭到外洩嘛？韓國大多數人在註冊網站會員時，不是都會認知到有個資外洩的風險嗎？

成烈 那麼廣通委為什麼只針對我們呢？應該不可能真的多打幾個零吧？

勝准 （微笑）當然不可能，廣通委那邊有我認識的人，我會透過他們了解一下廣通委那邊的整體氣氛如何。不過企業和廣通委打官司一直以來都沒輸過，廣通委屬於政府機關，請不起昂貴的律所，所以總是輸給聘用大型律所的企業，我相信這次也會是如此，請不用擔心。

勝准的態度相當有自信，成烈和燦弘的表情也稍微變得開朗，同時，英禑似乎無法全然相信勝准所言，反覆思索著。

S#10. 汪洋法律事務所員工餐廳（室內／白天）

秀妍獨自坐在員工餐廳的某張桌子前吃飯，敏宇拿著餐盤往秀妍的方向走去，兩人在濟州島約定好「雖然彼此以微妙眼神交流過，但是一切就當作沒發生過」後，秀妍面對敏宇就很不自

在，敏宇打算坐在秀妍對面，不自覺地露出尷尬的情緒。

敏宇　　怎樣？我不能坐這裡嗎？

秀妍　　還有很多空位，沒有必要坐這裡吧…

敏宇　　好吧。

敏宇果斷地轉身去找其他座位，但是秀妍看見敏宇毫不猶豫的模樣又有些失落，「不該是這樣嗎？」秀妍心想。

秀妍　　你還是坐吧，我們之前也是一起吃飯啊。

敏宇　　唉唷，出爾反爾，妳真難搞。

雖然敏宇嘴裡依舊碎念著，卻還是坐在秀妍的對面，秀妍正要繼續吃飯時，注意到在遠處的濬浩一個人拿著餐盤，在空桌坐下，看見總是和英禑一起吃午餐的濬浩，變成一隻孤雁，秀妍有點心疼，看向敏宇說道。

秀妍　　喔，對了，他和英禑分手了…我沒想到濬浩會一個人吃午餐，還是我們要去濬浩旁邊一起吃飯？

聽到秀妍這麼說，敏宇抬頭往濬浩的方向看去，噗哧一笑。

敏宇　　似乎沒有那個必要吧？

聽到敏宇這麼說，秀妍再次看向濬浩，才過沒多久，濬浩身邊就有**3位女員工們**（都是20多歲）圍上去了

員工1　　濬浩，你今天也一個人吃飯耶？我可以坐這裡吧？

373

濬浩	喔，好…
員工2	你喜歡香腸啊？（指著濬浩的餐盤）看你盛那麼多，原來你這麼平易近人。
員工3	我們吃飽飯一起去喝杯咖啡吧？天氣真的很好耶！

女員工們在他旁邊嘻嘻笑笑，看似非常幸福，雖然濬浩也覺得她們的激動情緒讓自己難以招架，卻還是適當地配合。
看見這一幕，秀妍恍然大悟。

秀妍	對耶…我都忘了濬浩是汪洋的人氣王。
敏宇	（微笑）就是說啊，妳現在在擔心誰啊？

S#11.　英禑的辦公室（室內／白天）

少了總是一起吃午餐的濬浩，英禑成為了一隻孤雁。
就算到了午餐時間，英禑還是獨自坐在辦公室桌前吃著光顯包的禹英禑飯捲，用電腦看著新聞報導。
那是一篇標題名為「70億筆個資外洩，繳納1億韓元罰鍰即可」的報導。
此時，伴隨著敲門聲，秀妍走進英禑的辦公室。
不需要擔心濬浩是否孤單，秀妍來找應該需要被擔心的英禑。

秀妍	唉唷！我就知道，妳怎麼一個人淒涼地吃飯？而且還窩在辦公室裡？
英禑	喔，因為我有工作要處理…
秀妍	工作越是忙碌，越要在午餐時間出去透透氣啊！妳啊！也應該跟別的男人一起吃飯、一起喝咖啡！聽到沒有？今天天氣那麼好！

有別於被女員工們包圍的濬浩，看見獨自一人的英禤，秀妍心
疼地忍不住多說了幾句。
但是英禤對秀妍突然的舉動毫無頭緒，愣在原地。

秀妍	（小心翼翼地說）妳和濬浩⋯怎麼了？
英禤	什麼？
秀妍	聽說妳拒絕交往，妳為什麼要那麼做？
英禤	那個⋯

英禤支支吾吾地思考著要怎麼回答。
隨著等待回應的時間越長，秀妍就越來越鬱悶。

秀妍	妳一定也沒有好好跟濬浩解釋吧？
英禤	嗯。
秀妍	什麼啊？禹英禤！妳這樣超沒禮貌的耶？妳拋出不要交往的爆炸性宣言，卻到現在都沒有告訴他為什麼嗎？

隨著秀妍不斷地發問，英禤就越來越想逃避。
經過英禤徹底思考之後，找出了某種可以逃避的依據。

英禤	我認為在上班時間談論這種個人私事不大恰當。
秀妍	現在是午餐時間耶？
英禤	那麼要來聊鯨豚類話題嗎？原本午餐時間就是用來聊鯨豚類話題⋯
秀妍	（打斷英禤說話）我不要耶？先回答我的問題。

秀妍的態度讓英禤不好蒙混過去，英禤看向時鐘。
幸好午餐時間只剩下不到1分鐘。

英祸開始整理還沒吃完的海苔飯捲便當盒，靜靜地看著時鐘，等待著午餐時間過去。

秀妍　妳在…幹麼？

英祸　（看向時鐘發現午餐時間結束了，開心地說）現在午餐時間結束，繼續回到上班時間，禁止聊私事。

英祸拿起放在桌上的幾份文件走出辦公室，秀妍被獨自留在別人的辦公室，傻眼地大喊道。

秀妍　喂！禹英祸！妳要去哪裡？

S#12.　**勝准的辦公室**（室內／白天）

「叩叩，休息一拍，叩」英祸敲了勝准辦公室的門，辦公室裡傳來「請進～」聽起來很悠閒的聲音，英祸打開門，閉上眼睛，在心裡默數「一、二、三」之後走進勝准的辦公室，但是不管是辦公桌前的椅子，還是招待訪客用的沙發，四處都不見勝准的身影。

勝准　有什麼事？

英祸聽見辦公室角落傳來的聲音，嚇了一跳，回頭一看，發現勝准倒掛在倒立機上。就像第3集的明錫與勝准，英祸和勝准以180度相反的姿勢，面對面站著對話的模樣，非常奇怪。

英祸　張勝准律師，廣播通信委員會對羅溫處以3千億韓元的罰鍰並非不小心。

勝准	什麼？
英禍	我的意思是，廣播通信委員會並不是不小心多加了幾個零。
勝准	（無言地假笑）那麼是怎樣？妳有找到廣通委為什麼那麼做的正確答案嗎？

英禍靠近勝准，想給勝准看自己手上的文件，但是勝准的頭部朝著下方，英禍不知道該怎麼遞出文件，猶豫了一下子。最終英禍決定彎下腰，把文件直接放在勝准臉前，是「70億筆個資外洩，繳納1億韓元罰鍰即可」那篇報導的影本，英禍背誦出來的部分有用螢光筆畫記。

英禍	（保持彎腰遞出文件的姿勢背誦）「過去10年來企業外洩的個資高達70億筆，卻只受到了不痛不癢的懲罰，需要加強處罰，例如引進集體訴訟制度、擴大懲罰性賠償等。」

勝准面無表情，無從得知他現在的想法。
英禍恢復站直的姿勢後，繼續說明。

英禍	有許多與此類似的報導，個資外洩的相關輿論正傾向支持加強對企業的處罰。
勝准	所以呢？廣通委讀了幾篇新聞報導後，就把之前1億韓元的罰鍰，突然調漲到三千億韓元嗎？
英禍	《情報通信網法》隨時都在修訂，廣播通信委員會對阿哈購物網、JP通信分別處以70萬韓元與1億韓元之罰鍰時，該法律規定罰鍰的上限金額為1億韓元。但是根據現行的《情報通信網法》，最高可處以與違規行為相關之銷售額3%以內的罰鍰，所以是有可能得出3千億韓元這個金額的。

聽了英禍慷慨激昂的說明，勝准依舊毫無反應，安靜地按下了倒立機的按鈕，嗡——伴隨著緩慢的機械音，勝准的身體馬上回到正常方向。

勝准　　（像是在自言自語）她還真是放肆啊。
英禍　　（聽不清楚）什麼？

勝准走下倒立機，往英禍面前走了幾步，看英禍不順眼的眼神頗具威脅性。

勝准　　禹英禍律師，這是妳第一次和我共事吧？以後妳只要遵守一條規則，「沒問的話不要說，沒吩咐的事不要做。」聽懂了嗎？

英禍欲言又止。

英禍　　這樣不是兩條嗎？
勝准　　（生氣）什麼？
英禍　　一條是沒問的話不要說，另一條是沒吩咐的事不要做，這樣總共兩條…
勝准　　（打斷英禍說話，大聲喝斥）管它一條還是兩條！我問妳聽懂了沒？
英禍　　是，我知道了。

雖然英禍回答自己知道了，但這是英禍第一次體驗權威型的上司，英禍臉上清楚寫著為難兩字。

S#13.　**病房**（室內／晚上）
剛動完手術，明錫疲憊無力地躺在單人病房的病床上，英禍、

378

格拉米和敏植來探病，敏植從可愛的便當包巾裡拿出裝有小菜的密封容器。

敏植　我裝了幾道小菜來給你媽媽嚐嚐，我這個毛怪是開餐酒館的，所以每一道小菜都像下酒菜。

格拉米　那就配著酒一起吃啊，照護病患還要保持清醒，也太累了吧。

明錫　（微笑）就是說啊，連我的媽媽都照顧到⋯真的很感謝你們。

敏植　沒什麼啦，幸好手術很順利，小菜我放在這邊的冰箱裡。

在敏植把密封容器放到冰箱裡的時候，明錫看向從剛才就掛著滿臉憂愁、呆呆站著的英禑。

明錫　禹英禑律師，妳怎麼了？有什麼煩惱嗎？

英禑　是，我有煩惱。

明錫　什麼煩惱。

英禑　因為律師必須履行保密義務，恕我無法詳細說明。

格拉米　那妳就說得籠統一點啊，不要說得太詳細。

英禑　那個⋯

英禑煩惱著該怎麼說得籠統一點，

英禑　如果共同負責案件的前輩律師，不聽我說話該怎麼辦？

明錫　共同負責案件的前輩律師是誰？

英禑　是張勝准律師。

聽到張勝准這個名字，明錫不自覺地嘆氣。
在腦海裡大致描繪了勝准對待英禑的模樣，雖然光用想的就心煩意亂，但還是思考著解決方法。

379

明錫	如果是考慮到人情世故，為了妳自己著想，放低姿態配合張勝
	准也是一種方法…

聽到明錫這麼說，英禑以認真的神情，實際放低身體的姿態，
格拉米看著這一幕非常失望，敲了英禑一下。

格拉米	天啊，怎麼可能會是叫妳真的壓低身體？
明錫	就是說啊，妳不可能做到放低姿態嘛，妳連放低姿態是什麼意
	思都聽不懂了。
英禑	（突然挺起剛才壓低的身體）那麼該怎麼做？
明錫	妳有…同事啊，和同事聊聊吧，如果跟前輩無法溝通，至少要
	跟同事們多多討論。

「同事們？」明錫的建議讓英禑仔細地思考。

S#14. 法庭（室內／白天）

第一次言詞辯論期日。

把頭髮梳得服服貼貼，髮際分線清楚無比的**審判長**（60多歲／男）
與**2位陪席法官**（皆為30多歲／男）坐在法官席，原告成烈和燦
弘，原告代理人勝准和新進律師們坐在原告方；被告為代表廣
播通信委員會出庭的**員工**（40多歲／男），被告代理人**金允珠律師**
（30多歲／女）則坐在被告方，旁聽席上有許多記者。

勝准起身開始辯論，過於自信以致態度顯得有些趾高氣揚，簡
直就像從美劇裡走出來的律師。

勝准	（每次出現英文就會用母語人士的發音）Spear Phishing[8]，針對特定個人或機關的弱點，巧妙地瞄準並擲出魚叉叫做Spear，顧名思義就是有如擲魚叉的駭客攻擊。羅溫的資料庫管理員崔振表先生所遭受到的攻擊，就是這個Spear Phishing。駭客透過Spear Phishing讓崔振表先生的電腦感染惡意程式碼，而後對羅溫進行APT攻擊，也就是Advanced Persistent…
審判長	（打斷勝准說話）原告代理人，感謝你的親切說明，不過在座的原告、被告，甚至法官們都知道APT攻擊是什麼，可以請你省略說明嗎？
勝准	（慌張）什麼…？庭上，你知道Advanced Persistent Threat[9]是什麼嗎？
審判長	（吸了一口氣，快速唸出）就是對目標對象進行高智能且持續性的攻擊，如果今天是採用國民參與陪審，就需要仔細地說明，但是現在在場只有我們，旁聽席上的大多數人似乎也都是記者，就直接切入正題吧。
勝准	喔，是。

聽到審判長這麼說，允珠噗哧一笑，勝准準備的內容全數打結在一起，勝准忙著在腦海裡找出該從哪裡繼續說下去，講話結結巴巴。

勝准	如此一來…也就是說…（再次充滿自信地說）羅溫也算是遭受駭客攻擊的被害人，廣播通信委員會卻對其處以高達3千億韓元，足以讓一間公司倒閉的巨額罰鍰，這表示廣播通信委員會逾越並濫用了裁量權。

註釋8：Spear Phishing：魚叉式網路釣魚。

註釋9：Advanced Persistent Threat：高級長期威脅。

允珠	我方並未逾越或濫用裁量權，根據《情報通信網法》，被告得對原告處以與違規行為相關之銷售額3%以內的罰鍰。羅溫上一年度的銷售額為30兆3千億韓元，表示被告其實可以對原告處以9千億韓元的罰鍰，但是被告酌情考量原告的狀況，僅僅處以遠低於上限金額的3千億韓元罰鍰。
勝准	阿哈購物網與JP通信外洩個資時，被告分別開出了7千萬韓元以及1億韓元的罰鍰，然而現在卻僅以法律修訂為由，突然對相同的案件開罰3千億韓元嗎？裁罰基準也太有失公平了吧？
允珠	因羅溫疏忽而外洩的個資足足有4千萬筆，他們洩露了全國人民的個資…
審判長	（打斷允珠說話）並不是「全國人民」，因為大韓民國的人口為5千萬人，應為「全國人民的80%」。

審判長提出的指責，和上次開會時英禍的反應一模一樣，汪洋的律師們都大吃一驚。
允珠努力隱藏自己的慌張，繼續進行辯論。

允珠	是，庭上，我更正一下。（再次強調）羅溫洩漏了全國80%國民的個資，那麼要繳納多少罰鍰才符合公平性呢？

面對允珠的提問，勝准啞口無言。

允珠	這次羅溫大批外洩的個資並不只是基本的身份資料，就連4千萬位國民的敏感信用資訊和金融交易資訊，全部都被洩漏出去了。羅溫竟然認為只占銷售額1%的罰鍰過重，覺得裁罰不當嗎？這樣的態度本身就代表羅溫對於用戶個資的認知不足！

聽完允珠的熱烈辯論，審判長微微點頭，坐在旁聽席的記者們

雙手也變得忙碌，成烈和燦弘嘆著氣，汪洋律師們的表情也變得黯淡。

S#15. **汪洋法律事務所17樓會議室**（室內／白天）

勝准、新進律師們、燦弘與振表面面對面坐著，成烈也有出席會議，座位上放有成烈的東西，但是成烈人在會議室外面，座位暫時空著。第一次庭審對羅溫很不利，因此有別於上次會議時勝准擺架子的態度，這次勝准繃緊神經。

勝准　　照現在的情況來看，因果關係很重要，你們知道怠金和罰鍰不一樣吧？

燦弘　　不，我不大清楚。

勝准　　沒有設定idle timeout這點本身屬於怠金處分的範圍，頂多被罰3千萬韓元以下。不過，如果是未設定idle timeout造成了個資外洩的結果，那麼就屬於罰鍰的範圍，罰鍰金額也會提高至相關銷售額的3%。

燦弘　　是。

勝准　　所以說，假設羅溫的伺服器有設定idle timeout，你認為這樣能夠防止個資外洩嗎？

燦弘　　這個嘛，有點像是「假設大門有上鎖，小偷是不是就無法偷走家裡的東西？」那種問題，這取決於駭客的能力⋯但我們不知道駭客是誰，不是嗎？因為還沒有抓到人。

勝准　　畢竟你是專家嘛，如果稍微推測一下，你覺得呢？這關乎究竟是3千萬韓元的怠金，還是3千億韓元的罰鍰。

聽到勝准說的話，燦弘仔細地思考著。

燦弘	振表，安裝到電腦的惡意程式碼，裡面也有「鍵盤側錄」吧？
振表	喔？對！有。
秀妍	鍵盤側錄嗎？
燦弘	只要安裝鍵盤側錄，就能竊聽電腦主人用鍵盤所輸入的文字，如果振表為了連接伺服器，輸入了帳號和密碼，駭客就能透過監聽得知，對駭客來說，只是要多花一點時間解開而已。
敏宇	意思是就算設定了idle timeout，最終還是無法防止被駭客攻擊嗎？這兩者之間的因果關係不成立嗎？
燦弘	沒錯。

燦弘的回答讓律師們的表情豁然開朗，此時，成烈驚慌失措地走進會議室，彷彿聽見了什麼駭人聽聞的消息，臉色蒼白，握著電話的手顫抖不已。

成烈	我剛才接到電話，我們的用戶們⋯（難以說出口，調整呼吸）正在準備提起共同訴訟，他們想要針對個資外洩請求損害賠償。
秀妍	（驚訝）共同訴訟嗎？
勝准	（同樣驚訝）他們⋯是委託哪一間律所提告？（越想越氣）是哪間無所事事的律所自願接下這個燙手山芋？
成烈	聽說是泰山法律事務所。
敏宇	泰山嗎？

光是聽到共同訴訟的消息就夠驚人了，偏偏還是由汪洋的競爭對手，也就是業界第一的泰山負責，會議室裡的所有人都大受打擊。

成烈	聽說他們正透過網路論壇號召當事人。

秀妍用筆記型電腦找到了成烈所說的網路論壇。

秀妍　（看著筆電）我找到你說的網路論壇了，哇，速度真快，論壇開設還不到一個月，就已經成功號召一百萬人了。他們似乎打算請求每人10萬韓元的損害賠償金。

成烈　（看著勝准，迫切地說）張律師，我們該怎麼辦？現在3千億韓元的罰鍰已經不是重點了，一個月不到的時間就號召了一百萬人，那要達到4千萬人也只是時間早晚而已…如果4千萬人每人各求償10萬韓元，就是4兆韓元，那我們就徹底完了，羅溫會倒閉。

聽到成烈那麼說，燦弘和振表都覺得希望渺茫，暗自嘆著氣，律師們的心情也很沉重，勝准試圖讓過於激動的成烈冷靜下來，沉著地開口。

勝准　裴代表，越是這種時候你越要保持鎮定，個資外洩事件本來就是這樣，不僅要承擔怠金或罰鍰的公法（重音放在後面的「法」）責任，還要連帶承擔民事訴訟的司法（重音放在前面的「司」）責任，現在…

英禎　（本來試著忍耐，但還是忍不住打斷勝准說話）是…「私法」才對。

英禎的插話讓會議室瞬間迴盪著寂靜。
勝准忍住漸漸燃燒的火氣，向英禎詢問。

勝准　什麼？

英禎　發音上並非「司法責任」，而是必須唸成「私法責任」。相對於公法（重音放在後面的「法」）概念的私法（重音放在後面的「法」），發音時重音必須放在後面，唸作「私法」。雖然與立法和行政一同擔任國家作用三大支柱的「司法」（重音放在前面的

385

「司」）拼音相同，發音卻不盡相同。

勝准　（大喊）禹英禑律師！妳現在要跟我扯這個嗎!?

　　　　勝准的大喊讓英禑嚇得打了冷顫，為了保護自己以遠離巨大聲
　　　　響，英禑緊緊閉上眼睛，英禑的模樣讓勝准更加火大，本來想
　　　　再多說幾句，但是思緒複雜的成烈率先插話，對勝准說道。

成烈　　張勝准律師，可以先借一步說話嗎？我們單獨出去談吧。
勝准　　喔…好。

　　　　「單獨出去要說什麼？」身為共同代表的燦弘以好奇的眼神看
　　　　向成烈，但是成烈看也不看燦弘，和勝准一起走出會議室。

S#16.　汪洋法律事務所17樓走道（室內／白天）
　　　　成烈焦急的內心已經顧不及走到遠一點的地方再講。
　　　　大概停留在會議室門口的走道上，隱密地對勝准詢問。

成烈　　我查了一下…發現他長期參與河那大學校友總會的活動。
勝准　　誰？
成烈　　負責我們案件的…（更加壓低聲音）審判長。
勝准　　（其實不知道，卻裝作早就知道）喔？對啊！河那大學，對。
成烈　　我們沒辦法利用這一點嗎？
勝准　　什麼？
成烈　　做生意的人之間有互相招待的問候，如果法律界也是大同小
　　　　異…我想多少會有一點效果。
勝准　　喔…

勝准這才理解成烈的話中之話。

但是勝准難以爽快給出回答，稍有猶豫。

S#17.　宣榮的辦公室（室內／白天）

宣榮坐在自己的辦公桌前，勝准站在對面，宣榮朗讀著網路報導，看起來非常心煩意亂。

宣榮　　「沒有保護好四千萬位用戶個資的羅溫，對於被處以僅占銷售額1%的罰鍰心有不服，而提起訴訟。此事實顯現出羅溫對於用戶個資低下的認知水準。」天啊⋯你知道現在有多少篇同樣內容的報導嗎？這樣等於是我們故意讓委託人挨罵嘛。

勝准　　我很抱歉。

宣榮　　留言罵得更嚴重，「賺30兆韓元，卻還抱怨3千億太多？」、「讓全國人民的個資外洩，還玩著受駭客攻擊被害人的角色扮演」⋯奇怪，你是怎麼擬定辯論方向的，為什麼輿論風向會一面倒成這個樣子？

勝准　　在其他類似案件不超過1億韓元的罰鍰，突然間調漲到3千億韓元，所以我方指責這是廣通委逾越與濫用裁量權，這樣的罰鍰有失公平性⋯我會找找其他方法。

宣榮　　其他方法，是什麼方法？

勝准　　我想主張廣通委的處分事由和遭受駭客攻擊之間沒有直接的因果關係。

宣榮　　你知道泰山在準備的共同訴訟，是更加重要的第二戰吧？

勝准　　是，我知道。

宣榮　　這場訴訟必須勝訴，這樣才能把共同訴訟導向對我們有利的局面，我已經很不樂見泰山代表4千萬國民提告了，如果我們到時候還輸（光想像就生氣）唉⋯我們不要讓事情變成那種情況，可以

吧？

勝准　是，代表。我絕對不會讓事情演變成那樣，我會想盡辦法贏得訴訟。

S#18.　汪洋法律事務所休息室（室內／白天）
英禍、秀妍和敏宇圍坐在休息室。

秀妍　管他唸的是「司法」還是「私法」，這很重要嗎？妳說啊？到底哪裡重要？

英禍　嗯…？

敏宇　（微笑）唉唷，崔秀妍律師，妳方言說得可真溜。

秀妍　（瞪敏宇一眼，示意不要開玩笑）不管他怎麼發音，聽得懂就好啊，妳幹麼老是自找麻煩？現在狀況不一樣了，我們不是在跟鄭明錫律師工作。

英禍　狀況不一樣？

敏宇　當然不一樣，鄭明錫律師對妳…（思考著該怎麼說）很寬容，就算妳說了一些不合時宜的話，他總會容忍妳，不會特別跟妳計較。

英禍　（嘆了一口氣，像是在自言自語）沒問的話不要說，沒吩咐的事不要做。

秀妍　對，就是這樣！妳也清楚啊！就是要這樣做。

此時，敏宇的電話響了，秀妍看見敏宇的手機畫面上顯示著「張勝准律師」。

敏宇　（通話）是，張律師。（停頓）喔，好，我知道了。

敏宇掛斷電話，從座位上起身。

秀妍	你要去哪裡？
敏宇	喔，張律師找我。
秀妍	單獨找你嗎？
敏宇	對。
秀妍	為什麼？
敏宇	我也不知道，去了才知道。

為了迴避更多的問題，敏宇趕緊走出會議室，秀妍以懷疑的眼神看著敏宇的背影。

S#19.　韓定食餐廳（室內／晚上）

高級韓定食餐廳裡的某個以隔牆板隔開的包廂。

餐桌上已擺有一些小菜，成烈、勝准和敏宇並排坐在某一側，三個人都是很緊張的狀態，其中成烈尤其焦慮，臉上幾乎沒有血色。

成烈	韓定食真的夠嗎？是不是應該在酒店訂個包廂…
勝准	唉唷～一開始就是試個水溫，循序漸進嘛，每個人喜好不同，也有些人很討厭酒店包廂。
成烈	那麼這個…是不是也不能今天就給？

成烈拿起放在身旁的「這個」，在勝准面前掀開蓋子，一個大小等於紅酒禮盒的箱子裡面，放有滿滿的5萬韓元紙鈔，敏宇見狀，瞪大眼睛。

成烈	這邊是3千萬韓元。
勝准	是，先觀察待會的氣氛…

此時，隔牆板的門板打開了，成烈趕緊闔起紅酒禮盒的上蓋，再次放在身旁。

就像是安排好的一樣，成烈、勝准和敏宇一併起身，勝准的朋友，同時也是審判長的學弟，一位**男人**（50多歲）率先走進包廂，審判長正要走進來的時候，看到成烈、勝准和敏宇，停下腳步，馬上就掌握現在是什麼情況，瞬間變臉，以震怒的神情說道，

審判長　（勃然大怒）這是在搞什麼？

男人　　（慌張）喔，法官！就像我說過的…

審判長　（打斷男人說話）你不是跟我說有個處境很困難的河那大學後輩，需要我簡單做個法律諮詢嗎？你到底把我當成什麼人，竟然做出這種事？

成烈急忙跑到審判長面前，雙膝跪下。

成烈　　學長！我！我就是那個處境很困難的河那大學後輩！給我5分鐘就好，拜託…請聽我說。

成烈內心既急迫又懇切，眼眶裡滿是淚水。

看到成烈的模樣，審判長心軟，稍微壓抑內心的憤怒。

審判長　你現在的行為就是在試圖進行不當請託，算你逃過一劫，這次我就當作沒發生，以後不准再做這種事。

審判長回頭大步離去，那位男人用難堪的表情，問勝准「你說該怎麼辦？」而後趕緊跟在審判長後面。

成烈依舊跪在原地，無法起立。

成烈　唉…我現在該怎麼辦？張律師，我該怎麼辦才好？

成烈非常痛苦。
看著這一幕的勝准和敏宇內心也很沉重。

S#20. 法庭（室內／白天）

第二次言詞辯論期日。
這次旁聽席上也有許多記者。

審判長　原告，你們還有什麼要主張的嗎？

審判長看向成烈、勝准和敏宇的眼神很不友善。
勝准感受到審判長的眼神，原先要由自己來進行辯論，卻突然改變想法。

勝准　這次…（輪流看英禑和秀妍）換崔秀妍律師，妳去進行辯論。
秀妍　（一開始很驚訝，馬上穩定心情）喔，是。

秀妍從座位上起立。

秀妍　我方承認原告並未在伺服器設定idle timeout，也就是最長連線時間限制，但這僅是單純的違反程序，應屬於最高3千萬韓元以下怠金的處分範圍，而非高達3千億韓元的罰鍰處分範圍。因為未設定idle timeout和遭受駭客攻擊之間，並沒有因果關係。
審判長　嗯，沒有因果關係嗎？

審判長專心聆聽秀妍說話，提出疑問。

相反地，這樣的反駁在允珠的預料之內嗎？允珠看起來非常冷靜。

秀妍　是，庭上。駭客在崔振表先生的電腦上安裝的惡意程式碼包含鍵盤側錄，駭客可以透過這個鍵盤側錄，竊聽所有崔振表先生用鍵盤輸入的所有文字，因此駭客要得知連接伺服器所需的帳號和密碼，也只是時間早晚的問題。意思就是，即使原告有在伺服器上設定最長連線時間限制，依舊無法阻止用戶的個資外洩。

審判長　被告，針對原告的主張，妳有什麼看法？

允珠依舊以冷靜的態度從座位上起立。
「為什麼她可以那麼沉著應對？」
秀妍和汪洋律師們變得有些不安。

允珠　就算設定最長連線時間限制，與個資外洩之間沒有因果關係，那也無所謂。無論兩者之間是否有因果關係，羅溫都屬於罰鍰的處分對象。

秀妍　什麼？

審判長　沒有因果關係也無所謂？為什麼那麼說？

允珠　因為駭客入侵羅溫的伺服器，導致用戶個資外洩的日期是2022年1月19日，《情報通信網法》已經進行了部分修訂。

「《情報通信網法》修訂？」
英禍召喚出儲存在腦海裡的《情報通信網法》。

允珠　《促進情報通信網使用與資料保護等相關條例》第64條之3第1項第6號，修訂前的內容如下。

允珠拿著準備好的文件，正準備唸出該法條，英禍卻不自覺地搶先一步回答。

英禍　「未設置個資保護措施，而導致用戶個人資料遺失、遭竊、外洩、偽造、變造或損毀之狀況。」

允珠　妳很瞭解，那麼妳也知道修訂後的內容嗎？

英禍　「用戶個人資料遺失、遭竊、外洩、偽造、變造或損毀時，未設置個資保護措施之狀況。」

勝准　兩者有什麼不一樣嗎？不就是語序改變而已嗎？

允珠　不是的。修訂前指的是「未設置個資保護措施，（強調「而導致」）而導致用戶個人資料外洩時，須處以罰鍰。」明確表示「個資外洩」的原因必須是「無作為」。相反地，修訂後的法條意指「在用戶個資外洩的狀況中（強調「中」），如果並未設置個資保護措施，則須處以罰鍰。」因此只要「外洩」的結果，與「無作為」的事實成立，兩者之間並不需要成立因果關係。

「喔…我怎麼會略過這個部分？」
在英禍感到後悔之時，審判長仔細地思索著。

審判長　被告代理人指出的內容沒錯，以後合議庭對於法律條文的解讀會更加謹慎。

聽到審判長說的話，成烈、燦弘以及汪洋的律師們表情變得黯淡，尤其是面對一湧而上的挫折、憤怒、迫切感，已經撐不下去的成烈，突然起身大喊。

成烈　庭上！每天都有數以百萬計的用戶退出羅溫，聽說正在準備共同訴訟的網路論壇也已經號召了超過一千萬人，在用戶減少、

損害賠償金提高的情況下，再加上3千億韓元的罰鍰…（越想越難受地喘不過氣）沒有設定idle timeout真的是滔天大罪嗎？我們真的一定要付出這麼大的代價嗎？

審判長　請你先冷靜…

成烈　（打斷審判長說話）庭上！沒有任何一家公司比羅溫更致力於滿足用戶，駭客故意入侵，我們怎麼可能抵擋得了？如果羅溫被冠上洩漏全國人民個資的汙名，就這麼毀於一旦…（啜泣）我會很不甘心！我真的太不甘心了！

成烈突然從腰間的小口袋中，掏出一顆膠囊，在大家都還來不及阻止之際，成烈雙眼一閉，吞下了膠囊。

審判長　（驚訝）原告！你在做什麼？

成烈的突發行為引起法庭裡一陣躁動。
法院**法警**（30多歲／男）跑向成烈，燦弘也在驚訝之中趕緊起身，搖晃著成烈的身體。

燦弘　裴成烈！怎樣？你吞了什麼？

但是成烈一語不發。
成烈的呼吸變得急促，很快地失去意識倒在地上。

燦弘　成烈！裴成烈！

成烈口吐白沫，全身痙攣，從13集的明錫，到這次的成烈…英褐連番親眼目睹有人在自己面前倒下，變得非常不安，英褐用右手緊緊按壓著左手手背，努力讓自己鎮定下來。

潛浩看到這樣的英祜，本來想要走向英祜，但是想到兩人現在的關係不允許他這麼做，而停下了腳步。潛浩看著英祜難受，卻連一句「還好嗎？」都無法問出口，煩悶的心情讓潛浩只能暗自嘆氣。

S#21.　醫院加護病房（室內／晚上）

某間醫院的加護病房。

成烈尚未恢復意識，掛著氧氣罩躺在病床上，燦弘站在成烈旁邊，**醫生**（40多歲／女）則站在燦弘對面。燦弘非常擔心成烈，似乎還有哭過，眼周非常紅腫，醫生觀察成烈身上各個地方，確認成烈的狀況，而後對燦弘說道。

醫生　　我們已經幫他做了急救措施，會持續觀察他的狀況。

燦弘　　我可以在這裡多待一會嗎？他的父母都還沒來，我不放心留他一個人在這裡。

醫生　　（微笑）我和其他護理師都會在他身邊，當然，探病時間還沒結束，你可以繼續待在這裡。

醫生走出加護病房，燦弘靜靜地望著成烈，臉上滿是擔心。

S#22.　加護病房門前走道（室內／晚上）

醫生走出加護病房後，在走道上等待的汪洋律師們和潛浩走向醫生。

勝准　　裴成烈先生的狀況怎麼樣？

醫生　　你們是病患的律師對吧？我們已經幫他開了解毒劑，但是他吞

395

下了大量的氰化鉀，所以復原狀況還要持續觀察，詳細狀況我
會等家屬來再跟他們說明。

醫生離開了，成烈的狀況聽起來不是很樂觀，律師們內心非常
沉重。

勝准　濬浩，你說外面有很多記者對吧？

濬浩　是。

勝准　那麼你可能要先去把車子開到正門，讓我們可以立刻上車，不
被記者纏住。

濬浩　是，我知道了。

濬浩先行跑向停車場，勝准和新進律師們開始走向醫院外面。

S#23.　醫院1樓大廳（室內／晚上）

律師們走向醫院外面，看到玻璃門外的眾多記者，一行人有所
猶豫。

秀妍　那些記者…都是在等我們的嗎？

敏宇　與其說是在等我們，應該說是在等羅溫最高執行長的生死消息
吧？

英祸　這種時候該怎麼做？

勝准　還能怎麼做，閉上嘴巴什麼也別說。來，走吧！

新進律師們在勝准的催促之下，鼓起勇氣再次前進。

S#24. 醫院正門口 (室外／晚上)

英禑、秀妍和敏宇往正門外走去,記者們蜂擁而上,雖然勝准偷偷往後退一步,躲在醫院建築物裡,但是新進律師們忙著面對記者們的問題洗禮,無心注意到勝准的舉動。

記者1 你們是羅溫的委託律師吧?裴成烈先生目前狀況如何?

記者2 下次開庭是什麼時候?

記者3 裴成烈先生服毒一事是否屬實?他是怎麼將劇毒物質帶進法庭的?

雖然面對問題轟炸,新進律師們還是三緘其口,什麼也沒說,然而記者也不會輕易放過,新進律師們進退兩難,此時澔浩開著車來到門前,打開車門喊道。

澔浩 請上車!

獨自躲在後頭的勝准急急忙忙地跑上廂型車,關上車門。

S#25. 廂型車 (室內／晚上)

勝准 澔浩!出發!

澔浩 什麼?但是其他律師們…

勝准 他們已經躲不掉了!你還在幹麼?趕快出發!

澔浩無可奈何,只載了勝准就發動廂型車出發。

CUT TO:

397

再次回到醫院正門口。

新進律師們看到車子遠去，在記者們的夾縫之間大聲吶喊。

秀妍	搞什麼啊？我們呢？我們怎麼辦?!
敏宇	張勝准律師！李瀋浩！喂！！！
英祺	太卑鄙了！這是背叛！

S#26.　毛怪家餐酒館 (室內／晚上)

好不容易才從記者群中逃脫出來的英祺、秀妍和敏宇，像是失魂落魄的殘兵敗將，神情呆滯地圍坐在毛怪家餐酒館的桌子前。桌上放有為了英祺準備的海苔壽司，為了敏宇和秀妍準備的下酒菜，格拉米拿了幾杯啤酒過來。

敏宇　　（對格拉米說）可是為什麼…這裡的客人只有我們？

待在廚房的敏植擔心格拉米亂講話，搶先一步說話。

敏植　　是為了讓你們方便講話啦！可以說是我給熟客的特別待遇？

格拉米　（冷淡）這裡本來就沒客人，（指著英祺）只有她。

敏宇　　真是奇怪，你的料理都很好吃啊？尤其是這個魚板湯…

格拉米　（熱情）天啊？毛怪老闆！歡呼吧！他說你的魚板湯很好喝！

敏植　　（興奮）耶——太好了！魚板湯算我招待你們！比菜單上更豐富的招待！

敏宇看著在廚房熱烈擊掌的格拉米和敏植，噗哧一笑。

秀妍悄悄地看著那樣的敏宇，尋找著說話的時間點，

秀妍	話說回來，張勝准律師跟你說了什麼？他不是單獨叫你過去了嗎？
敏宇	喔，上次啊？那沒什麼。
秀妍	真的嗎？我還以為你們河那大學的人聚在一起，策劃著什麼陰謀呢。
敏宇	哇——崔秀妍律師，妳的偏見真的很嚴重耶。難道首爾大學的人聚在一起就是集思廣益，河那大學的人聚在一起就是策劃陰謀嗎？
秀妍	我哪有這樣講？
英祚	（突然）因果關係是法律的大原則。

就算敏宇和秀妍在自己面前吵得不可開交，英祚也完全沒有在聽，專注地思考著案件。

秀妍	妳在說案件的事嗎？
英祚	「《刑法》第17條，因果關係，任何與引發危險構成犯罪要素無關之行為，皆不因結果予以責罰。」
秀妍	不只《刑法》如此，《民法》也一樣啊。
英祚	那麼行政罰也該是如此，羅溫的行為與個資外洩不存在因果關係，卻還要被處以高額罰鍰，並不符合法律的大原則。
敏宇	即使我們以此作為辯論主張，只要對造律師說「這場庭審並不是在爭論《情報通信網法》的合理性！」我們就無話可說了，我們又不是要申請法律違憲審查。
秀妍	對啊，那個駭客為什麼偏偏挑在那天攻擊啊！只要早個一天，就能以怠金處分結案了。
英祚	嗯…早個一天？

似乎是想到了什麼好點子，英祚的眼神閃閃發光。

INSERT：

一隻鯨魚用力躍上湛藍的海平面。

CUT TO：

再次回到毛怪家餐酒館。

秀妍和敏宇發現英禍悟出了某件事，專注地聽著英禍說話。

英禍　　《情報通信網法》第64條之3第1項第6號於2022年1月19日修訂，
　　　　駭客入侵羅溫的伺服器竊取用戶個資也是在2022年1月19日。

秀妍　　（好奇英禍的下一句話，急忙地說）嗯，怎麼？然後呢？

英禍　　駭客寄電子郵件給崔振表先生時，是幾月幾日？

秀妍終於理解英禍話中之意，趕緊從包包裡拿出筆電，尋找相
關資訊。

但是英禍召喚記憶的速度比秀妍的筆電還快。

英禍　　是2022年1月18日晚上11點14分，而崔振表先生看到電子郵件，
　　　　下載附件的時間是1月18日晚上11點48分。

敏宇　　（現在才恍然大悟）等等，那麼⋯

英禍　　駭客開始攻擊的時間，是在《情報通信網法》修訂的前一天！

S#27.　勝准的辦公室（室內／白天）

勝准坐在辦公桌前，英禍、秀妍和敏宇站在勝准對面，勝准聽
著英禍的想法，氣呼呼地反駁道。

勝准　　妳那是在開什麼玩笑？審判長已經很不喜歡我們了，妳還要我
　　　　在法庭上胡說八道嗎？

英禑	這不是胡說八道，根據《行政基本法》第14條第1項，當事人可以請求依據違規行為當下的法律進行處分。
勝准	（煩悶）我也知道《行政基本法》第14條…但是那只適用於在新訂法條生效前「完成或結束的事實關係」，以羅溫的情況而言，也許駭客攻擊的開始時間是在新法生效前，不過個資外洩的行為卻是結束於新法生效後，不是嗎？
英禑	即使如此，還是有可以討論的空間。根據《行政基本法》第14條第3項，就算案件適用修訂前的舊法，但如果依據新法裁罰可以減輕處分，那麼該案件就適用新法。以羅溫的情況而言，依據修訂前的舊法裁罰對原告比較有利，因此根據審判長的判斷，也許有些部分可以彈性調整…
勝准	（忍無可忍，打斷英禑說話，勃然大怒）真是的，我叫妳不要再講了！

勝准的大喊讓英禑驚嚇地打了冷顫，
秀妍和敏宇也很慌張。

勝准	禹英禑律師！妳那麼懂法律啊？妳憑什麼肆無忌憚地教我怎麼做啊？妳要是這麼厲害，就自己處理啊！從今天起，禹英禑律師被排除在這樁案件之外了。

聽到「排除在外」這句話，英禑像個失魂落魄的人，呆滯地站在原地。
英禑的模樣讓勝准更加憤怒。

勝准	妳還站在這裡幹麼？出去！馬上出去！

英禑向勝准鞠躬後，走出了辦公室。

秀妍　　不好意思，張勝准律師。

勝准　　（還沒消氣）妳又要說什麼！說什麼！

　　　　秀妍為了英禑，想對勝准說幾句話。
　　　　敏宇察覺秀妍的意圖，抓住秀妍的手，示意她什麼話也別說。

敏宇　　沒事，我們也先出去了。

　　　　敏宇硬是拉著秀妍走出辦公室。

S#28.　勝准辦公室門前走道（室內／白天）

　　　　敏宇拉著秀妍走到確保辦公室裡的勝准不會聽到他們講話聲音
　　　　的地方，秀妍甩開敏宇的手。

秀妍　　你幹麼？你要是這麼想對他阿諛奉承，你就自己去！為什麼還
　　　　不讓我說話？

敏宇　　以後我們要共事的資深律師，不是每一位都像鄭明錫律師，我
　　　　們也要學著配合他們的做事風格。

秀妍　　你自己去學！英禑都莫名其妙被趕出去了…

敏宇　　（打斷秀妍說話）禹英禑律師跟我們不一樣，妳到現在還不懂嗎？

秀妍　　（擔心敏宇要說自閉的事，語帶尖銳）什麼？

敏宇　　禹英禑律師…她是天才，她就算因為一意孤行，像現在這樣被
　　　　排除在案件之外，大家也都能夠理解她，只覺得那是怪胎天才
　　　　的固執，但是我們不一樣，我們如果像禹律師一樣堅持己見，
　　　　就只會被認為是無法配合前輩、在職場適應不良的問題人物、
　　　　或是難以共事的後輩。

402

秀妍發現敏宇說的並沒錯，稍稍平靜下來。

秀妍	你說的都對，雖然很倒人胃口，但是你說的都對。可是哪怕只有一下子也好⋯你就不能當一次傻瓜嗎？
敏宇	傻瓜⋯？
秀妍	我是在問你能不能為了同事、為了你心裡堅持的正確信念，暫時放下處世之道，不要算計搞政治，單純像個傻瓜一樣變得勇敢。
敏宇	（噗哧一笑）奇怪，我為什麼一定要那麼做？
秀妍	因為！我喜歡那種男人。

聽懂了秀妍的話中之意，敏宇頓時不知道該說什麼，兩人注視著對方的眼神，既強烈卻又混亂。

S#29. 巷弄（室外／晚上）

深夜。

下班的英禑戴著頭戴式耳機走回家，看見澯浩站在家附近的巷弄，停下了腳步。英禑無法直接路過，也無法向前走近，英禑只能站在原地。

澯浩朝著英禑走了過來，英禑拿下耳機。

澯浩	禹律師。
英禑	是。
澯浩	我們為什麼不能在一起？

英禑沒有回應，只是看著地上。
澯浩煩悶地繼續說著。

濬浩　　到底為什麼一定要分手？我左思右想，還是想不出理由。

英禑　　我…不知道我是否能讓你幸福，我好像只是需要你照顧的人。

這樣的說法好像在哪裡聽過。
濬浩翻找著腦海中的記憶。

濬浩　　妳聽到我姊對我說的話了嗎？是這個原因嗎？禹律師，我啊！
　　　　我光是跟妳待在一起就很幸福了，如果我要幸福，就不能沒有
　　　　妳！

英禑　　但是你和我待在一起的時候，都不曾覺得孤單嗎？

英禑突如其來的提問，讓濬浩無法直接否認，愣在原地。

英禑　　因為我的腦海裡全是我自己，所以總會讓身邊離我最近的人感
　　　　到孤單。可是我不清楚我是在什麼時候、什麼情況下讓他們感
　　　　到孤單，甚至也不知道該怎麼做才能讓他們不孤單。我很喜歡
　　　　你…但是我沒有自信讓你不感到孤單。

聽見英禑真心的回答，濬浩頓時不知道該說什麼。

S#30.　17樓走道（室內／白天）

今天是第三次言詞辯論期日。
秀妍走出辦公室，準備前往法院。
經過英禑辦公室門口，覺得丟下英禑一個人在這裡，自己去開
庭有點過意不去，在原地徘徊。
此時，敏宇走出自己的辦公室，看向秀妍。

404

敏宇	妳站在那邊幹麼？
秀妍	我想…跟英禑打個招呼再走。
敏宇	（嘆哧一笑）打招呼？告訴她我們要丟下她，自己去開庭嗎？
秀妍	（生氣）不用你多管閒事！你管我要不要打招呼。
敏宇	趕快出來，不要拖拖拉拉地搞到遲到。

敏宇經過秀妍，大步走去。
秀妍敲了敲英禑辦公室的門。

S#31. 英禑的辦公室（室內／白天）

英禑坐在辦公桌前工作，聽見敲門聲給予回應。

英禑	請進。

秀妍將門開了一個小縫，探頭對英禑說道。

秀妍	禹英禑，我出發嘍，今天羅溫的案件要開庭。
英禑	（不知道秀妍為什麼要說這個，愣在原地）什麼？好。
秀妍	回來的時候要不要順便幫妳買點東西？今天不要吃禹英禑飯捲了，改吃崔秀妍飯捲怎麼樣？
英禑	沒有崔秀妍飯捲這種東西。
秀妍	的確沒有，我走嘍。
英禑	嗯。

秀妍關上門，獨自留下的英禑發呆了一下，而後像是第11集裡那樣，走向辦公室的窗戶，撐開百葉窗的縫隙，看著濬浩，以此安撫自己想念濬浩的心。坐在辦公桌前工作的濬浩突然將視

線轉向英禍，英禍害怕被發現，趕緊關上百葉窗，英禍的表情…很傷心。

S#32. 法庭（室內／白天）

第三次言詞辯論期日。

撤除成烈還在醫院無法出席，法庭內的景象跟上次非常類似，旁聽席上坐滿了記者。勝准再一次充滿自信地進行最終結辯，就像美劇裡會出現的律師。

勝准　　　再加上被害人們目前正在準備大規模的損害賠償請求訴訟，這樣的事實無疑對原告造成了難以承受的精神壓力。當然。基於個資外洩案件必須同時承擔公法（重音放在後面的「法」）以及司法（重音放在前面的「司」）責任的特性…

審判長　　（打斷勝准說話）是…「私」法。

勝准　　　什麼？

審判長　　討論公法（重音放在後面的「法」）與私法（重音放在後面的「法」）時，應該要把重音放在後面，唸作私法。唸成司法（重音放在前面的「司」）的話，就是完全不同的意思，不是嗎？

勝准　　　（尷尬）是。

延續上次的「全國人民的80%」，審判長這次也跟英禍一樣，在有意見的地方提出了相同的指責，秀妍仔細地思索著。

審判長　　繼續吧。

勝准　　　是，等等，我剛才講到…

勝准的結巴讓燦弘嘆了一口氣，允珠和廣通委的員工表情逐漸

開朗，想到這樣下去可能就要敗訴…秀妍最終站了起來。

秀妍　　庭上，《情報通信網法》第64條之3第1項第6號於2022年1月19日修訂並生效，與駭客對原告的伺服器進行攻擊的日期相同。但是駭客將惡性程式碼夾帶在電子郵件裡，寄給資料庫管理員崔振表先生的日期，是在前一天的2022年1月18日。

審判長　所以呢？妳想表達什麼？

秀妍　　駭客攻擊的行為，是始於《情報通信網法》修訂版生效的前一天。

審判長這才聽懂秀妍的話中之意，允珠也突然忙著查找秀妍所言是否屬實。

秀妍　　「在新訂法條生效前，完成或結束的事實關係，不適用新定法條。」根據以上《行政基本法》第14條之規定，原告應適用修訂前的《情報通信網法》，屬於怠金處分對象，而非罰鍰處分對象。

勝准拉住秀妍，要她坐下。

勝准　　（小聲地說）崔秀妍律師！妳現在在幹麼？沒看到我在進行最終結辯了嗎？

敏宇　　（小聲地說）妳別說了，妳以為這樣禹律師會比較開心嗎？

秀妍　　（小聲地說）我不是為了英褘，而是我認為應該要這麼做。

允珠找到紀錄，起身反駁。

允珠　　庭上，也許駭客是在1月18日開始攻擊，但是個資外洩的確發生

407

於1月19日，是在《行政基本法》修訂並生效之後！

秀妍　（被強拉坐下的狀態）被告代理人，請問妳是用什麼標準斷定哪部分是駭客攻擊，哪部分是個資外洩？小偷入侵家裡的那一刻，不就已經開始竊盜行為了嗎？

勝淮　（小聲地說）崔秀妍！妳要是再多說一句話，妳也不用參與這樁案件了，聽懂了沒？

允珠　庭上，原告代理人提出的反駁依據《行政基本法》第14條，只適用於「在新訂法條生效前，完成或結束的事實關係。」請庭上以個資外洩結束的時間點進行裁決，而非駭客開始攻擊的時間點。

秀妍為了反駁正準備站起來時
敏宇抓住秀妍的手阻止。

秀妍　（小聲地說）放手！

秀妍甩開敏宇的手。
敏宇突然起身說道，

敏宇　根據《行政基本法》第14條第3項，就算案件適用修訂前的舊法，但如果依據新法裁罰可以減輕處分，那麼該案件就適用新法。以這樁案件而言，依據修訂前的舊法裁罰對原告較為有利，所謂「罪疑為輕」原則，並非只適用於《刑法》。懇請審判長以寬宏的雅量，體諒原告的難處。

敏宇向審判長90度鞠躬，對敏宇出乎意料的行為，秀妍既是驚訝，內心也很高興。

審判長　　嗯，真是個有趣的論點，本庭會審慎考慮再做出判決。

不僅秀妍打斷勝准的最終結辯，還讓敏宇為今天的開庭作結，勝准無言到無法生氣，只能乾笑，秀妍和敏宇則毫不理會，以閃閃發光的眼神看著審判長。

S#33.　禹英禑飯捲（室內／晚上）

打烊後空無一人的飯捲店裡，光顯和宣榮面對面坐著。

宣榮　　全國各地有一些度假村都能用汪洋員工的會員券入住，你們可以選擇任何想去的地方，帶英禑去好好休息一兩個月吧，就當作是帶薪休假。

光顯　　真的非得這麼做嗎？

宣榮　　雖然目前我還擋得住，但是只要報導一刊登，一定會有一堆記者來圍堵禹律師，你們就先去避避風頭，等到風波過去，再回汪洋復職就好。

光顯　　復職？她是太守美私生女的事公諸於世後，妳還要她回汪洋復職嗎？掛上那種標籤，英禑還有辦法好好工作嗎？

宣榮　　（勃然大怒）奇怪，你不是說允許我一次嗎？你明明說過會給我一次利用禹律師來打擊太守美的機會！你說這是我讓她進汪洋工作的代價，為什麼現在反悔了？

光顯　　沒有其他方法了嗎？除了在媒體上爆出消息，真的沒有別的方法了嗎？

宣榮　　（再次壓低語調）我也想了很多，但這是目前我能為你和禹律師做的，最大程度的體貼了。

面對宣榮的堅決態度，光顯的臉色變得黯淡。

S#34.　EPILOGUE：尚賢的房間 （室內／晚上）

電腦螢幕播放著電視新聞。

畫面裡的**主播**（30多歲／男）傳遞著訊息。

主播　　因為無法抵擋駭客攻擊，導致4千萬筆個資外洩的電商平臺羅溫，向廣播通信委員會提告，請求取消3千億韓元罰鍰的附加處分，並獲得了勝訴。首爾行政法院認定由於羅溫沒有為個資處理系統設定最長連線時間限制等因素，確實在存取控制方面有疏漏，但是考慮到這並非導致個資外洩的直接原因，因此做出原告勝訴的判決。

　　　　崔尚賢（17歲／男）面無表情地坐在電腦前看著新聞，他不僅有著典型「理科天才少年」般的眼神和氛圍，從他獨特的髮型和穿著，也能感受到他獨有的固執。

主播　　同時，在庭審中服毒的羅溫共同代表裴成烈先生，送醫後持續進行治療，目前經證實仍在昏迷中。裴成烈先生在庭審上大喊「沒有任何一家公司比羅溫更致力於滿足用戶，駭客故意入侵，我們怎麼可能抵擋得了？」哭訴著自己的委屈之後…

　　　　男人在法庭上吃下膠囊後倒下的示意畫面，和成烈燦笑的實際照片，連續顯示在新聞畫面上，尚賢看著新聞，表情變得凝重，似乎倍感焦慮，用右手緊緊按壓著左手手背，努力讓自己鎮定下來。

　　　　尚賢最終停止播放新聞畫面，打電話給某個人，但是對方沒有接電話，轉接至語音信箱，尚賢留下了語音訊息。

尚賢　　哥，我剛才看了新聞…成烈哥還是沒有意識嗎？你不是跟我說

他已經醒了⋯現在沒事了嗎？哥，拜託你接個電話，不要逼我還要駭出你的所在位置⋯

此時，尚賢聽見敲門聲，有人打開了房門，尚賢驚訝得像用摔的一樣放下手機，假裝什麼事也沒有。

尚賢　　怎麼了？

守美　　還能怎麼～媽媽難得早早下班，一起吃晚餐吧，快出來。

對著冷冰冰的十幾歲兒子，笑得燦爛的溫柔媽媽，
就是守美。

〈完〉

411

「我的人生雖然奇特又古怪，

　但同時也很有價值且美好。」

第16集

雖然奇特
又古怪

S#1. PROLOGUE：前情提要

濃縮第15集內容的前情提要。

遭受駭客攻擊，導致4千萬用戶個資外洩的羅溫，提出了針對廣播通信委員會罰鍰附加處分的取消訴訟，並獲得勝訴。

即使提出勝訴的核心論點，卻還是被勝准懷恨在心，甚至被趕出案件之外的英禑，以及不顧勝准反對，執意向審判長傳達英禑論點的秀妍和敏宇。

庭審中服毒倒地的成烈，還有因為對成烈愧疚，內心飽受煎熬的守美兒子尚賢，也就是英禑同母異父的弟弟…

TITLE：

《非常律師禹英禑》

S#2. 尚賢的房間（室內／白天）

因為是財閥家的小孩，尚賢的房間既寬敞又高級。

桌上擺有高階桌機和筆記型電腦，

設置了好幾臺螢幕，書櫃裡放有許多電腦程式、數學與資訊科

技相關書籍。

戴著睡眠眼罩的尚賢躺在床上。
桌上型鬧鐘放在完整拼好的魔術方塊旁邊，早上7點的鬧鈴響
起，尚賢起床脫下眼罩，拔出耳朵裡的耳塞。

雖然面無表情，但是有著一張可愛的臉…
就像英禍。雖然尚賢不是自閉症人士，但還是有著自閉傾向，
即使爸爸不同，卻和同父異母的姊姊英禍有著許多相似的特
徵。

S#3. 守美家的客廳（室內／白天）

換上學校制服的尚賢走出了房間，來到客廳。
在廚房工作的**家庭幫傭**（40多歲／女）像母親一樣開心地對尚賢說
道。

家庭幫傭 起床啦？我做了你喜歡的海苔飯捲，快來吃吧。

尚賢 好。

尚賢坐在餐桌上，看著家庭幫傭準備好的海苔飯捲。
就像英禍平時的作風，尚賢也拿起筷子，把海苔飯捲排得整整
齊齊，尚賢吃著海苔飯捲，看向坐在客廳沙發的守美。
守美身穿家居服，看著電視新聞。
似乎是來家裡上班，守美的祕書穿著正裝站在守美旁邊。
電視裡一位**主播**（30多歲／男）正在報導泰山針對羅溫提起共同訴
訟的消息。

主播 　大韓民國司法史上最大規模的共同訴訟案將於近日開始，電商平臺羅溫的用戶們針對個資遭外洩事件請求損害賠償，共同訴訟人數超過3千萬人，求償總金額也高達3兆韓元。法務部長候選人太守美所屬的泰山法律事務所已代表羅溫的用戶們，向首爾中央地方法院提起訴訟。

　似乎是不滿意新聞報導方向，守美的表情不大好。
　祕書觀察著守美的臉色。

主播 　另一方面，羅溫的創始人兼代表裴成烈先生，因不服個資外洩罰鍰金額，在與廣播通信委員會的訴訟過程中服毒，至今尚未恢復意識。高達3兆韓元的鉅額損害賠償請求，是否會讓最大規模的電商企業羅溫面臨倒閉，各界憂慮聲浪逐漸高漲。

守美 　為什麼各家新聞的報導方向都是這樣？汪洋已經出手了嗎？我們的公關組在幹麼？

　守美稍微發了脾氣，關掉電視。
　祕書緊張地拿出自己的業務手冊。

祕書 　請交辦指示事項，我會轉達給公關組。

守美 　不能讓事情看起來像強勢的泰山打垮了可憐的羅溫，那就是汪洋現在最想看到的，所以他們一再提及我的名字，強調羅溫代表昏倒一事，不是嗎？

　祕書把守美說的話寫進手冊裡，點了點頭。

守美 　泰山主要都是和企業合作，光是選擇站在消費者的立場，為他們提起訴訟，就已經是鼓起很大的勇氣了，應該要強力宣傳我

416

們冒著會被視為攻擊既有客戶的風險，單純只想為了3千萬國民
代理訴訟才對。

尚賢　　媽，我有話要說。

尚賢原先坐在餐桌，不知不覺間站到了守美身邊。
似乎是準備鼓起勇氣說出難以啟齒的事，尚賢的臉上充滿了緊
張。

守美　　我在處理工作…
尚賢　　（打斷守美的話）是我做的，羅溫的駭客攻擊。

尚賢的一句話讓祕書大吃一驚，
守美愣住，轉頭看向尚賢。

S#4.　尚賢的房間（室內／白天）

過了一陣子，尚賢的房間。
尚賢坦承是自己駭進羅溫的伺服器，讓用戶個資外洩。
說話的過程中似乎有哭過，尚賢的眼裡滿是淚水。
同時，即使守美因為尚賢的坦白大受打擊，卻還是盡可能地努
力保持冷靜。

守美　　我很高興你對我說實話，但是從現在起，不能再跟任何人說，
　　　　我會想辦法處理好一切。

尚賢　　（依舊淚眼汪汪）妳要怎麼做？妳要跟我去警察局嗎？

守美　　你怎麼從剛才就一直說要去警察局？就算真的照你說的去了警
　　　　察局，你知道接下來會發生什麼事嗎？你知道受法律處罰是多
　　　　麼令人害怕又痛苦的事嗎？

尚賢	媽，我現在也非常害怕又痛苦，如果我依法受罰能讓情況稍微好轉一點，那我願意，因為那本來就是我做的。是我毀了羅溫，還害成烈哥變成那樣。
守美	崔尚賢！你都不替媽媽想嗎？你不知道現在對我來說是多麼重要的時期嗎？我就要出席人事聽證會了！
尚賢	那跟我認罪有什麼關係？難道妳…怕我會害妳當不上法務部長嗎？
守美	對！你明明知道我為了當上法務部長有多努力，居然還做出這種事？而且還偏要挑在現在這種時候？我有對你寄予厚望嗎？我有要求你要很會讀書嗎？你身為太守美的兒子，我只希望你善良地長大！就只有這麼一項要求！
尚賢	那妳自己有善良地活著嗎？妳以為我不知道嗎？
守美	什麼？
尚賢	（勃然大怒）禹英禍！妳以為我不知道嗎！

「禹英禍？」守美驚訝得快要盯穿尚賢。

S#5. 汪洋法律事務所17樓會議室（室內／白天）

伴隨著敲門聲，會議室的門被打開，
秀妍和敏宇走進會議室，英禍也一起來了，
但是英禍忙著閉上眼睛默數「一、二、三」，獨自較晚進入會議室。
提早進來會議室的勝准不順眼地瞪著那樣的英禍，秀妍和敏宇一邊看著勝准的臉色，坐在勝准的對面，英禍也尷尬地坐在秀妍和敏宇的旁邊。

勝准	妳不能快點進來嗎？

英禑	喔,我下次會加快默數「一、二、三」的速度…
勝准	(打斷英禑說話)反省呢?
英禑	什麼?
勝准	我問你們有沒有好好反省?你們三個都一樣。

英禑和秀妍不知道勝准是要她們反省哪件事,敏宇趕緊出面說
話。

敏宇	我已經深刻反省過了,我以後會嚴守規則和程序,不會再隨心所欲地發表意見。
勝准	(聽到敏宇這麼說,內心舒暢)是啊,我也不是那種會因為新進律師發表個人意見就開罵的人嘛,我沒那麼食古不化。
英禑	那個,不過你上次叫我「沒問的話不要說…」

英禑正準備向勝准頂嘴的驚險時刻,
伴隨著急的敲門聲,宣榮打開辦公室的門走了進來。

勝准	代表好。

有別於事先知道宣榮會來的勝准,新進律師們愣在原地,宣榮
走向會議桌坐下,對新進律師們說明。

宣榮	之後我也會一起處理羅溫的訴訟,距離第一次庭審剩沒幾天了吧?我們的策略是什麼?
勝准	首先,我們打算充分強調上次和廣通委進行訴訟的判決結果,因為在上次庭審中,已經明確判決羅溫未設置idle timeout的行為,並非導致個資外洩的直接原因。
宣榮	好,因為我們在先前的庭審勝訴,相信這次的訴訟,我們也能站

419

在有利的出發點，張勝准律師總是一如往常地令人放心，像是你主張駭客是在《情報通信網法》修訂前就開始進行攻擊，這可是要認真翻閱案件資料才能找出的細節，不是嗎？辛苦了。

因為宣榮稱讚的那個細節是英禑找到的，並非勝准，秀妍尷尬地瞥向英禑。
但是英禑依舊面無表情，
無法得知她的心情。
雖然敏宇也知道勝准正在接受不屬於他的稱讚，

敏宇　我們總是從張勝准律師身上學到很多，
勝准　（開心）啊！真的嗎？那就好。
宣榮　裴成烈代表的情況如何？
勝准　他目前還沒恢復意識，所以羅溫理事會應該會任命金燦弘代表為獨立代表，這麼一來即使裴成烈代表不克出席，金燦弘代表也能獨自擁有100%的決策權。
宣榮　金燦弘代表也真是辛苦，在公司最艱難的時候，承擔了最重的責任。

似乎是覺得燦弘的處境很可憐，宣榮輕嘆了一口氣。

S#6.　羅溫會議室（室內／白天）

羅溫理事會快要結束了。
長長的會議桌，代表理事燦弘坐在正中間，
羅溫的**12位男女理事**面對面坐著，坐在燦弘附近的**理事1**（40多歲／男）說道。

理事1　　那麼依據羅溫理事會決議，將廢止共同代理理事制度，變更為以裴成烈、金燦弘為獨立代表理事的體制。金燦弘代表，請對大家說句話。

燦弘　　我和成烈⋯不對，我和裴成烈代表一同創立羅溫直到現在，公司所有大小事我們都是一起決定的，但是在羅溫面臨危機和成烈身體不適之際，我被任命為獨立代表，我需要背負更大的責任，這的確是很沉重的負擔，但我會連同裴成烈代表的份一起努力。各位理事，羅溫一定會克服這場危機！

　　　　一直是由成烈負責在這種場合講話，因為是第一次站在大家面前講話，燦弘起初尷尬地小聲嘟囔，但是在後半部終於找回自信，落落大方地喊出最後一句話，理事們為之鼓掌。
　　　　燦弘接受著理事們的掌聲，表情微妙。

S#7.　　病房（室內／白天）

　　　　敏宇和秀妍敲門後，走進明錫的病房。
　　　　明錫敷著面膜躺在病床上，擔心是知秀來還嚇了一跳，發現是敏宇和秀妍，放心了下來。

明錫　　唉唷，你們來探病嗎？你們兩個最近應該很忙吧。

秀妍　　很抱歉沒有早點來探望你。

敏宇　　你的身體還好嗎？

明錫　　我很好，手術很順利，我也有在慢慢恢復。權敏宇律師，不好意思，可以幫我撿一下那邊的梳子嗎？

　　　　明錫指向掉在地上的梳子，敏宇撿起來拿給明錫。

421

明錫	謝謝，我撿了好幾個小時還是撿不到，所以一直無法梳頭髮。
敏宇	你一直自己待在病房嗎？沒有另外請看護嗎？
明錫	喔，我媽今天本來要代替看護過來，但我叫她在家休息就好，因為我前妻要來。
秀妍	難道…你是因為這樣才敷面膜的嗎？
明錫	嗯，我想要讓自己好看一點。

明錫尷尬地微笑，把臉上的面膜拿下來。

敏宇	你很漂亮。（講完覺得有點奇怪）我是說…你的皮膚很水潤。
明錫	對啊，你們兩個也要從現在就開始注意身體健康，不要以為年輕就可以把熬夜當飯吃、三餐不定時，等你們到了40歲，可怕的病痛就會找上門來，我們律所裡除了我之外，肯定還有很多病痛纏身的律師。
秀妍	其實我聽說金志容律師因為壓力過大，導致顏面神經麻痺。
敏宇	聽說申承才律師也生病了，因為長期過勞工作，罹患了梅尼爾氏症…

此時，知秀走進明錫的病房。
雖然明錫為了等待知秀的到來，甚至還敷了面膜，但是一見到知秀，明錫卻稍微愣住了，敏宇和秀妍代替愣住的明錫梳理情況。

秀妍	喔，那麼我們…
敏宇	就先離開了。
明錫	你們才剛來，那麼快就要走了嗎？
秀妍	我們下次再來。
敏宇	你們慢慢聊。

敏宇和秀妍對知秀點頭致意後，趕緊離開。

知秀　　你的氣色⋯看起來還不錯。

明錫　　真的嗎？我有很水潤嗎？

明錫用水潤的臉蛋燦爛地笑著，突然想起頭髮還沒梳過，悄悄
用手將頭髮稍微往後撥。
知秀面無表情地看著明錫。

知秀　　這個給你看。

知秀一邊說著，一邊從包包裡拿出平板電腦給明錫。

明錫　　這是什麼？

知秀　　《順風婦產科》。

明錫　　《順風婦產科》？

知秀　　你之前不是很喜歡這部戲嗎。我買了高畫質全集完整版。

明錫　　謝謝，我現在有理由開懷大笑了。

明錫緊握著平板電腦⋯鼓起勇氣。

明錫　　知秀，等我出院，要不要一起去濟州島？

「他在說什麼？」知秀心想，知秀沒有作出回應，靜靜地看著
明錫。
看著那樣的眼神，明錫像是在辯解一樣，補上了後面一段話。

明錫　　有一間叫作幸福湯麵的麵店，他們的豬肉湯麵真的很好吃，我

們一起去吧，我請妳吃豬湯麵。

知秀　你年輕健康的時候⋯總是瘋狂工作，把我擺在最後順位，事到如今幹麼這樣？你都已經又老又病了。

明錫　對不起，但是我至少賺了很多錢，這都是多虧我工作到又老又病。

明錫燦笑。
看著那樣的明錫，知秀也跟著噗哧一笑。

知秀　那你可以辭掉工作嗎？
明錫　什麼？
知秀　如果你出院後還是回到汪洋工作，一切都不會有所改變。工作量、工作強度，那些事情都不是你一個人可以調整減少的，應該要換到一間可以保持工作和生活平衡的律所。

對於考上律師之後，就一直在汪洋工作的明錫來說，無法輕易地回答知秀。
明錫有所猶豫的模樣，讓知秀很失望。

知秀　看來你都生了這麼一場大病，卻還是沒想過要辭掉工作啊？真不愧是你的作風。
明錫　（急忙地說）我現在開始會好好考慮，如果我認為真的有必要⋯我會辭掉汪洋的工作。我會有所改變，所以陪在我身邊吧。

明錫望向知秀的眼神充滿懇切。

S#8.　**醫院門口馬路**（室外／白天）

走出醫院的敏宇和秀妍為了回去汪洋，一起走在馬路上。

秀妍　　你覺得鄭明錫律師什麼時候會復職？

敏宇　　（冷漠地說）這個嘛。

秀妍　　我最近和張勝准律師共事，更能感覺到鄭明錫律師不在所造成
　　　　的影響。

敏宇　　（似乎無法同意）那個…

秀妍　　什麼？你不認為嗎？

敏宇　　我只是覺得，鄭律師真的是那麼好的前輩嗎？我不大清楚。雖
　　　　然看起來像一位善良的導師，實際上他也有很多無法作出公正
　　　　決定的時候，光是看他偏愛禹律師的樣子就知道了，有時候我
　　　　甚至覺得張勝准律師還比較…

秀妍　　（打斷敏宇說話）既然你心裡那麼想，幹麼還要來探病？是因為就
　　　　算是不怎麼喜歡的前輩，還是要先阿諛奉承一下嗎？

敏宇　　妳叫我陪妳一起來探病，所以我才來的。

秀妍　　唉唷？說得好像我叫你一起做什麼，你都會陪我一樣。

敏宇　　我都會陪妳，在我能力範圍內的話。

秀妍　　什麼？你說什麼？

秀妍驚訝地停下腳步，看著敏宇。
敏宇也停下腳步。

敏宇　　妳叫我一起做的事，只要在我能力範圍內，我都會試試看。上
　　　　次庭審，我抱著會被張勝准律師盯上的覺悟，都要站在妳這
　　　　邊，妳還不明白嗎？

秀妍　　（驚訝得自言自語）什麼啊…你在往自己臉上貼金嗎？

聽到敏宇這麼說，秀妍驚訝地喃喃自語，繼續走路，但是敏宇

425

沒有立刻跟上去，靜靜地站在原地。
秀妍往前走了幾步後，停下來往後看。

秀妍　當時…（小聲到幾乎聽不見）謝謝你。（回到原本的音量）的確有給我一些力量，即便是像你這樣的人。

敏宇看著秀妍微笑。

S#9.　泰山法律事務所休息室（室內／白天）

在第8集出現過的泰山公司內部休息室，氛圍就像一間大型咖啡廳。守美和敏宇面對面坐著。

守美　好久不見，權敏宇律師，你想跟我說什麼？
敏宇　如果我是禹英禑律師…我現在應該會想要離開汪洋。
守美　這樣嗎？為什麼？
敏宇　向來愛護她的指導律師因病暫時不在公司，剛接手案件的前輩又很討厭她，她最近還跟辦公室戀情的對象分手了。
守美　辦公室戀情？禹英禑律師談戀愛嗎？
敏宇　是。
守美　天啊，原來如此…

像是怕別人不知道自己就是英禑的親生母親，守美看起來對於英禑的戀愛故事非常有興趣，敏宇再次把守美的注意力拉回自己希望的方向。

敏宇　總之，如果想讓禹英禑律師離開汪洋，我認為現在就是最佳時機，我是來告訴妳這件事的。

守美	嗯…結果你還是無法自己辦到啊？
敏宇	什麼？
守美	權敏宇律師，你不是說過你會讓禹律師離開汪洋嗎？不管是自請離職還是被炒魷魚，我記得我們是這樣約定的耶？
敏宇	沒錯，而我最終也的確沒能做到。
守美	你放棄了嗎？

敏宇猶豫著該怎麼回答，不久後馬上下定決心開口說道。

敏宇	是，我現在打算收手了。
守美	為什麼？
敏宇	因為我之後…打算試著活得像個傻瓜。

敏宇模稜兩可的回答，讓守美似懂非懂。
但是看著敏宇回答後，臉上的氣色亮了一階，守美決定不再過問，給予一個無聲的微笑。

S#10. 巷弄（室外／晚上）
深夜，英禑家附近的巷弄。
澔浩等待著英禑下班，自言自語地整理著想對英禑說的話。

澔浩	雖然我明白妳的意思…但是我喜歡妳…因為我喜歡妳…由於我喜歡妳…

此時，澔浩看見了戴著頭戴式耳機，從遠處走來的英禑，澔浩緊張地看著英禑，卻發現好像有一位身穿正裝的**男人**（20多歲）從一輛停在路邊的黑色轎車走下來，叫住了英禑？

男人　　不好意思！

　　　　因為英禍戴著頭戴式耳機，沒有聽見男人的聲音，男人隨即大
　　　　步走向英禍。
　　　　澔浩見狀，驚訝地走向男人。

男人　　禹英禍律師？

　　　　男人把手放在英禍的肩膀上，英禍嚇得打了個冷顫。同時，澔
　　　　浩用力扯開男人的手臂，讓那隻手遠離英禍的肩膀。

澔浩　　你是誰？
男人　　你又是誰？

　　　　男人不悅地甩開澔浩的手。
　　　　英禍拿下頭戴式耳機，看著澔浩和男人。

男人　　妳是禹英禍律師吧？我有事向妳轉告，所以才在這裡等妳。

　　　　男人把手中的信封交給英禍。
　　　　信封上印有「泰山法律事務所」的名稱和標誌。

澔浩　　（看著信封）泰山法律事務所？有事轉告的話，應該要透過事務
　　　　所傳達，這麼晚了還跑來禹律師家門口做什麼？你真的是泰山
　　　　的員工嗎？
男人　　你是誰？幹麼一直多管閒事？你是她的監護人嗎？
澔浩　　我是…（猶豫）
英禍　　（對男人說）請告訴我你要轉告的事，我要跟李澔浩一起聽。

428

英禑從信封裡拿出文件。

是第10集中守美拿給光顯的，泰山法律事務所美國波士頓辦公室的文宣。

男人別無他法，只好當場講出準備好的說詞。

男人 禹英禑律師，妳願意到美國波士頓的泰山國外辦公室工作嗎？

男人的一句話讓英禑和濬浩都嚇了一跳。

男人 除了一定會配給住處讓妳和父親一起在美國生活，泰山也會全額負擔必要的教育支出及生活費，直到妳通過美國律師考試，妳的年薪更會比目前在汪洋的薪資高出兩倍以上。泰山特別為了禹律師…

男人暫時停頓一下，繼續說道。

男人 我們會為妳介紹專業心理諮商師，諮商費用也會由泰山支付。

英禑 專業心理諮商師。

男人 我指的是專門研究自閉症類群障礙症領域的心理諮商師。

英禑 喔…

男人 禹英禑律師，美國波士頓是各種類型自閉症人士團體多元發展的城市，我相信在工作之餘的生活方面，妳也不會感到孤單。

濬浩 但是你為什麼要用這種方式告訴她？這還是我第一次看到有人為了挖角，潛伏在別人家門口。

濬浩的一句話讓男人無法給出回應。

英禑也大概猜到這個提議的來源，開口問道。

英禎	是太守美律師提議的嗎？
男人	是，沒錯。
濬浩	不是泰山的人資組⋯而是太守美律師嗎？她為什麼要對禹英禎律師提出這種邀約？

英禎似乎知道原因，但是難以說明，只能暗自嘆氣。
看著英禎那樣的表情，濬浩察覺到英禎和守美兩人之間應該有過一些事情。

男人	信封裡面有我的名片，妳考慮過後隨時可以聯絡我。

男人和英禎鞠躬道別後，就回頭走向停在路邊的車。

英禎	李濬浩，你也有話要對我說嗎？
濬浩	什麼？喔⋯

聽了守美華麗的提議，濬浩突然覺得自己「成為戀人一起走下去」的提議太過寒酸。

濬浩	我下次再告訴妳，妳現在應該思緒很複雜，快點回家休息吧。

S#11. 英禎家的客廳（室內／晚上）

英禎走進家裡客廳。
原先坐在沙發上發呆的光顯，開心地迎接英禎。

英禎	我回來了。
光顯	回來啦？（指著沙發）英禎，妳可以過來這裡坐一下嗎？我們談

談吧。

英禍坐在沙發上，光顯艱辛地開口說道。

光顯	前幾天宣榮有來找過我。
英禍	宣榮？
光顯	你們律所的韓宣榮代表，她說要在太守美人事聽證會之前，讓這件事在媒體上曝光。妳是…太守美私生女的這件事。

是驚訝嗎？還是若無其事？
英禍的表情非常平淡，無法看出她的內心想法。

光顯	到時候，世人關注的不只是太守美，妳也會成為大家注意的焦點，記者們會來對妳死纏爛打，所以韓宣榮代表的提議是…她希望我們去鄉下的度假村躲一陣子，等到風頭過去了再回來，就當作是帶薪休假。

英禍拿出剛才收到的泰山波士頓辦公室文宣，光顯看了大吃一驚。

光顯	太守美給妳的嗎？什麼時候給的？
英禍	這是泰山的員工拿給我的，就在剛才。
光顯	看來太守美建議我們去美國的事還有效…
英禍	你早就知道了嗎？
光顯	嗯。（嘆氣）雖然我很不想按照太守美說的做…但是現在這麼做也許還比較好。與其被貼上太守美女兒的標籤，在韓國法律界忍受一切流言蜚語，不如遠走高飛去美國…（煩悶地嘆氣）英禍，妳有什麼想法？

英禑　　我不知道，我目前為止的人生都和太守美律師毫無瓜葛，但是為什麼我突然必須躲起來，還不得不去美國…我完全無法理解。

光顯　　對不起，爸爸為這一切跟妳道歉…

英禑內心湧上許多煩惱，表情黯淡。
光顯看著這樣的英禑，內心甚是心疼。

S#12.　法庭（室內／白天）

第一次言詞辯論期日。

包含**審判長**（50多歲／女）在內，共有3位法官坐在法官席上，3千萬人的共同原告所選為代表的**被選定當事人**（30多歲／男）坐在原告席，其他出席的**共同原告們**則坐在旁聽席。

被選定當事人旁邊坐著為原告們辯護的泰山律師**朴秉書**（40多歲／男）和其他**2位律師**（30多歲、20多歲／男、女）。被告方則是羅溫的獨立代表燦弘以及為羅溫辯護的勝准和新進律師們。

秉書　　庭上，被告身為必須妥善管理超過4千萬人個資的大型電商平臺企業，卻沒有建置適當的資安系統。他們不但沒有設定伺服器最長連線時間限制，被廣通委處以怠金3千萬韓元…

勝准本來要針對這點作出反駁，
秉書無視勝准的反應，繼續進行辯論。

秉書　　甚至連個資外洩後的因應措施也很不妥。根據《個人資料保護法》第34條，個人資料管理者於知悉個資外洩時，應立即通知

432

外洩事實並報警處理。但是被告明明在2022年1月19日就得知遭駭客攻擊之事實，卻遲至7天後的1月26日才報警處理，在羅溫官網向用戶們公告駭客攻擊事實的時間點，更是在案件發生一個月後的2月20日。被告不積極的應變措施，使本案無法及早解決並善後！

在秉書帶有煽動意味的語氣中，旁聽席上的共同原告們也隨之附和。
「沒錯！」、「負責！」、「賠償我們！」等等，
瞬息之間，法庭裡就陷入一陣騷亂。

審判長　　各位雖然因故坐在法庭裡的旁聽席，但你們都是共同原告，不是嗎？各位身為訴訟當事人，為了讓庭審程序順利進行，請保持肅靜。

雖然審判長的一番話讓共同原告們的抱怨聲浪減少，
但是法庭內敵對的氣氛讓燦弘變得緊張，
汪洋律師們的內心也很沉重。

S#13.　英禑的辦公室（室內／白天）
　　　　英禑坐在辦公桌前工作，伴隨著敲門聲，英禑的祕書走進辦公室。

祕書　　　有一位自稱是妳弟弟的人想要見妳。

英禑　　　我弟弟…？

祕書　　　是，他說只要說是妳弟弟，妳就知道了。他還說不方便透露名字，需要幫妳拒絕他嗎？

433

英祿　　（仔細思考後）不，我可以跟他見面。

祕書　　是，我知道了。

　　　　祕書走出辦公室後，過沒多久尚賢就走進英祿的辦公室，尚賢
　　　　悄悄地看了一眼不知道來者是誰、不斷眨眼的英祿，也不問英
　　　　祿要坐哪裡，就逕自坐在英祿辦公桌對面的椅子上。尚賢不發
　　　　一語地從口袋裡拿出魔術方塊，開始拼轉。

英祿　　你是誰？

尚賢　　崔尚賢，太守美的兒子。

　　　　英祿驚訝得快要盯穿尚賢。
　　　　但是尚賢依舊低著頭，只顧著轉魔術方塊。

英祿　　你為什麼來找我？

尚賢　　我想自首，但我不知道該怎麼做。是我對羅溫發動駭客攻擊，
　　　　受燦弘哥之託。

英祿　　什麼？

　　　　拼完魔術方塊，尚賢抬頭。
　　　　深深地嘆了一口氣後，開始說出自己過去的故事。

尚賢　　我和燦弘哥是在駭客攻擊防禦競賽認識的，我拿下第一名的那
　　　　一年，燦弘哥是評審委員。我們從那時候開始變熟，競賽結束
　　　　後也常常見面，燦弘哥會請我吃飯，也跟我聊很多有趣的事，
　　　　還帶我去參觀羅溫，也讓我和成烈哥見過一次面。可是燦弘哥
　　　　有一天問我，能不能對羅溫發動駭客攻擊，竊取用戶的個資。

英祿　　你是說金燦弘先生拜託你對羅溫發動駭客攻擊嗎？他明明是羅

溫的代表⋯為什麼？

面對英禍的提問，尚賢想起了自己和燦弘的對話。

FLASHBACK：

S#14. 網咖 (室內／晚上) - 過去

幾個月前。
尚賢和燦弘並排坐在網咖電腦前玩遊戲。

燦弘　　裴成烈，我想讓他清醒一點。

尚賢　　成烈哥？為什麼？

燦弘　　那傢伙失去初衷了，羅溫是由兩位開發人員創立的公司，開發
　　　　人員的精神就是一切商業的根本。可是成烈完全忘了那一點，
　　　　徹底變成了一個生意人，只對賣東西賺錢有興趣，完全不想投
　　　　資軟體開發或資訊安全耶？趁這次機會，我們就徹底喚醒他的
　　　　開發人員精神吧。

尚賢　　要怎麼做？

　　　　燦弘停下手上的遊戲，環顧四周確認有沒有人在偷聽，尚賢也
　　　　停下遊戲，傾聽燦弘接下來要說的話。

燦弘　　你對羅溫發動駭客攻擊，竊取所有用戶個資如何？然後我再試
　　　　著說服成烈，「你看吧，就是因為你不在資訊安全方面投資，
　　　　才會被駭客入侵。」

尚賢　　會不會太危險？萬一羅溫被駭客入侵的消息傳出去，警方應該
　　　　會展開調查吧。

燦弘	我已經做足功課了，個資外洩不會太嚴重，只要繳1億韓元左右的罰款，在官網刊登道歉公告就沒事了，其他企業都是這樣處理。

CUT TO：
再次回到現在，英禑的辦公室。

尚賢	所以⋯我就照做了。我留了一些線索，讓人誤以為是北韓駭客所為，然後竊取了羅溫用戶們的個資。
英禑	你竊取來的那些個資，後來是怎麼處理的？
尚賢	燦弘哥跟我要，所以我就交給他了，我都有加密保護。不過⋯燦弘哥一直要求我解密。
英禑	為什麼？
尚賢	我不知道，他一直說想要確認那到底是不是羅溫用戶的個資，我覺得很奇怪，所以沒有幫他解密，以防他把個資賣到別的地方。
英禑	你依照計劃發動駭客攻擊，為什麼突然想要自首？
尚賢	因為成烈哥⋯試圖自殺啊，我不知道他這麼痛苦，燦弘哥說繳一點罰款就沒事了，所以我才答應幫他。讓成烈哥變成那樣⋯讓羅溫倒閉，這些都不是我的本意。

尚賢原本面無表情的臉上，突然寫滿了痛苦。

英禑	既然你要自首，應該要去警察局啊，為什麼要來找我？
尚賢	我有跟媽媽說⋯但是她生氣了，不准我去自首。我也去過警察局，可是警察跟媽媽通過電話之後，根本不聽我說話。我們的媽媽握有很大的勢力，人們都只會聽從媽媽的命令辦事，所以我才會來這裡，因為我覺得⋯姊姊不會聽從媽媽的命令辦事。

英禑	姊姊？
尚賢	雖然我們有各自的爸爸，但是媽媽是同一人啊，所以妳算是我姊姊。
英禑	你怎麼知道…（尷尬地說）我是你「姊姊」？
尚賢	我曾經聽說媽媽和爸爸結婚之前，有生下一個孩子的傳聞。我原本以為那些都只是造謠，但是有一段時間，媽媽有點奇怪。她獨自在房間裡看東西，我走進去的時候，她就會嚇一跳，所以我就駭進媽媽的手機和電腦裡，發現她查了很多關於妳的資料，我還看到她和外婆傳訊息討論妳的事，所以就知道了。

一下子接收太多資訊，英禑感到非常混亂。
好不容易做出決定，開口說道。

英禑	你希望我怎麼幫助你？

尚賢從口袋裡拿出某個東西交給英禑。
那是一個掛有魔術方塊鑰匙圈的隨身碟。

尚賢	我已經錄下我承認進行駭客攻擊的自白，妳可以在羅溫案開庭的時候，當作證據使用嗎？那麼一來，警察就會展開調查了吧？媽媽也無法再阻止了。
英禑	金燦弘先生是我的委託人，因此我無法揭露金燦弘先生自導自演，指使你對羅溫發動駭客攻擊的事實。因為這是和我的委託人利益相悖的行為。

尚賢有聽見英禑說的話嗎？
尚賢陷入沉思，談起毫不相干的事。

尚賢	妳覺得媽媽是怎麼樣的人？
英禑	什麼？
尚賢	人們都認為含著金湯匙出生的人不會受到處罰，因為不管是吸毒、酒駕還是施暴，無論犯了什麼錯，他們都能夠輕易脫身。不過我們的媽媽不一樣，如果我做錯了什麼事，她是真的會教訓我，但是現在真的鬧出大事了，媽媽卻也…跟那些人一樣，跟那些新聞裡噁心的有錢人一樣…和他們做著一樣的事。

尚賢的臉上充滿了對守美的失望和對事情發展的混亂，英禑看著這樣的尚賢，思緒變得複雜。

S#15. 病房（室內／晚上）

明錫坐在病床上，

英禑坐在病床旁邊的椅子上。

英禑	鄭明錫律師，你什麼時候要回汪洋上班？
明錫	這個嘛，我也不確定耶？說不定就不回去了。
英禑	（驚訝）什麼？說不定就不回來了嗎？
明錫	我只是…還在思考各種可能，妳幹麼問這個？
英禑	喔，因為我每次有事請教都要來醫院找你，這樣很麻煩。
明錫	真搞不懂妳是擔心我，還是圖自己方便耶？妳要請教什麼？反正妳一定又會說（模仿英禑）「因為律師必須履行保密義務，恕我無法詳細說明。」不是嗎？
英禑	嗯…確實如此。
明錫	那妳就說得籠統一點吧。
英禑	我得知了委託人的犯罪行為，雖然參與犯罪的另一個人有意自首，不過要是我幫助他自首，就會和委託人的利益衝突。

明錫　「應該要揭露真相，實現社會正義？還是要忠於委託人的利益？」這是身為律師都會遇到的兩難處境，也是妳一直以來的煩惱。妳還記得之前梨花ATM跟米爾生命的案件吧？

英禑　記得。

明錫靜靜地看著英禑說道。

明錫　在汪洋工作超過14年的鄭明錫律師，永遠把委託人的利益擺在社會正義前面，就算有人叫我「法律技術員」，對我指指點點，我也無可反駁，因為都是事實。但是禹英禑律師並不是鄭明錫律師啊？妳和我是截然不同的兩個人，我哪有什麼立場能夠給妳建議？我只是…很好奇妳的決定，因為妳不只是「一般律師」。

聽到明錫這麼說，英禑內心感到更加混亂。
明錫看著那樣的英禑，微微一笑。

S#16.　汪洋法律事務所17樓會議室（室內／白天）
宣榮、勝准和新進律師們觀看著隨身碟裡的影片，尚賢在自己房間裡，坐在鏡頭前面所拍攝的短片，尚賢面無表情的臉孔和平淡的聲音出現在畫面裡。

尚賢　我叫崔尚賢，目前就讀高一，從2022年1月18日晚上到19日凌晨為止，我對羅溫進行駭客攻擊，竊取了40,954,173筆個資，因為羅溫代表金燦弘哥哥拜託我那麼做。

是在思考還要說什麼嗎？
影片裡的尚賢稍作停頓，馬上簡短地加上補充。

尚賢　　我做錯事了，我要自首。

尚賢對鏡頭低頭鞠躬後，影片就結束了，看完影片的勝准、敏
宇和秀妍一頭霧水。
同時，宣榮的腦海裡正忙碌地進行著各種算計。

宣榮　　（像是在自言自語）太守美的兒子來找禹律師，拜託妳用這段影片
　　　　當作證據嗎？

勝准　　為什麼偏偏是找禹律師？（對英祿說）你們兩個認識嗎？

英祿　　我們…不認識。

勝准　　代表，那個影片對我們而言，並不是有利的證據，我們並不知
　　　　道他說的是否屬實，而且萬一是事實，那就大事不妙了，金燦
　　　　弘代表可能被判處刑事處分，我們總不能成為把委託人送進監
　　　　獄的律所吧？

敏宇　　沒錯，現在泰山仍然主張羅溫在個資外洩方面有直接責任，駭
　　　　客攻擊是羅溫代表一手策畫，要是連這件事都曝光，他們可能
　　　　會請求更高額的損償償金。

英祿　　可是律師應該有不隱匿案件事實的義務吧？只要公益上的理由
　　　　充分，律師得不履行對委託人之保密義務。

敏宇　　（噗哧一笑）妳會不會…太單純了？這裡又不是法學院。

秀妍　　不管這裡是不是法學院，我也覺得不大舒服。如果那個影片屬
　　　　實，就表示自導自演，對自家公司發動駭客攻擊的人，正厚臉
　　　　皮地當著羅溫的代表。我不願意為了那種人的利益，隱瞞已知
　　　　的駭客真面目。

宣榮　　因為泰山對羅溫提起共同訴訟，許多對泰山感到失望的企業都
　　　　轉而委託汪洋，越是這種時候，我們就越要讓那些企業留下好
　　　　印象，不能帶頭讓羅溫代表遭受懲罰。話雖如此，不過我覺
　　　　得…那個影片真是太棒了耶？

宣榮看著停止畫面中的尚賢。
除了英禑以外的所有人，都隨著宣榮的視線看向畫面。

宣榮　　那個影片裡有股力量，它能阻止不適任的人選成為法務部長，兒子發動駭客攻擊，竊取了4千萬國民的個資，他的母親怎麼能夠成為法務部長呢？你們不覺得嗎？

一想到能夠擊垮守美，宣榮的眼神裡充滿了蓬勃的生命力。
勝准見狀，快速地轉動腦袋思考。

勝准　　代表果然厲害！總是領先我們好幾步！一旦公開那段影片，泰山為羅溫用戶們代理一事，對國民而言也是非常嚴重的欺瞞行為。

宣榮　　問題是，我們該以什麼順序抓住這兩隻兔子。如果想要保障委託人的利益，同時也揭露案件的真相…

英禑　　（打斷宣榮說話）如果那不是兩隻兔子呢？

宣榮　　什麼？

似乎是想到什麼好點子，英禑的眼神閃閃發光。

INSERT：
一隻鯨魚用力躍上湛藍的海平面。

CUT TO：
再次回到會議室。

英禑　　如果保障委託人利益和揭露案件真相不是兩隻兔子，而是一隻兔子呢？

441

秀妍	那是什麼意思？
英禑	活著的生命體人類金燦弘，和人類金燦弘所代表的羅溫股份有限公司，兩者是不同的主體。我們是法人羅溫的代理人，並非自然人金燦弘的代理人，硬要說的話，羅溫的利益和案件的真相兩者並不衝突。
敏宇	是嗎？這兩者為什麼不衝突？
英禑	雖然崔尚賢先生以駭客攻擊的手法竊取個資後，交給了金燦弘先生，但他全部進行加密處理，所以沒有人可以檢視或利用那些個資。因此，個資外洩所導致的損害實際上還沒發生！

S#17.　汪洋法律事務所17樓走道（室內／白天）

走出會議室的宣榮。
走回自己的辦公室，和準範通電話。

宣榮	李記者，關於上次我提到的那則報導。
準範	（聲音）妳是指太守美婚前產女的相關報導嗎？
宣榮	是，你可以暫時保留嗎？
準範	（聲音）喔…為什麼呢？
宣榮	因為我好像可以給你更好的新聞素材。

此時，宣榮的眼裡，
看見了英禑路過走道的另一邊。
宣榮用手搗住手機喊道。

宣榮	禹英禑律師！

英禑停下腳步，看向宣榮。

442

宣榮	妳不要去度假了。
英禑	什麼？
宣榮	妳有聽妳爸說過吧？休假的事。妳別去了，因為有更適合妳處理的事。

宣榮朝著表情呆滯的英禑，露出開朗的笑容。

S#18. 法庭（室內／白天）

第二次言詞辯論期日。

審判長	被告代理人，你們聲請了播放影像證據，並請求不公開審理，對吧？
勝准	是，庭上。影片中的證人是未滿19歲的未成年人，因為證人自白的犯罪事實和本案有關，為了保護證人的人身安全，我方請求旁聽人在播放影片時離開法庭。

聽到勝准這麼說，燦弘驚訝地向身旁的新進律師們問道。

燦弘	（小聲地說）怎麼回事？誰要自白什麼事？
英禑	（苦惱著該怎麼說）那個…
秀妍	（小聲地說）你待會就會知道了。
審判長	好的，與本案無關的旁聽人請暫時離開法庭，共同原告中只有被選定當事人能留在法庭裡。

坐在旁聽席的共同原告、記者們以及一般旁聽人都走出法庭。
法庭裡只剩下案件相關人士，投影幕上開始播放影片，燦弘看見出現在影片裡的尚賢，大吃一驚。

知道尚賢就是太守美兒子的秉書也繃緊神經。

尚賢　　我叫崔尚賢，目前就讀高一，從2022年1月18日晚上到19日凌晨為止，我對羅溫進行駭客攻擊，竊取了40,954,173筆個資，因為羅溫代表金燦弘哥哥拜託我那麼做。我做錯事了，我要自首。

影片停止播放，燦弘突然起身大喊。

燦弘　　現在這是…什麼情況？（看著汪洋的律師們）你們都沒先跟我討論，就擅自提交了這種東西嗎？你們！不是我的律師嗎！

此時，濬浩走進法庭，遞了一張字條給汪洋律師們。

英禰　　我們不是金燦弘先生的律師…而是羅溫的律師。
燦弘　　我就是羅溫！我是代表！
敏宇　　（看著濬浩給的字條）再也不是了，剛才羅溫理事會已經解除你的職務了。
燦弘　　你說什麼？

S#19.　羅溫會議室（室內／白天）

和第二次言詞辯論期日同時間舉行的羅溫理事會。

以坐在輪椅上的成烈為中心，羅溫的理事們面對面坐著。雖然成烈這段時間以來變得很憔悴，但已經恢復到可以出席會議的狀態。

理事1　　也許掩蓋消息才是對的，要是金燦弘代表唆使未成年駭客攻擊的事實被傳出去…公司的形象該怎麼辦？

理事2	如果只是形象受損，那已經是不幸中的大幸了。這件事要是讓股東們知道，他們可能會向公司請求損害賠償，這才是問題所在！
理事3	所以我們只能放過那個傢伙嗎？現在正在進行的駭客訴訟案，金燦弘也公然以代表的身分坐在庭內受審。這合理嗎？應該要馬上解除他的職務！
理事1	（嘆氣）裴成烈代表，你認為呢？你認為掩蓋消息比較好，還是…
成烈	（打斷理事說話）當然不能掩蓋消息，如果想釐清燦弘是不是真的做了那種事，就絕對不能掩蓋消息。萬一他真的做了那種事…絕對不會只有解除職務而已。我，不對，羅溫會竭盡所能採取一切法律行動，絕對會把金燦弘徹底擊垮。

成烈內心深感多年好友兼合夥人燦弘的背叛，
雙眼充滿了強烈的憤怒。

CUT TO：
再次回到法庭。

勝准	庭上，根據檢舉內容，金燦弘先生對被告羅溫有犯罪事實，被告已透過理事會決議解除金燦弘先生的代表理事職務，並變更為裴成烈一人獨任代表的體制。因此被告將申請變更當事人代表。
燦弘	庭上！我是冤枉的！我不知道是從哪裡找來那種影片的，但是那不是事實！哪裡有證據能夠證明是我指使那個孩子發動駭客攻擊的？還有，他們說我被理事會解除職務，但是我根本沒有收到理事會的開會通知！
勝准	被告根據理事會章程，若代表理事判斷情況緊急，得於開會前30分鐘以電子郵件將開會通知寄發給理事們，並於當日立即召

開理事會。這是今天發生的事，他們也確實有將理事會開會通知寄給金燦弘先生。

聽到勝准這麼說，燦洪急忙地確認手機，看見了成烈在30分鐘前寄發的電子郵件，內容如下。
羅溫的緊急理事會議程如下，敬請出席。
時間：2022.8.3. 14:00
地點：羅溫股份有限公司21樓大會議室
案由：金燦弘代表理事解除職務案

秉書　庭上，我方不承認那段影片證據，那並不是透過正式調查單位所錄製，具有可信度的陳述，我方甚至無法詰問影片中的證人，這份證據限制了共同原告的反詰問權。

面對所有人都懇切地呼喚著「庭上！」的情況，審判長嘆了一口氣。

審判長　本庭將逐一說明。（緊盯勝准）首先，儘管被告代理人提交了出乎意料的證據，本合議庭仍然無法立即承認羅溫變更代表理事。

燦弘的臉上浮現了一絲希望的光芒。
相反地，汪洋律師們的表情變得黯淡。

審判長　然而，本庭也無從認定被告與汪洋法律事務所之間的委任契約無效，因此本庭將在以汪洋為被告代理人的前提之下，繼續審理案件。請被告檢具登記事項說明書等佐證資料，正式向本庭聲請變更當事人。

再次覺得自己被冤枉的燦弘本來想再多說什麼，審判長卻繼續說道。

審判長　其次，金燦弘先生的冤枉與否並不是本次庭審應處理的問題，而是需要移交調查單位偵辦，以釐清事實真相。最後，剛才這段影片的證據能力⋯

全身無力的燦弘癱坐在椅子上。
同時，泰山和汪洋的律師們臉上都寫滿了緊張。

審判長　本庭不予認定。

審判長的一句話讓泰山和汪洋的律師們悲喜交加。

審判長　原告代理人的質疑是對的，單憑那段影片難以認定其證詞具有可信度，而且證人今日並未到庭，原告代理人無法進行反詰問的質疑也有道理。

勝准　那麼我方請求庭上傳喚崔尚賢先生出庭作證。

審判長　駁回請求。

勝准　什麼？

審判長　單憑那段影片，無法斷定有對崔尚賢先生進行額外證據調查之必要。那也有可能只是惡作劇檢舉，沒錯吧？如果被告代理人確認崔尚賢有出庭意願，再聲請傳喚證人，本庭將會准予聲請。

審判長堅決的態度讓泰山律師們放下心來，汪洋律師們的表情變得黯淡。

S#20.　**汪洋法律事務所大會議室**（室內／白天）

一早就聚在會議室裡的宣榮、勝准、新進律師們與潗浩。英禑
傳送了訊息給尚賢，等待著尚賢的回覆。
似乎終於收到訊息，英禑的手機發出震動。
所有人緊張地瞥向英禑。

勝准　收到了嗎？崔尚賢的答覆？

英禑　（確認訊息後）不，是一間名為「摸摸樂」的模型玩具業者，推出
　　　　新款灰鯨公仔的廣告訊息。灰鯨的身上總是有密密麻麻的鯨虱
　　　　和藤壺寄生，不是嗎？我很好奇那個公仔是否有呈現出來，應
　　　　該要趕快申請預購…

此時，英禑又收到了另一則訊息。
英禑看了訊息，原本因為想到要購買灰鯨公仔的興奮神情變得
黯淡。

秀妍　這次是崔尚賢了吧？他怎麼說？

英禑　（平淡地朗讀出尚賢的訊息）「姊姊，我好像無法出庭作證了，妳之
　　　　後應該也聯絡不上我，我要去美國了，現在人在機場。」

敏宇　突然要去美國嗎？

宣榮　很明顯啊，一定是太守美要他去的，為了阻止兒子出庭作證。

在所有人都因此鬱悶的時候，宣榮做出決定並說道。

宣榮　我們來打輿論戰吧？

勝准　輿論戰嗎？妳的意思是要向媒體爆料崔尚賢的影片嗎？

宣榮　太守美再怎麼神通廣大，只要輿論形成，警方就不得不展開調
　　　　查，崔尚賢也會被傳喚回國。（看著時鐘）太守美的人事聽證會

就要開始了，要爆料的話就要趁現在，利用太守美無暇反擊的空檔，我們就能帶動輿論風向。我會跟《正義日報》的記者說好，各位…

英禑　（打斷宣榮說話）不行，不能那麼做。

宣榮　不能…？

勝准　禹英禑律師！妳還不閉嘴？竟敢對代表…

英禑　（打斷勝准說話）如果把自白影片交給媒體，崔尚賢就會永遠失去自首的機會，崔尚賢之所以會來找我，就是為了承認自己的錯誤，並試著導正情況，不能讓他成為逃往國外，被警察緝捕的金湯匙，就像新聞裡那些噁心的有錢人。

勝准　我們是崔尚賢的律師嗎？妳給我清醒一點！他喊妳幾句姊姊，妳就真的把他當弟弟了嗎？

知道尚賢確實是英禑弟弟的宣榮、敏宇和英禑，聽到勝准這麼說的當下，都露出了尷尬的神情，變得安靜。
這一幕讓秀妍不知道該如何反應，也讓濬浩再一次確認了英禑和守美之間有些不為人知的事。

英禑　我會試著說服。

宣榮　說服？說服崔尚賢嗎？

英禑　不，是太守美律師。

勝准　（無言）妳要怎麼說服太守美？人事聽證會就快要開始了，妳覺得她會見妳嗎？

有別於勝准的說法，宣榮和英禑認為守美搞不好真的會答應見面。
這次會議室又再次變得安靜，各自都陷入了沉思。

英禱	也許她可能不會見我，但是我會試試看，我去見太守美律師，請她同意崔尚賢出庭作證。
宣榮	去吧，我們就給太守美母子一次機會。
勝准	（驚訝）什麼？

濬浩似乎等待很久了，宣榮答應後，濬浩突然起身。

濬浩	我負責陪禹英禱律師一起去國會，確保她能見到太守美律師。

S#21. 車（室內／白天）

英禱坐在副駕駛座，濬浩開車前往將召開人事聽證會的國會。
雖然試圖加速行駛，但是馬路上車輛眾多導致交通堵塞。
濬浩致電守美的祕書。
濬浩的手機和車上的音響連結，英禱也聽得到通話內容。

濬浩	我們也清楚她忙著準備待會的人事聽證會，但是情況真的非常緊急，請務必轉告她「禹英禱律師」想見她一面，那麼太守美律師一定會見她的。
祕書	（聲音）我會看情況轉告她，但是候選人本來就很忙，還請你們見諒。
濬浩	不應該是「看情況」…（電話似乎已斷線）祕書室長？

濬浩試著呼喚祕書，但是祕書已經掛斷電話。
此時紅燈亮起，濬浩和英禱的車子也停了下來，英禱看了一下時間。
不知不覺，已經快到早上9點半了。

英祸　　人事聽證會早上10點開始…就算太守美律師答應見面，也不知道我們能不能及時趕到。

濬浩　　一定會順利的，不要擔心。

濬浩自己也焦慮地反覆確認著手機和車外路況，卻對英祸傳達了踏實的安慰。

忽然之間，英祸對那樣的濬浩心懷感謝，

英祸　　謝謝你的幫忙。

濬浩　　妳剛才在代表面前，勇敢說出要試著說服太守美律師的時候，我就下定決心了。我也要勇敢地…試著說出來。

英祸　　你要試著說出…什麼？

濬浩以緊張的神情看向英祸，鼓起勇氣說道。

濬浩　　說出我對妳的感情，就像在單戀一隻貓。

英祸　　單戀一隻貓？

濬浩　　貓會讓貓奴感到孤單，但是牠們也會帶給貓奴同等的幸福。當我和妳一起吃午餐，聽妳聊鯨豚類話題的時候；當妳列了奇怪的約會清單，我們一起一一完成的時候；當我和妳進行不超過57秒的牽手；當我們互相撞擊著牙齒接吻的時候；當我看見妳靈感湧現，眼睛閃閃發光的時候；以及當我緊緊抱著不安的妳，讓妳恢復鎮定的時候…我都很幸福。所以我們，不要分手。

濬浩的告白讓英祸有些恍惚。

此時，綠燈亮起，祕書打電話來了。

濬浩一邊出發，一邊接起電話。

451

祕書	（聲音）請到「國會4號門」，我會出去接你們。
濬浩	喔！好！

濬浩趕緊加速行駛，前往國會4號門。

S#22.　國會4號門（室外／白天）

距離國會主樓較近的國會4號門出入口。

濬浩停車，看見窗外祕書走了過來。

濬浩	禹律師，下車吧，只有公務車輛才能在國會裡停車，我會在附近等妳。

英禑本來準備下車，卻突然回頭看向濬浩。

英禑	單戀一隻貓的說法是不恰當的，因為貓也…愛著貓奴啊。
濬浩	喔…這樣啊。
英禑	所以我們，不要分手。

英禑下車。

英禑朝著祕書走去，搖搖晃晃的背影。

濬浩看著這一幕，眼角濕潤。

S#23.　候選人等候室（室內／白天）

人事聽證會開始前，提供給候選人的等候室。

這個空間平常作為法制司法委員會諮詢官室，充滿了國會公務員身上的那種一板一眼、行事保守的氛圍。守美坐在等候室裡

給外賓坐的沙發，正在和人事聽證會籌備小組的**2位員工**（皆為30多歲／男）交談。

此時，祕書敲門後，開門走了進來。
英禛站在祕書身後，閉上眼睛，默數「一、二、三」之後才走進等候室，守美靜靜地看著英禛，對祕書和員工說道，

守美　　請你們迴避一下。

祕書　　（邊走出等候室，邊表示擔心）太候選人，人事聽證會快要開始了，時間不多。

守美　　是，我知道。

秘書和員工們離開等候室。
英禛走到守美坐著的沙發附近站著。

守美　　什麼事？妳突然出現，應該不是要告訴我妳要去美國吧。

英禛　　確實不是，我不會去美國。

守美　　為什麼？在汪洋不辛苦嗎？對妳愛護有加的指導律師生病了，另一個前輩律師欺負妳，妳的辦公室戀情也告吹了。

即使守美也明白英禛是為了尚賢才來這裡的，但是還是選擇先從「我可是對妳瞭若指掌」的態度開始下馬威。
但是英禛的回答超乎守美意料之外。

英禛　　我就像一頭身處白鯨群的一角鯨。

守美　　一角鯨…？

英禛　　牠的犬齒從上顎往前突出，長程螺旋狀的長牙，所以被稱為一角鯨，看起來就像是獨角獸額頭中間長出來的角。

453

守美　　妳現在在說什麼？

英禑　　我看過迷路的一角鯨，混入白鯨群一起生活的樣子，在某部紀錄片裡。我就像那隻一角鯨，和陌生的白鯨們一起，生活在陌生的海域裡，大家都跟我不一樣，所以我很難適應環境，也有很多鯨魚討厭我，但是那都沒關係，因為這是我的人生。我的人生雖然奇特又古怪，但同時也很有價值且美好。

　　　　即使自己的提議被英禑拒絕，但是聽見英禑的回答，
　　　　守美的心情…並沒有很糟。
　　　　甚至還浮出「妳似乎有好好生活，我引以為傲」的想法，守美努力趕走念頭，看向時鐘。

守美　　我該走了，沒說完的下次再說吧。

　　　　守美起身經過英禑，走向等候室外面。
　　　　英禑轉身面對守美，趕緊說道。

英禑　　請妳協助讓崔尚賢出庭為自己犯下的錯作證。

守美　　（明知英禑在說什麼，卻裝作不知道）他犯了什麼錯？

英禑　　他對羅溫發動駭客攻擊，導致40,954,173筆個資外洩。

　　　　守美嘆了一口氣，準備轉過身去，
　　　　英禑面對守美的背，率先開口。

英禑　　崔尚賢一直相信妳是一位好媽媽，他認為妳是一位當孩子做錯事，會嚴正地斥責孩子，並給予適當懲罰的那種媽媽。請不要為了滿足自身利益，而辜負了一個相信自己的媽媽是個好人的孩子。否則…崔尚賢會受傷，而那個傷口會非常疼痛，久久無

法痊癒。

尚賢的故事和自己的故事都交織在英禍的這段話裡。
守美聽了這段話，有點心痛。

英禍　　　雖然妳對我來說不是一位好媽媽，但是請妳至少⋯成為崔尚賢心目中的好媽媽。

此時，伴隨著敲門聲，聽見了祕書在等候室門外說話的聲音。

祕書　　　（聲音）現在該過去了。

守美深呼吸後，控制著自己的表情。
讓心軟且脆弱的眼角重新變得冰冷又強勢後，頭也不回地走出等候室。
獨自留在原地的英禍，眼角變得濕潤。

S#24.　人事聽證會會場（室內／白天）

法務部長候選人人事聽證會。
國會議員坐在各自的座位上，後面站著採訪人員，法制司法委員會**委員長**（50多歲／男）對著麥克風說道。

委員長　　國務委員候選人，法務部長太守美的人事聽證會程序，正式開始。（敲了三下議事槌）請候選人站到發言臺前，舉起右手，朗讀宣誓詞。

坐在候選人席的守美起身走向發言臺。

採訪人員的鏡頭閃光燈不停歇地閃爍著。

剛才在等候室裡，聽見英褐所言，眼眶泛紅的模樣早已消失得無影無蹤，守美以優雅且從容的表情，舉起右手，進行宣誓。

守美　　宣誓，本人作為公職候選人，於國會召開之人事聽證會中，將秉持良心，當據實陳述，決無匿、飾、增、減，謹此具結。公職候選人，太守美。

S#25.　汪洋法律事務所大會議室（室內／白天）

宣榮、勝准和新進律師們平排坐在會議桌的某一邊，表情僵硬的秉書和其他兩位泰山律師走進會議室，坐在汪洋律師們的對面，汪洋和泰山面對面坐著的這張會議桌上，圍繞著一股棋逢敵手的緊張感。

宣榮　　你們想喝點什麼…

秉書　　不用了，我們只是來傳達詰問證人時的注意事項，馬上就會離開。

宣榮　　（微笑）請告訴我們。

秉書　　第一，崔尚賢是年幼的學生，出庭作證可能會讓他不自在，請不要營造帶有威脅的氣氛，並避免提出刺激情緒的問題，最重要的是，詰問方式不能像是在審訊犯人。

宣榮　　當然，這些基本禮儀汪洋還是有的。

秉書　　（像是打斷宣榮說話般，馬上接著說）第二，禁止提到任何關於太守美律師的問題，就算是崔尚賢主動提到她，汪洋的律師們也不能針對太守美律師追加提問。

這次宣榮並沒有馬上回應。

宣榮臉上掛著微笑，沒有任何表示，
秉書繼續說道。

秉書　　第三，崔尚賢的證人詰問，必須由禹英禑律師負責。

包含英禑在內，汪洋的律師們都因秉書的這句話而大吃一驚。
其中最為驚訝的勝准，語帶不滿地反問回去。

勝准　　什麼？

秉書　　以上三點注意事項，如果未能遵守任何一點，崔尚賢就無法作
　　　　　證。

勝准　　（不悅）你們是崔尚賢的律師嗎？你們到底憑什麼指定詰問證人
　　　　　的律師？

宣榮　　（像是打斷勝准說話般，馬上接著說）我們會配合。

勝准　　（無言）什麼？代表？

宣榮　　就由禹英禑律師負責崔尚賢的證人詰問吧。（對秉書說）以上三
　　　　　點注意事項我們都會遵守，請不用擔心。

雖然勝准努力要抑制怒火，卻不自覺氣得臉紅脖子粗。
同時，英禑想到要進行證人詰問，似乎已經開始緊張，小聲地
嘆了一口氣。

S#26.　法庭（室內／白天）

第三次言詞辯論期日。
被告席上這次不是燦弘，而是坐在輪椅上的成烈。

審判長　　證人，請來到前面。

坐在旁聽席的尚賢起身走向證人席。

法庭裡所有人的視線都投射到尚賢身上。

尚賢　　本人將秉持良心，當據實陳述，決無匿、飾、增、減，如有虛偽不實之陳述，願受偽證罪之處罰，謹此具結。

審判長　被告代理人，請詰問證人。

聽到審判長這句話，勝准故意乾咳了幾聲，看向遠方。

相反地，秀妍和敏宇以為英禑加油的眼神看向英禑。

秀妍　　（小聲地說）禹英禑！好好表現！

英禑　　（像是小聲的複述）禹英禑，好好表現。

英禑從座位上起身走向證人席前。

此時，守美和**兩位隨行人員**（皆為20多歲／男）一起走進法庭，雖然守美盡其所能地讓自己不要太顯眼，保持微微低頭的姿勢，安靜地坐在旁聽席，

但是認出守美的人們開始竊竊私語。

守美和英禑目光交會。

單看守美面無表情的臉，無從得知守美現在的情緒。英禑再次轉頭看向尚賢，似乎有些緊張，尚賢低著頭，摸弄著自己的衣角，而非魔術方塊。

英禑　　證人，麻煩你自我介紹。

尚賢　　我叫崔尚賢，今年17歲…（不知道還需要說什麼，思考了一下）我目前就讀高一。

英禑　　證人，從2022年1月18日晚上到19日凌晨為止，你對羅溫發動駭客攻擊，竊取了40,954,173筆個資，請問這是事實嗎？

尚賢　是。

尚賢的回答引起法庭內一陣騷動。
雖然成烈已經知情，但親耳聽到尚賢證實，似乎還是很痛苦，
成烈的表情逐漸僵硬。

英禑　你為什麼那麼做？
尚賢　因為燦弘哥拜託我那麼做。
英禑　你說的「燦弘哥」是指羅溫的共同創始人，也是前任共同代表
　　　的金燦弘先生嗎？
尚賢　對，我和燦弘哥是在駭客攻擊防禦競賽認識的⋯他是一位對我
　　　很好的哥哥，但是有一天他突然拜託我幫忙。他說只要我對羅
　　　溫發動駭客攻擊，讓成烈哥嚇到，那麼成烈哥就會在軟體開發
　　　或建置資安系統方面投入更多錢。
英禑　因為駭客攻擊而外洩的40,954,173筆個資，請問你是怎麼處理
　　　的？
尚賢　我全部進行加密保護後，交給燦弘哥了。
　　　雖然他要求我解密，但我沒有幫他解開，以防他把個資賣到別
　　　的地方。
英禑　金燦弘先生有可能自行解密嗎？
尚賢　不可能，根據我對他的了解，以他的實力很難破解。
英禑　證人，你將會受到法律處罰，因為你確實有駭進羅溫，並竊取
　　　用戶們的個資，請問你知道這個事實嗎？

英禑的語氣既平淡又冷靜。
尚賢用僵硬的表情靜靜地看向英禑。
秉書果然擔心英禑會像在逼問犯人一樣詰問尚賢，暗自緊張。

尚賢　　是，我知道。

英禍　　那你為什麼還要主動作證，說出你的犯罪事實？

尚賢再度低下頭。
坐在旁聽席的守美内心沉重。

尚賢　　因為我做錯事了，我對成烈哥很抱歉…對羅溫的用戶們…也很
　　　　抱歉。

尚賢好不容易才把話說完，眼眶裡含著淚水。
成烈看著這一幕，嘆了一口氣，
共同原告們的表情也五味雜陳。

英禍　　我方詰問完畢。

英禍為了回到自己的座位上，轉身回頭走，再一次地和守美目
光交會。
這次也不例外，守美的表情十分平靜，無法察覺她的情緒。

S#27.　法院門口（室內／白天）

庭審結束後，守美站在法院門口的階梯，召開記者會，許多採
訪人員和共同原告們都圍繞著守美。

守美　　人事聽證會結束後不久，我才得知我兒子駭進羅溫，導致用戶
　　　　們個資外洩的事實。我很慚愧，我不知道自己沒有教育好孩
　　　　子，還想成為為國家和人民服務的法務部長，我甚至沒發現那
　　　　是我兒子闖的禍，看著我所屬的泰山法律事務所，成為羅溫用

戶們的代理人，並提起訴訟。

此時，英禍和汪洋律師們走出法庭，看見了守美的記者會。

守美　我兒子對於自己的罪行深刻感到懺悔，他將積極配合警方接下來的調查，並接受應有的懲罰。我今天⋯將會卸下法務部長候選人身分，深刻反省並自我約束，雖然我的兒子並不完美，但我會盡力扮演好一直失職至今的母親角色。我再次向各位國民真心誠意地道歉。

守美彎腰鞠躬，採訪人員的鏡頭閃光燈不停歇地閃爍著。
英禍看著這一幕，表情很微妙。

CUT TO：
同時，宣榮坐在一輛停在法院門口馬路的車上，
看著守美，記者會結束，宣榮關上車窗，安靜地喃喃自語。

宣榮　這次就⋯放過妳。

S#28.　**毛怪家餐酒館**（室內／晚上）
客人總是杳杳無幾的毛怪家餐酒館，今天居然人聲鼎沸。
敏植站在廚房工作的時候，格拉米、英禍、濬浩、秀妍與敏宇坐在桌子前，配著海苔壽司、酒和下酒菜，看著電視。
電視裡的一位**主播**（30多歲／女）報導著羅溫一案的新聞。

主播　羅溫前代表金燦弘先生接受警方調查時，承認他指使前法務部長候選人太守美的兒子，對羅溫發動駭客攻擊的事實。警方在

461

金燦弘先生家中發現並沒收經過加密處理的40,954,173筆個資，並表示金燦弘先生並無外洩個資情事。

電視新聞裡的資料畫面，出現了燦弘緊低著頭，被警察拖著走進警察局的模樣。

主播 　另一方面，在羅溫用戶們對羅溫提起的請求損害賠償訴訟中，首爾中央地方法院民事庭認為，外洩的個資已由調查單位沒收，且認定並未發生個資外洩，導致用戶們的精神損失，因此駁回了原告們的請求。

聽見主播的報導，人在廚房的敏植問道。

敏植 　「駁回了原告們的請求？」是你們勝訴的意思吧？

坐在桌前的潗浩燦笑著回答。

潗浩 　對！如果敗訴，必須支付3兆韓元的鉅額賠償金，多虧這幾位律師，我們才能勝訴。

格拉米 　乾杯！敬你們省下了3兆韓元，乾杯！

格拉米高舉酒杯，所有人也都笑著乾杯。
此時，明錫和知秀一起走進餐酒館。

敏植 　歡迎光臨！聽說你要來，我特地煮了一大鍋鮑魚粥。
明錫 　唉唷，謝謝你。

明錫、知秀以及端著鮑魚粥的敏植也一起圍坐在桌子前，明錫

462

看向新進律師們，

明錫　我有聽說羅溫庭審的消息，你們可說是大獲全勝耶？這三個人
　　　傻乎乎的菜鳥樣，感覺還像昨天的事！真是令人感慨萬千！

秀妍　謝謝。

敏宇　這都要感謝你。

正經地回答的秀妍和敏宇，以及依舊不知該如何反應的英褵。
明錫滿意地看著這三個人。

英褵　鄭明錫律師，你會回汪洋上班嗎？

明錫　嗯…不確定耶？

知秀直視著明錫。
明錫不自覺地看著知秀的臉色，

明錫　我還在考慮。

知秀　你們三位都喜歡在汪洋工作嗎？

面對知秀的提問，秀妍和敏宇有所停頓，英褵陷入沉思。

明錫　唉唷～幹麼問他們那種問題，在我面前他們一定會說喜歡啊，
　　　不然會說討厭嗎？

英褵　那個…我很喜歡，就算不是在鄭明錫律師面前…我也會說我很
　　　喜歡。

面對英褵睜著炯炯有神的眼珠回答問題的真心，潣浩以疼愛的
眼神看著英褵，

明錫噗哧一笑。

| 明錫 | 真是太好了！ |
| 格拉米 | 乾杯！真是太好了，就是要乾杯！ |

格拉米又再次高舉酒杯，大家也都高興地乾杯。這是個對所有人來說，都很幸福的夜晚。

S#29. 禹英禑飯捲（室內／白天）

清晨。

英禑身穿上班服裝，走進禹英禑飯捲，坐在一如往常的座位。

| 英禑 | 請給我一份禹英禑飯捲。 |
| 光顯 | 好的～我已經準備好了！ |

光顯把事先做好的海苔飯捲拿給英禑，坐在英禑的對面，英禑不熟練地拿著筷子，把海苔飯捲排列整齊才開始吃。

英禑	那張「人的情緒」海報上應該要增加新的情緒。
光顯	新的情緒？是什麼？
英禑	那個…我不確定今天早上感受到的情緒究竟是什麼。既不是「滿足」，也不是「喜悅」，更不是「高興」…
光顯	那到底是什麼心情？
英禑	從今天開始…我是汪洋法律事務所的「正職」律師禹英禑，正著唸、倒著唸都一樣，黑吃黑、多倫多、石榴石、文言文、鹽酸鹽、禹英禑。
光顯	正職？所以我家英禑續約了嗎？

英裖	是。
光顯	唉唷！太好了！妳怎麼不早點跟我說？
英裖	我現在不就在跟你說嗎？
光顯	對！是啊！我家英裖太了不起了！可是妳現在感受到的情緒不是「高興」嗎？我都這麼高興了耶？
英裖	我也很高興…但那似乎不是全部的情緒。
光顯	這樣啊？那麼…「自豪」？

英裖咀嚼著海苔飯捲，思考著自己的情緒是不是「自豪」，不過那似乎也不是正確的情緒，英裖搖了搖頭。

英裖	應該不是。
光顯	「難能可貴」？
英裖	不是。
光顯	「引以為傲」？
英裖	不是。
光顯	「我女兒成為堂堂的汪洋正職律師，爸爸現在死而無憾了？」
英裖	這離我在找的答案越來越遠了。

英裖真摯的一句話讓光顯噗哧一笑。
英裖熟練地整理自己吃完的筷子和碗盤，從座位上起身。光顯把便當盒放入英裖的包包裡，英裖拿出頭戴式耳機戴上。

英裖	我去上班了。

英裖走出飯捲店。
看著女兒遠去的背影，光顯用低沉的聲音說道。

光顯	我女兒真的長大了。

S#30. 地鐵 (室內／白天)

因為是上班時間，地鐵滿是人潮。

英禑坐在地鐵的椅子上，戴著頭戴式耳機，閉著眼睛。多虧這段時間以來每天搭地鐵的鍛鍊，英禑比第一集搭地鐵時放鬆許多。

頭戴式耳機裡傳出大翅鯨的歌聲，

英禑第一天上班時，陪伴英禑前往公司的大翅鯨，這次也出現在窗外。背鰭垂向一側的虎鯨和印太瓶鼻海豚也都陪伴英禑一起上班。

S#31. 汪洋法律事務所 (室外／白天)

英禑抵達汪洋大樓門口，有別於第一天上班的時候，雖然今天入口的推拉門是開著的，

但是英禑久違地下定決心要通過旋轉門。

「嗖──嗖──」巨大的旋轉門驚悚地旋轉著。

不過英禑回想起第一集濬浩教她的方法。

英禑　　一、二、三，一、二、三。

英禑跟著節奏踩了幾步後，衝進旋轉門裡，雖然錯過了踏出來的時機，多轉了一圈，但至少…

第二次就順利地成功進入大樓內部。

S#32. 汪洋法律事務所1樓大廳 (室內／白天)

濬浩　　禹英禑律師！

濬浩提早上班在大廳等待，看見剛才通過旋轉門的英禂，開心地走了過來。

英禂　　（莫名其妙）「欣慰」！

濬浩　　什麼？

英禂　　今天早上我感受到的這份情緒名字就是…「欣慰」！

雖然濬浩不知道英禂在說什麼，但是這一刻，英禂的表情完全體現「欣慰」這個詞語，濬浩什麼也沒說，跟著英禂一起笑著。
看著那樣的濬浩，回應著欣慰笑容的英禂，非常可愛。

〈完〉

工作人員名單

劇本 文智元

導演 劉仁植

演員 朴恩斌、姜泰伍、姜其永、全培秀、白智媛、陳慶、河允景、朱鐘赫、朱玄英、林成宰

製作 ASTORY、kt StudioGenie、Nangman Crew

〔ASTORY〕

製片 이상백

製作統籌 이영화

製片主任 김민지, 이세원

執行製片 김수현, 왕 휘

影視內容全球化商業統籌 한세민

影視內容事業 하야시 유카, 박여주, 우에리

營運支援室 이현진, 배애영

行銷／OST製作 박인정, 전희진

營運策略 김용수

攝影導演 홍일섭, 한상욱

跟焦員 이증복, 장성욱

攝影組 차도영, 이건주, 김형민, 유호연,
송성호, 김정현

DIT 〔ohon〕 김미경, 김은지

攝影設備 〔DMC Film〕 김유식

燈光導演 손윤희

燈光組 이형우, 전창규, 신진수, 장민순,
김형준, 유현규

發電車 임동민

同步錄音 허준영

同步錄音組 박경수, 김주현

器械 〔Moving Image Service〕 김광훈

器械組 전강진, 이상원

無人機 〔Team GRG〕

試鏡 〔jnagent〕 정치인, 노하은

兒童演員試鏡 〔TI〕 노태민, 정유민, 김석호

468

臨時演員　[hangang.art] 김진태, 이대영,
　　　　　　한중연

美術〔Studio Hyun〕

美術導演　김소연

美術組長　이유빈, 이진주

美術組　박윤정, 오희민

置景〔Art Inn〕

置景統籌　이용직, 박승현

置景製作　김승리

置景工　이흥식, 최지성

置景支援　문동녘, 정민교

繪畫　이승엽, 이상택

裝飾　김기현, 조행복

行政　남궁윤, 고경민

大型道具進行　김태훈

道具　[Deco LAB] 정화연

小型道具進行室長　허경두

小型道具組　서조이, 서보균

裝潢組長　정대호

小型道具支援　서연란, 홍하영, 손지원,
　　　　　　김다해

食物造型師　강민희

紙工藝　최서영

化妝　[K.work] 김봉천, 김란희, 곽민경,
　　　　김예아

服飾　[The Style] 김보배, 유데레사,
　　　　임지현, 김예지

特殊效果　[DND LINE] 도광섭, 도광진,
　　　　　변세윤

武術導演　[Best Stunt] 강 풍, 임승묵

特殊道具車　[INATRWORK] 박민철,
　　　　　　허성두, 최견섭, 이영현

工作人員巴士　김영태

臨時演員巴士　[Dong Baek Media]

平板車〔barobarostory〕

導演平板車　하순만

製片平板車　허남철

鏡頭平板車　김상섭, 장동욱

道具車　정윤성

服飾車　최재범

片場租借　[Global Media],
　　　　　　[Sunshine Eye Studio]

剪輯　[coolmedia] 조인형, 임호철

剪輯助理　최효석, 정다영, 남보라, 황윤정

音樂總監　노영심

音樂　김정배, 나하은

管理　January

音樂導演　김성율

音樂　유종현, 조남욱, Daniel Lee, KOOW,
　　　　박정인, 최재원

音樂操作員　김동수

音響〔Rainmaker〕

Supervising Sound Designer　유석원

Sound Designer　김병구, 배상국, 허정현,
　　　　　　김수남

VFX　[WESTWORLD] 손승현, 허동혁,
　　　　황진혜, 양영진, 김수동, 서덕재,
　　　　노민영, 황보김경,정이마, 이아현,
　　　　문수빈, 여진희, 김서영, 정창현,
　　　　공태인, 오지연, 이대희, 전영빈,
　　　　김수빈, 민경환, 황한울, 김주택,
　　　　황영선, 이선주, 신서영

Digital Intermediate〔U5K Imageworks〕

Colorist　엄태식, 김민정

Assistant Colorist 김린하, 오다빈

DI Producer 손민경

Technical Supervisor 서중권

Image Mastering 최우석

綜合剪輯〔DH Media Works Lab〕

Director 이동환

Image Mastering 이한슬

Assistant 김혜정

Data Management 박주현, 김재겸

代理宣傳 〔PRJ〕박진희, 이미송, 최보미

劇照 최다현

花絮 〔RIVIERE PICTURES〕유가람,
　　　　배희진

海報／小標題設計 〔Pygmalion〕이유희,
　　　　　　　　박재호, 이서연, 박인혜

海報／小標題照片 이승희

宣傳片／預告 〔nineconcept〕최준구,
　　　　　　김은진, 김현진, 김두한,
　　　　　　황윤정

標誌／字體 전은선

〔劇本諮詢〕

法律相關
　〔太平洋法律事務所（有限）〕윤지효律師
　〔湖岩法律事務所〕신민영律師、
　　　　　　　　백나눔律師

自閉症類群相關
　〔拿撒勒大學〕김병건教授

精神健康醫學相關
　〔Purme基金會Nexon兒童醫院〕
　김수연科長

〔案件原型〕

신민영

《我為何為他們辯護》

조우성

《一喜勝千憂》

신주영

《法庭的高手》

지향

《我並不那麼想》

〔引用〕

安度眩

〈一塊煤炭〉，《高處不勝寒》

MUNHAKDONGNE（1994）

劇本印刷〔Super Book〕

分鏡 강숙

插畫協助 〔KT Y〕정5、정다은、Cez、
　　　　　유보라

470

〔kt StudioGenie〕

策劃　김철연
責任製作人　이주호
製作人　김은선, 김영하
製作策略／行銷統籌　정지현
製作策略　김승민, 강은교, 천주원, 김은비
行銷　최시정, 정은년, 김도원
事業統籌　오기제
國內事業　권영민, 정연실, 박석희
海外事業　송현정, 김중균

〔Nangman Crew〕

共同製作　이상민

〔ENA〕

頻道統籌　오광훈
編輯統籌　신재형
編輯　백수연, 김혜림, 이슬비
營運　천지현, 이현지
宣傳行銷　김지현, 함초롱, 용금주, 이주원
線上行銷　이정민, 정우성, 민윤정, 유현승
OAP　김동준, 백민정, 김지원
設計　김재희
IMC　김재영, 정민우
廣告策劃　박철민, 강예리
廣告營運　김지명, 지현희, 김나영, 김소연
節目審查　김현호

行銷統籌　[Kings Marketing Group]
　　　　　주지성, 임형섭, 김승우
場地交涉　[ROYAL QUEST] 이손영,
　　　　　고도연, 이휘동, 김민수
助理作家　김도하
SCR　장정윤, 하현정
FD　김명식, 김대남, 김진경, 김유미
助理導播　고은호, 이광문, 심유나

471

2022

우영우의 세계를 함께 탐험해주셔서
감사합니다 ♡ 사랑합니다 ♡

※謝謝大家和我一起探索禹英禑的世界
我愛你們

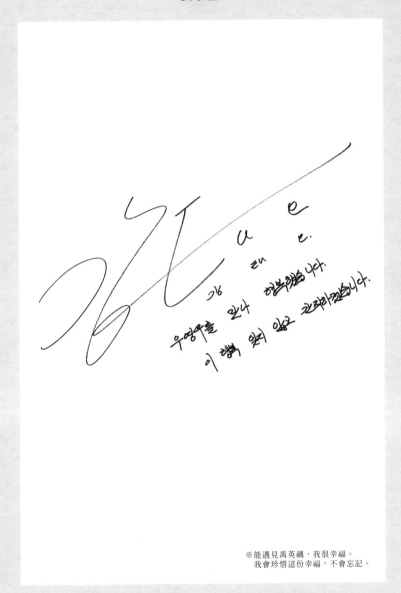

※能遇見禹英禑，我很幸福。
我會珍惜這份幸福，不會忘記。

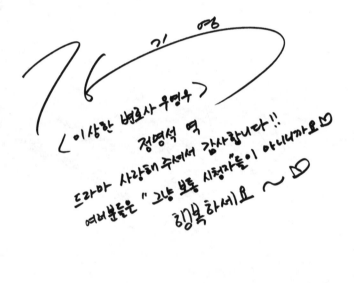

〈이상한 변호사 우영우〉
정명석 역
드라마 사랑해 주셔서 감사합니다!!
여러분들은 " 그냥 보통 시청자들이 아니니까요♡
행복하세요 ～ ♡

※《非常律師禹英禑》
　飾演鄭明錫
　謝謝大家喜愛這部電視劇！！
　因爲大家的確不是「一般觀衆」
　大家要幸福～

474

하 을 경

넘치는 사랑 줘서서 감사합니다!!
여러분의 앞날에 '봄날의 햇살' 같은 순간이 가득하길 ..◡̈
건강하고 행복하세요 ♡ -하윤경

※感謝大家滿滿的愛！！
　希望大家的未來充滿「春日暖陽」般的時刻…
　大家要健康、要幸福哦 -河允景

· 朱鐘赫 ·

주종혁

2022

〈이상한 변호사 우영우〉를 만나 제 인생에 기적이 일어났습니다.
너무 소중한 2022년도를 만들어 주셔서 너무 감사드립니다!
사랑합니다♥ - 권민우 -

※遇見《非常律師禹英禑》，爲我的人生帶來奇蹟。
謝謝大家給了我非常珍貴的2022年
我愛你們 -權敏宇-

우리 모두에게
봄날의 햇살 같은 나날들이 펼쳐지길..
- 2022. 8. 19 동그라미 주 현영 -

※希望我們都能迎來春日暖陽般的每一天…
– 2022年8月19日　董格拉米朱玄英 –

477